林慶彰　總策畫
民國時期稀見期刊彙編
第一輯

文學科研究年報 ①

臺北帝國大學研究年報

第廿五冊

文學科研究年報

第一輯

臺北帝國大學文政學部

臺北帝國大學文政學部 文學科研究年報 第一輯

目次

剪燈新話と東洋近代文學に及ぼせる影響……久保得二……（一）
上田敏の『海潮音』……島田謹二……（一三七）
——文學史的研究——
書紀に見えてゐる「之」字について……福田良輔……（三三九）

翦燈新話と東洋近代文學に及ぼせる影響

久保得二

目次

〔一〕作家としての瞿宗吉……その略傳……その才藻……その著作……翦燈錄と翦燈新話との關係……新話の校定……翦燈夜話との關係……新話の價値……新話の禁止……新話の復活……新話の刊本

〔二〕支那……李昌祺の略傳……翦燈餘話……覓燈因話……四燈集……新話の劇化……葉憲祖の略傳……寒衣記……領頭書……紅梅記……その刊本……渭塘夢……餘話の劇化

〔三〕朝鮮……金時習の略傳……その人物……金鰲山の隱栖……金鰲新話の著作……翦燈新話との關係……金鰲新話の批判……塡詞の開祖……翦燈新話句解の著者及び校訂者……尹春年・林芑の略傳及び年次……林羅山の施點補寫……句解の刊本

〔四〕日本……奇異雜談集……伽婢子……怪談全書……怪醜夜光珠……雨月物語……安積沼……浮牡丹全傳……阿國御前化粧鏡等……翦燈新話てふ書名をもぢつた戲作……圓朝の怪談牡丹燈籠……その劇化……關係論文

し翦燈新話[illegible]より瑣瑣たる一小冊子に過ぎないが、その後世に於ける結果は、價[illegible]のである。それも、本元の支那ばかりではなく、朝鮮・日本に傳は[illegible]り盛に持て囃された上に、多大の影響を認めることが出來るで、大[illegible]的價値を有する名著であつて、一寸他に比類なき位。試に之を揷言すれば、支那に於ては、幾多の改作及び續撰を出し、一たび朝鮮に這入ると、その擬作が、眞正の意味に於ける小說の開祖となつて、發達の氣運を促し、最後に、日本に在つては、その流行が、謂はゆる怪談文學の興起及び發展に與つて力あるを否定することが出來ぬ。今、これに就いて、予が硏究し得た限りの事どもを殘りなく書いて見やうと思ふので、第一に、その作者瞿宗吉の傳記から始める。

瞿佑、字(あざな)は宗吉、錢塘の人、元末至正七年に生まれ、その生涯は、明初の五朝に亙つて居る。唐岳の翦燈新話後序、柯潛・胡道の歸田詩話序、並に郎瑛の七修類稿等に瞿存齋先生とあり、且つ詩話の序にも自署しある通り、宗吉が存齋と號して居たことは、言ふまでもないが、明史藝文志・焦竑の國史經籍志・黄虞稷の千頃堂書目等に歸田詩話を吟堂詩話として居る處から見ると、外に吟堂とも號して居たのである。　又詠物詩の自序に樂全叟と署したのは、蓋し、晩年の別號であらう。

宗吉の傳は、明史に見えぬが、郎瑛の七修類稿を始めとし、列朝詩集・明詩綜・本事詩等に其小傳を掲げ、堯山堂外記・西湖游覽志等にも若干條の紀述がある。　但し、郎瑛が「昨、當道に因つて、先生の事實を得て、集に書せむと欲し、これを子孫に詢ふに、答ふるところは、十の二三、誌銘、亦た之を失ふ」といつた通り、缺乏せる材料では、到底、その十分なるを望む譯には行かぬ。

七修類稿には、宗吉の少時を敍して「生まれて兵火に値ひ、四明・姑蘇に流す」と書いてあるが、これは何に據つたのか、察するところ、翦燈新話に載せて、宗吉の青春の頃の幻想を寫し、さながら、元微之の會眞記の後勁を以て目せられて居る例の秋香亭記から取つたのでは無からうか。　宗吉は、歸田詩話に於て會眞記に論及し「元微之、元和・長慶の間に當り、詩を以て名を著はし、傳へて禁中に入り、宮人能く之を歌詠し、呼んで元才子となす、風流醞藉、知るべきなり。　その鶯鶯傳(卽ち會眞記)を作る、蓋し名を張生に託す、復た會眞詩三十韻を製し、微に其意を露(あら)はす、しかも、世、悟らず、乃ち誠に是人ありと謂ふは、殆んど痴人の前に夢を説くなり」といつて居る通り、秋香亭記の商生は、單に名を託しただけで、實は宗吉その人の分身であつて、會眞記中の張生と同一視されて居る位。そこで、記中に述ぶる轍跡等は、矢張、事實その儘であつたとすれば、これに據ることは、もとより差支ないので、郎瑛が、ほんの申し譯の樣に、少しばかり取つて、その終始を盡さないのは、如何したことであらうか。秋香亭記に寫すところを見ると「至正間、商生といふ者あり、父に隨つて姑蘇に官游し、烏鵲橋に僑居す……適ま、高郵張氏の兵起つて、三吳擾亂す、生の父、家を挈へて、南、臨安に歸り、會稽・四明に展轉し、以て亂を避く。吳の元年、國朝混一、道路はじめて通ず、時に生の父、すでに歿し、ひとり、母を奉じて、錢塘の故址に居る」とある。宗吉は、至正七年の生まれであるから、明の太祖が國を吳と號した同二十四年には十八歳である。さうすると、記中に見えた楊采采との唱和などは「音耗通せざるもの十載」といへる其前の事で、この時、わづかに八九歳であるから、たとひ、如何なる早熟にしても、必無の事、斷じて信ぜられない。しかし、これは游戲の文字であつて、記中の情事は、全く幻想に本づいたものとすれば、その年紀等は、もとより問題にも成らず、その唱和等も、文飾を添へる爲に、あとから宗吉が自分で揑造したに相違なく、そこに何等の不思議もない。會眞記でさへも、その情事は、矢張、架空的事實に過ぎぬといはれ、後に林以寧が三婦合評牡丹亭還魂記に序して「むかし、元稹、その表妹を亂さむと欲して得ず、乃ち會眞記を作つて、その事を誣ゆ」といつた通りであるが、秋香亭記も、これと同一の事情の下に出來たものと思はれる。何は兎もあれ、宗吉少時流寓の跡は、ひとり秋香亭記の、存するに賴つて、略ぼ推察することが出來るので、七修類稿に「四明・姑蘇に流す」とあるだけでは、その順序も違つて居て、且つ不十分の嫌があるから、必ず同記に據つて訂正すべきことと思はれる。

宗吉の少時の軼聞は、いづれも、彼が自ら歸田詩話に載せた記事に本づいて刪潤したので、決して其外に逸出することはない。第一、宗吉が章彥復に褒められたことは、同詩話に「章彥復、福建省檢校より、杭に回つて鄞を過ぐ。先君、置酒して之を待つ。予、適ま學舍より歸る。彥復、雞を指して題となし、命じて詩を賦せしむ。予、勉めて四句を成し、以て呈して云ふ、

宋宗窓下對談高。五德聲名五彩毛。自是范張情誼重。割烹何必用牛刀。

彥復、大に稱賞を加へ、手づから桂花一枝を寫し、幷せて詩を其上に題し、以て贈つて云ふ、

瞿君有子早能詩。風采英英蘭玉姿。天上麒麟元有種。定應高折廣寒枝。時に、予、年はじめ十四と云ふ」とある。西湖游覽志は、この全文を殆んど其儘寫し取つて、その下に「瞿翁、爲に傳桂堂を構ふ、而して凌彦翀・丘彦能・吳敬夫、咸な鄕丈、ともに忘年の友となる」と附記してある。おもふに、これは、はじめて姑蘇より亂を避けて逃竄し、その父が「家を挈へて、南、臨安に歸」つた其時であつたらう。古しへより、子を知るは親に如かずと云ふが、ある場合には、これと反對に、子を知らざるは親に如かずといふこともあるので、堯山堂外記には「宗吉、少にして、その父に知られず」と書いてある。

その次は、楊鐵厓の推稱を得たことで、これも詩話に「楊廉夫、晩年、松江に居る……或は杭を過ぐれば、必ず予が叔祖を訪ひ、傳桂堂に宴飮し、留連累日。かつて香匳八題を以て示さる。予、その體に依り、八詩を作つて以て呈す。藁、家集中に附し、これを忘るること久し、今、なほ數聯を記す。その花塵春跡に云ふ、燕尾點波微有暈、鳳頭踏月悄無聲。黛眉顰色に云ふ、恨從張敞毫邊起、春向梁鴻案上生。金錢卜歡に云ふ、織錦軒窓聞笑語、採蘋洲渚聽愁吁。香頰啼痕に云ふ、斑斑湘竹非因雨、點點楊花不是春と。廉夫、稱賞を加へ、叔祖に謂つて云ふ、これ君が家の千里駒なり、と。因つて、鞋

盃を以て題を命ず。予、沁園春を製して以て呈す。大に喜び、即ち侍妓に命じ、歌うて以て酒を行らしむ。詞に云ふ、

一掬嬌春。弓様新裁。蓮步未移。笑書生量窄。愛渠儘小。主人情重。酌我休遲。醞釀朝雲。斟量暮雨。能使麴生風味奇。何須去。向花塵留跡。月地偸期風流到手偏宜。便豪吸雄呑不用辭。任凌波南浦。惟誇羅襪。賞花上苑。秖勸金巵。羅帕高擎。銀瓶低注。絕勝翠裙深掩時。華筵散。奈此心先醉。此恨誰知。

歡飲して罷み、その藁を袖にして去る」とある。香奩八題の原作は、鐵厓逸篇にも見えて居るが、さばかりの必要が無いから、ここには擧げぬ。錢謙益は、上の話を列朝詩集の小傳中に書き込み、原文には、その年齡を書いて無いにも拘はらず、これをも前の場合と同じく年十四として居るが、何に據つたのか分からず、現に其詩を見ても、彥復に示した詠雞の七絕は、明かに稚拙の氣味があつて、志學前の手筆に相應しいが、香奩八題の次韻は、夐然として同じからず、到底、小倅の細工とは思へぬから、聊か疑を挾まぬ譯には行かぬ。宗吉の叔祖は、歸田詩話・列朝詩集に士衡とあるが、名だか、字だか、よくは分からぬ。その作は、上記の二書に唯だ一首見えて居る。この時、宗吉の父は居ない様だから、大方、すでに死んだので、次の話と共に、秋香亭記に「吳

の元年……生の父、すでに歿し、ひとり母を奉じて錢塘の故趾に居る」といつた其時であらう。

それから、宗吉は、もう一つお負けに、鄉先輩凌雲翰に褒められたことを、麗麗しく例の詩話中に揭げて「鄉丈凌彥翀、名は雲翰、柘軒と號す、至元間、士衡叔祖と同じく、浙省の鄉榜に登り、平江路學正を授けられしが赴かず、才高くして學博く、鄉黨に推さる。一日、來つて叔祖を訪ふ、在らず、和するところの石湖田園雜興詩一帙を以て舍下に留寄すること數日、予、盡く之に和す。見るに及んで大に驚喜し、爲に序文を前に作り、これに因つて刮目して相視、且つ叔祖の盡く知る能はざるを歎ずるなり。繼いで、梅詞霜天曉角一百首・柳詞柳梢青一百首、梅柳爭春と號するものを以て、予に屬して之に和せしむ。予、亦た韻に依つて和就(な)るや、大に賞拔を加へらる。予、先生を視ること、猶ほ大父行のごとし。而して、先生、齒德自ら居らず、過(あやま)つて小友を以て待たれ、每に諸長上の前に於て、これを稱して口を容れず、後生、人あるを喜ぶなり」といひ、果然三度あることは三度といふ諺の通り。その少時、耆老輩から褒められた嬉しさは、老後、なほ記憶に新にして、動もすれば、得意げに吹聽したかつたものと見え、まことに、尤も千萬ではあるが、その爲に、さらでもなき愚作を讀ませられることは迷惑至極、相成るべくは、こんな自己紹介は、その詩話中より削り去つて貰ひたかつたのである。しかし、宗吉その人の夙慧は、これに因つて、略ぼ遺憾なく證明されると云つても善からうと思はれる。

宗吉の少時は、如上の斷片的事實の外、格別の紀述も無いが、七修類稿に「春秋に明かに、經史百家を淹貫す」とあつて、流寓中でさへ、ひたすら研學に耽り、やや長じて後餘暇、文墨に從事して、諸先生と共に周旋せしことは、言ふまでもなく、詩話の自序にも「鄉里に在るや、尊長に侍して湖山に游ぶ」といつて居る。ここに謂ふ湖山は、卽ち晴好雨奇の絕景を以て知らるる西湖である。かくて、洪武十四年に書いた吳植の翦燈新話序に「家學淵源、博く羣集に及び、屢ば明經に薦められしが、母老いて仕へず、力を文章に肆(ほしいまま)にするを得たり」とあるから、宗吉が三十五歲頃までは、未だ出仕せず、專ら修爲に務めて居たことが分かる。そして、宗吉が翦燈新話を作つたのも、矢張、その出仕前の事に係るのである。

明の太祖の洪武二十年、宗吉歲四十有二、その前後數年の間に、明經を以て薦められて、仁和・臨安・宜陽の訓導に筮仕した。これは、木訥の歸田詩話序等に據つたので郞瑛の七修類稿には「國朝に入つて仁和の山長となり、宜陽・臨安の二學を歷たり」とあつて、その職名と順序とが少し違つて居るが、これは、矢張、木訥等の方が正しい樣に思はれる。山長は校長、訓導は敎官である。次に洪武己巳、卽ち二十二年に書いた桂衡の翦燈新話序に「訓導の間、その耳目を詞翰の場に游ばしめ」とあるから、宗吉が訓導に任官したのは、無論、この年より後れず、卽ち四十四歲以前だといふことが推測される。

宜陽は、河南洛陽の西南に當るから、この頃、閒暇を得て、程遠からぬ同省の汴梁に旅行したこともあつたと見える。胡子昂の翦燈新話跋に「ここに十載の間、先生と兩京に聲欬し、平生の歡の如く、未だ幾ならずして別れ去る」とあるのは、卽ち此時の事に係るものの如く、ここに謂はゆる兩京は、南京と汴梁とを並稱したので、明史に「洪武元年秋八月、應天を以て南京となし、開封を以て北京となす」とある。しかし、宗吉が後に周王府の右長史となり、その周王の封土が汴梁に在つたことを忘却してはならぬ。左の一律は、わが琵琶法師と相似たる、謂はゆる陶眞の存在及び其變遷を證明するものとして、屢ば引合に出されるが、卽ち汴梁に於て作つたのである。

歌舞樓臺事可誇。昔年曾此擅豪華。尙餘艮嶽排蒼昊。那得神霄隔紫霞。廢苑草荒堪牧馬。長溝柳老不藏鴉。陌頭盲女無愁恨。能撥琵琶說趙家。

なほ歸田詩話の中に「汴梁は宋の東京たり……當時、賣花擔上觀桃李、拍酒樓前聽管絃の句あり」といひ「汴梁相國寺、暇日、予、黄體方と過ぐ」といひ、ともに汴梁に於てしたのではあるが、暫游の時と在勤の間と、いづれの場合か、今これを判定することは出來ぬ。

それから、歸田詩話に「庚辰の歲秋、權りに江北五布司學校を停む。予、河南に在り、孟平、山東に在り、各學印を齎らし、禮部に赴いて交納す。孟平、予を大中街の旅舍に訪ひ、相見て甚だ歡ぶ」とあつて、孟平は、宗吉の老友桂衡の字である。これで見ると庚辰、卽ち惠帝卽位の翌建文二年には、江北五大都の學校を閉鎖したので、それは、靖難の師、南に下り、江北一帶、戰亂の衢に化せむとしたからであらう。この記事あるが爲に、宗吉が宜陽を引き上げた年代は分かるが、溯つて、その赴任の方は、取調ぶべき材料が見えぬから仕方が無い。

歸田詩話前文の次に「予、後、太學助敎を授かり」とあるし、唐岳の翦燈新話跋に「予、むかし、臺幕に官して、錢塘の瞿存齋先生を冑監に識る。衆、先生の學識俊邁を推す」とあつて、ともに、宗吉が國子助敎に任ぜられたことを指し、はつきりとは分からぬが、いづれ、燕師、南京を陷れて、成祖が自立した後、卽ち永樂元年頃の事であらう。

宗吉が國子助敎に在任せし期間は、何年か知らぬが、次に周王府の右長史に榮轉したので、唐岳の翦燈新話跋には「先生、才德老成を以て、王相に陞擢せられて河南に之く。間ま表を進むるを以て京に至るも、一見して卽ち別る」とある。元來、周王橚は、明の太祖の第五子で、その封を受けた次第は、明史の諸王列傳に「洪武三年はじめて吳に封ぜられ、七年、命じて燕楚齊、三王と鳳陽に駐まらしむ。十一年、改めて周王に封ぜらる。十四年、藩に開封に就き、宋の故宮の地に就いて府となす」とあるが、太祖の在世中、その歡を失つたことがあり、建文帝卽位の年には、その子有爋、不軌を謀ることを告げしに因り、廢せられて庶人となり、諸子皆別に徙されたが、成祖卽位の後、永樂元年正月、周齊代岷の四王國を復せしに因り、周王橚も、その故封に還つた。王は、もとより學を好みて、詞賦に長じ、かつて、太祖より賜はりし元の老宮人に就いて、遺事を咨訪せしに因つて、元宮詞一百首を作り、世子、名は有燉、卽ち世に謂はゆる周憲王で、誠齋樂府と稱する雜劇三十餘種を作つた位。父子、ともに文學の嗜好があつたから、明白なる紀述とては無いが、宗吉は、自然、その氣に入り、少からず優遇されたに相違ない。

宗吉は、折角、淸職に轉じたものの、やがて、罪を得て陝西の西北隅なる保安の地に謫戍することに成つたが、あまり多く年所を歷ざる時の事に相違ない。その證據には、木訥の歸田詩話序に「國子助敎に陞り、文名、篇章に播き、人口に膾炙すること舊し。復た藩府の長史に陞り、克く輔導の任に勝ふ、何もなくして、閒に居て金臺に寓す」とあつて、これは、保安遷謫の事を諱んで書いたに相違なく、すでに「何もなくして」とある以上は、長史に在職して居た期間は、もとより長くはなかつたらうと思はれる。單なる想像ではあるが、大抵、永樂元年、五十七歲、國子助敎に就任し、三年ばかりにして、周王府の長史に轉じ、今度は、わづか二年ばかりで、料らずも、罪を得て保安に徙されたのであらう。

宗吉は、何故に罪を得て謫戍されたか。その理由は、さつぱり分からぬ。萬曆杭州府志には、唯だ「詩禍に罹る」といひ、郎瑛の七修類稿には「輔導、職を失ひ、錦衣獄に繫がれ、罪せられて保安に竄す」といひ、いづれも、極めて大まかな筆法である。

そこで、朱文藻は、宗吉の歸田詩話に跋して「先生の本集、見るを得べからず、その禍を得るもの、何の時たるかを考ふるに由なし。同時に、詩禍を以て錦衣獄に閉さるるもの、更に胡子昂あり。而して、子昂、又考ふべきなし。又同時に謫せられて保安に至るもの、滕碩・鄧林あり、而して、滕鄧二君、亦た其故を知らず。その詩話に序するもの、或は、その間、僉臺に居るを稱し、或は、その塞外に謫居するを稱す。殆んど、文皇、入つて大統に據り、人心未だ安からず、常に人臣の竊に其後を議せむことを恐る。謂はゆる詩禍、或は誹譏を寓す、當代の詞人、多くは爲に隱諱し、その故を悉す能はず。輔導、職を失すと云ふが如きは、恐らくは、未だ然らず。考ふるに、周王橚は、文皇の同母弟たり。文皇、これを待つこと極めて厚し。建文の時、橚、異謀あり、次子有爋、變を告げて蒙化に竄徙す。すでにして、復た召されて京に還り、これを錮す。永樂の初、爵を復し、祿を加へ、その舊封を還す。十八年に至り、橚の反を告ぐるものあり、これを察するに驗あり、文皇、これを憐みて、復た問はず。夫れ、周藩と成祖と、並に建文に疑はる、故に成祖踐祚の初、首として爲に國を復す、その後、反狀驗ありと雖も、且つ猶ほ之を憐むといへば、復國の初に當つて、豈に刻意防閑、罪、輔導に及ぶの理あらむや。先生の謫戍、事、永樂の初に在り、もし十八年橚反するの一事に因つて、その職を失ふと謂はば、疑ふらくは、その時、先つて已に譴を被る。萬曆府志、極めて、その師道振擧、輔弼法あるを稱す、郎氏傳聞の誤あるに似たり」といひ、その論旨は、極めて透徹して居る。

おもふに、杭州府志に「輔弼法あり」と書いたのは、木訥が歸田詩話に序して「克く輔導の任に勝ふ」といへるを承けたので、蓋し事實であらう。宗吉は、周王の藩府に出仕して居たので、永樂の初、すでに罪を得て謫戍されたとすれば、同十八年、周王櫨の謀叛に就いては、何等の關係もない筈である。さうすると、その罪を得た原因は、矢張、詩禍と見る外なく、宗吉自身、歸田詩話に記して「永樂の間、予、錦衣獄に閉さる、胡子昂も亦た詩禍を以て繼いで立る」といへるは、如上の鄙說に裏書したものとも考へられ、堯山堂外記にも「永樂間、瞿宗吉、詩禍を以て獄に下る、すでにして、保安に謫戍す」とはつきり書いてある。但し、その詳細は、遺憾ながら、今日から追究することが出來ない。前述の如く、宗吉と同時に、盱江の胡子昂といふ人が、均しく詩禍を以て錦衣獄に下り、仍つて、東坡が御史臺獄に係がれた時の詩二首を誦して、宗吉の和を索め、宗吉は、これを辭するも獲ざりしに因り、勉めて、爲に韻を用ひて、これを作つたといつて、詩話の終に近い處に其詩が載せてある。

一落危途又幾春。百憂交集未亡身。不才棄斥逢明主。多難扶持望故人。有字五千能講道。無錢十萬可通神。忘懷且共團欒坐。滿炷爐香說善因。

酸風苦霧兩淒淒。愁掩圜扉坐榻低。投老漸思依木佛。受恩未許拜金雞。艱難饋食憐無母。辛苦廻文賴有妻。何日湖船載春酒。一篙撐過斷橋西。

但し、これとても、有りふれた感慨を抒ぶるに止まつて、少しも、事實の參考には成らぬから仕方がない。

朱文藻は「予昂、又考ふべきなし」といつて居るが、歸田詩話を見れば、その閲歷だけは、略ぼ分かるので、いづれ、後に附說する場合もあらう。 次に「同時に謫せられて保安に至るもの、滕碩・鄧林あり」といつて居るものの、その中、滕碩の事は、歸田詩話に「予、保安に謫せらる、周府教授滕碩、又事累を以て繼いで至る……滕、予と同庚、ここに至つて半載ならず、竟に憂を以て卒す、予、猶ほ此に留滯して解脫するを得ず」とある通り、この人は、後から來て、不幸にも、すぐに死んだのである。 鄧林は、明詩紀事の小傳に「宣德中、法に坐して保安に戍す」とあるから、もし之を確實とすれば、洪熙元年、宗吉が赦されて歸つた後の事に屬し、處は同じ保安ながら、二十年も後れて謫戍されたのに、文藻は、何に據つて同時といつたか、甚だ訝かしい。

錢謙益の列朝詩集には「永樂間、詔獄に下され、保安に謫戍すること十年、洪熙乙巳英國公奏請し、赦されて還る」とあり、朱彜尊の明詩綜も之を承けて「永樂間、保安に謫戍す」とある。 そこで、洪熙乙巳、卽ち元年から前に十年といへば、永樂十三年か十四年かに謫戍されたことに成つて、他の諸家が永樂の初といへると合はない。 しかし、宗吉の翦燈新話後序に「戊子、讁を受けて以來」とあるから、永樂六年に謫戍されたので、保安に居た期間は、十年どころか、足かけ十八年になる勘定であつて、現に後に引く宗吉自身の文中にも「予、難に遭うてより……十八年」と書てある。錢謙益を始め、幾多知名の諸家は、何故に、この後序を閑却したか、まことに怪訝の至である。なほ後序の終に、永樂十九年、七十五翁とあるより逆算すると、宗吉が讁を受けたのは六十二歲、赦されて歸つたのは七十九歲の時である。前述の如く、宗吉の謫戍は、足かけ十八年の久しきに亙り、故鄕に殘して置いた老妻は、宗吉が赦されて歸る少し前に病死して、死に目に遇ふこともかなかつたので、まことに氣の毒の至であつた。宗吉は、自ら歸田詩話に記して「予、難に遭うてより、内子と阻隔すること十有八年、山後に謫居するや、路遠くして迎へ取るに及ばず、意はざりき、遂に永訣と成らむとは。祭文に云ふ、

花冠繡服、享榮華之日淺、荊釵布裙、守困厄之時多、忍死獨居、尙圖一見、敍久別之舊事、講垂死之餘歡、促膝以擁寒爐、齊眉以酌春釀、

蓋し荊公の詩意を祖とするなり」と云つて居る。この外、保安謫戍十八年の間に於ては、特記すべき事實もなく、唯だ列朝詩集に「その保安に在る、興河、守を失ふに當り、

邊境蕭條。永樂己亥(十七年)佛曲を塞下に降し、子弟を選んで之を唱へしむ。時に元宵に値ひ、望江南五首を作る、聞くもの、悽然涙下る」とあるだけである。なほ翦燈新話を校訂したことがあるが、その詳は、後に讓ることにする。

宗吉を保安から呼び戻すことに就いて盡力した英國公は即ち張輔、その本傳は、明史卷百五十四に見えて居る。張輔は、元と靖難の功臣で、成祖、はじめて南京に入りし時、信安伯に封せられ、その後、安南を征し、次いで交趾に至ること四たび、しきりに大功を建て、明史にも「前後郡邑を建置し、及び驛傳遞運を增設し、規畫甚だ備はる、交人畏るるところは惟だ輔のみ」とある位。やがて、永樂十五年に至りて、召し還された。張輔は、戰功を以て英國公に陞封し、且つ、後には、椒房の親を以て稱せられ、その威權の赫灼たることは、言ふまでもなく、宗吉の如き一老儒を久謫の中から救ひ出す位は、何の造作もない事であつたと見える。但し、どういふ緣故があつたかは、もとより審でない。

宗吉は、赦されて歸りし後、如何したか。萬曆杭州府志には「原職內閣辨事に復す」といひ、浙江通志も之を踏襲して居るが、朱文藻の言へる如く、他書には全く見えぬから、絕えて憑信を値せず、且つ、宗吉は、從來かくの如き官職に居たことがない。木訥の歸田詩話序には「太師英國張公、延いて西賓となし、甚だ禮貌を加ふ」とあり、列朝詩集には、上文の續きに「英國公、家塾を主(つかさど)らしめ、三載放ち歸す」とあるから、赦されて歸りし後、直に張輔の家庭教師に成つた樣に見えるが、この年中秋、自ら歸田詩話に序して「今、予老いて農圃と徒たり、亦た歸田の號を竊むは僭妄の若(ごと)しと雖も、しかも耕を隴上に輟(とゞ)めて桑陰に箕踞し、竹簟を涼しうするの暑風と茅簷に曝(さら)すの晴日と、以て一息の快を求む」といへるより見れば、しばらくは、桑梓に高臥して居たのであらう。それを張氏では、折角招聘して、家塾の教師としたものの、何と云つても、八十の老先生で、豫期した程、役に立たなかつたから、氣の毒ながら、程なく、お拂ひ箱にしたのであらう。前にも引ける通り、列朝詩集には「三載放ち歸す」とある。時に宣德二年、宗吉歲八十一。それから、館舍を捐つるに至るまで、故鄉の錢塘に隱居でもして居たかといふと、さうでもないので、宣德四年己酉に書いた詠物詩の自序に「今、淞江に至り、閒に居て事簡」とあり「郡庠の西樓に書す」とあるを見ると、淞江の學校に講師でもして居たらしい。時に歲八十三。そして、何年間、勤續して居たか分からぬ。最後に、宗吉は何處(どこ)で死んだか、何とも紀述はないが、多分、錢塘の舊宅であらう。その歿年に就いては、萬曆杭州府志・列朝詩集、ともに八十七とあるから、宣德八年に當るので、九十に及ばざること、わづかに三歳、まことに、稀に見る長壽であつた。

張益の詠物詩序には、宗吉の子孫の事を記して「その子四人、皆克く美を繼ぐ、今存するところのものは惟だ德高、校官を以て致仕し、杭に居る」とある。次に、弟や諸姪の事が見えて居るが、それは、便宜上、後に述べることにする。

宗吉は詩文兼達であつて、第一に、その詩を褒める人が無いでもない。列朝詩集には「漫興の詩、及び書生歎の諸篇あり、今に至るまで、貧士職を失ふもの皆諷詠す」といひ「樂府歌詩を著し、偎紅倚翠の語、多く時に傳誦せらる」といつて、ともに、その流傳を稱し、陳田の明詩紀事に引ける詩談には「組織工麗、其れ溫飛卿の流」かといひ、田も亦た之に附記して「才華爛漫、詠古の作、最も警策となす」といつて居る。しかし、朱竹垞は、遠慮なく、これを痛斥して「明初の諸家、楊廉夫を以て祭酒となす。廉夫、同調を見れば、綴るに評語を以てし、牛鬼といはざれば狐精といふ、これ、王常宗、文を論じ、卽ち狐を以て廉夫に比したればなり。宗吉、幼にして、廉夫に賞せられ、その唾餘を拾ひ、演じて流派となし、劉士亨・馬浩瀾の輩、爭うて之に效ふ。これを畫仕女に譬ふれば、肌體癡肥、形神猥俗、かつて牛鬼狐精にも若かず、その稍や風骨あるもの、射虎何年隨李廣、聞雞中夜舞劉琨。蹈海莫追天下士、折腰難事里中兒の如き、庶はくは、湊彥狆・

李宗表と相近からむ」といつて居る。この中、射虎の一聯のある詩は、完璧に近く、七修類稿にも引いてあるから、參考の爲に、次に全篇を掲載することにする。

過却春光獨掩門。澆愁漫有酒盈樽。孤燈聽雨心多感。一劍横空氣尚存。射虎何年隨李廣。聞雞中夜舞劉琨。平生家國縈懷抱。濕盡青衫總淚痕。

宗吉は、少時、楊鐵厓の一顧を得たるに感じて、純ら之に私淑したものと見える。元來、鐵厓は、文妖を以て目せられ、その詩は、往往、李長吉にかぶれて居た位であるから、縱横の才力は、もとより見るべきも、要するに、元末掉尾の一大家であつて、明初に於ては、その聲名を持續し得なかつた嫌がある。何となれば、一代の正聲たるに遠く、且つ博大昌明を旨とすべき開國の氣象を缺いて居るからで、これを劉青田・高青邱等に比すれば、夐然として別がある。鐵厓の餘唾を舐ると稱せられた宗吉は、もとより推して知るべく、どう考へても、明初に生存するには、相應(ふさは)しくないから、その詩文の世に行はれず、折角の集さへ、湮晦に歸したのも、決して怪むに足らぬ。一言以て之を蔽へば、宗吉の詩に於けるや、その學ぶところを誤り、不幸にして、その才を展ばし得ざりしものである。今日、宗吉の詩を觀むと欲せば、列朝詩集・明詩綜・明詩紀事・本事詩等、謂はゆる選本に據る外なく、その所長は、疑もなく、短古に在るらしい。

そこで、左に二三の例を擧げて置く。

金輪夜半北方起。炎精未墜光先死。靑衣去作行酒人。泥馬來爲失鄕鬼。江頭宮殿列巑岏。湖上笙歌樂宴安。魚羹自從五嫂乞。殘酒郤笑儒生酸。格天閣上燒銀燭。申王計就蘄王逐。累世內禪諱言兵。中興之功罪難贖。開邊釁動終倒戈。師臣函首來求和。木綿庵下新鬼哭。誤國重逢賈八哥。琉璃作花禁珠翠。上馬裙輕淚妝媚。朔風吹塵笳鼓鳴。天目山崩海潮避。往事興亡誰與論。亭亭白塔鎭愁魂。惟有棲霞嶺頭樹。至今猶說岳王墳。故宮人

雙雙蝴蝶翻金粉。風裏流鶯棲未穩。銀瓶吸水漾漣漪。下階自揀珊瑚枝。雖然得入[illegible]堂裏。未必春光願如此。樹頭花落還結子。瓶內明朝抱香死。東風一樣發陽和。豈知中道有蹉跌。人生輕出棄根本。失枝落節將奈何。折花怨

美人在時對鏡妝。美人去後鏡無光。玉臺零落白鳳凰。錦衣拋擲紅鴛鴦。夜深唶唶聞鏡語。何不持挂墳頭樹。新人新鏡自相宜。舊物荒涼無所依。舊鏡嘆

次に、宗吉の詞に於けるや、純ら風情の麗逸を以て稱せられるが、到底、纖佻を免れない。朱竹垞は、これを以て明初の一作手として居るが、元來、明人の詞は、腐爛庸熟、取るべきもの、極めて少きに因り、その中で、いくらか偉いといつた處で、もとより高の

知れたものである。最後に、その文は、先づ上手に相違なからうが、品格と骨力と、ともに高くない樣で、ここに評論するまでもない。

宗吉の著作に就いては、朱文藻が精細に列擧して「府志に見ゆるものには、春秋貫珠・詩經正葩・閱史管見あり。七修類稿に見ゆるものには、通鑑集覽鐫誤・香臺集・香臺續詠・香臺新詠・翦燈新話・樂府遺音・興觀詩・順承稿・存齋遺稿・詠物詩・屛山佳趣・樂全稿・餘淸曲譜・天機雲錦・游藝錄・大藏搜奇・學海遺珠・歸田詩話あり。明詩綜小傳に見ゆるものには、存齋樂全集・香臺百詠あり」と記し、又自ら吳山の書肆に於て影鈔正統刊本の詠物新題百首を購求したと云つて居る。翦燈新話後序に於て、宗吉が自ら算へ立てた者の中、前と重複せぬ分だけを擧げると、春秋捷音・掇英・誠意齋課藁・摘編・鼓吹續音・風木遺音・樂府擬題・采芹藁・名賢文粹・存齋類編・翦燈錄等あり、歸田詩話には紀行返棹編の名が見え、別に何かの殘缺らしい四時宜忌の一書あり、續說郛に宣和牌譜あり、わが邦の翻刻本に詠物新題詩集(瞿宗吉書)があつて、すべてで、四十種に近い程もある。

この中、存齋樂全集とは如何なる物か。朱文藻は、一部の書名として考へ居るが、これは、明詩綜に見ゆる竹垞慣用の筆法であつて、集の一字は、その上なる存齋と樂全とにかかり、即ち存齋集と樂全集と、いづれも詩文であらうが、前者は壯年、後者は晩年の作であつて、各その時代の別號を標出したのである。すると、この二集は、文藻が七修類稿に見ゆとして擧げて置いた存齋遺稿・樂全稿と同じ物ではあるまいかと思はれる。

樂府遺音は、擬作の古樂府と其詞とを合輯し、餘清曲譜は、純然たる詞集であつて、王易は、餘清詞といつて居る。朱文藻は「惟だ樂府遺音五卷、かつて、兩浙遺書總錄中に於て、その已に進を經たるを見る」といひ、現に四庫全書提要にも著錄してある處から考へると、たとひ、刊行せぬにしても、その稿は、後世まで殘つて居たに相違ない。但し、餘清詞の存否は未詳である。

香臺集等に就いて、謝肇淛の小草齋詩話に「瞿宗吉の香臺集、古今閨閣の致、略ぼ備はる。但だ錦襠孕婦、稱述するに足らず、而して、秦檜の妻、東窓の數語、千古扼腕、乃ち其中に濫竽す、むしろ、この香臺を穢さざるや」とあるを見ると、これ等の書は、專ら閨閤に關した史實を歷詠したものに相違ない。元來、香臺は普通に寺を意味し、張說は、禪室從來雲外賞、香臺豈是世中情といひ、王維は、艾荷薰講席、松柏映香臺といつて居るが、これを香閨と同じ意義にしたのは、古來殆んど其例を見ない。宗吉は、何に據つて、かかる用法を爲したか、まさか、漫然、我より古を爲すといつて、獨り澄まして居た譯でもなからうが、甚だ訝かしく思はれる。

次に朱文藻は、影鈔正統刊本の詠物新題百首を擧げて「香臺新詠・香臺百詠・詠物詩と名異にして書同じきや否や」といひ、つまり、上記三種中の何れかと同じかも知れぬといふ意味であらうが、今存する詠物詩には、同じ正統の九年、張益の序があつて、その頃、刊行されたに相違ないから、詠物新題百首・詠物詩の兩書は、蓋し、同じ物であらう。これは、序文でも見れば、すぐに分かることであるが、朱文藻の所藏本には、兩書とも、ひよつと、これを缺いてでも居たのであらうか。宗吉の自序を見ると、これは、壯年の頃、元の謝宗可の詠物詩を見たのが動機となり、その體に倣つて百篇を作つた處が、謫戍以來、その稿本を失ひ、幸にも、記憶中より四十首を得、南京に歸りし後、鄉友董以識より三十首を得、その餘の三十首は、淞江寄寓中に補作して、兎も角も、再び百篇の數にしたとのことである。康熙五十二年、嘉興の賀光烈といふものが、これに、謝宗可の原本と、おのが師張劭(字は博山、一字は木威)の作とを合せて、三家詠物詩と題し、序を製して刊行したのが、わが邦に傳はり、現に文化七年、菅原老山・松井梅屋・梁詩禪(卽ち梁川星巖)三人の校正を經、文政八年に重刊された翻刻本がある。それから、郎瑛の書いた小傳に「予が家、又香臺續詠・香臺新詠各一百首あり、皆親筆にして序あり」と記して、別に詠物詩が擧げてあるし、又内容の全然異なることは、前に引いた謝肇淛の言より直に推究することが出來るから、いづれも、別種の小集に相違ない。なほ、詠物新題詩集は、卽ち詠物新題百首であつて、無論、詠物詩と同じ物であらうと思ふが、予は其本を親睹せぬから、いささか斷言を憚る次第である

歸田詩話は、標題一ならず、或は存齋詩話といひ、又吟堂詩話といつて居たが、朱文藻は「一書三名、異しむに足るなし。今わが友鮑以文(名は廷博、知不足齋叢書の刊行者)先生の序に據り、定めて歸田となす」といつて居る。この書は、宗吉の著作中、有數の者であつて、諸種の叢書に收めてあるし、實に宗吉が保安より歸りし後、卽ち晩年の撰に係るのである。洪熙乙巳中秋の自序に「少にして壯、壯にして老、日邁き、月征き、駸駸たる晩境、しかも、呻吟佔畢、猶ほ輟む能はず。平日、耳、聞くところあり、目、見るところあり、及び簡編の紀載するところ、師友の談論するところ、尙ほ胸臆の間に歷歷たり、十、すでに其五六を忘る、誠に恐らくは、久しうして、併せて之を失はむことを。因つて、その詩道に關するあるものを筆錄し、百有二十條を得たり、析して上中下三卷となし、目して歸田詩話といひ、几案の間に置き、時に披覽を加ふ、宛然、長上に見え

て、師友に接し、その訓誨の勤を聆いて、その勸勉の益を受くるが如きなり。覺えず、忻然として喜び、喜び極まつて悲み、悲んで卷を掩ひ、涙を墮すもの屢ばなり」とあり、木訥の序にも之を承けて「先生、夷險を以て心を易へず、暇日には、篤く嗜んで古人の篇什を評し、その旨趣微妙なるものを取つて之を著し、及び景に觸れ、情を動かし、吟詠に形はれ、以て自ら遣るもの、亦た之を錄し、凡そ百二十餘、析して上中下三卷となし、目して、歸田詩話錄といふ。先生、自ら其事を述べて、これを首に辯ず」とあるを見ても、容易に、その書の特質を察することが出來る。但し、その中には、赦還以前に書いたものも雜つて居るらしく、沈園感舊の末には、予、垂老流落、途窮歲晚、每誦此數聯、輒爲之悽然、似爲予設也とあつて、すでに垂老といへば、四五十歲の頃であらう。又塞垣風景の結には、滕與予同庚、到此不半載、竟以憂卒、而予猶留滯於此、未得解脫とあつて、明かに、保安謫戍の初に書いたのであるし、上に引いた老妻の一條は、赦還直前に書いたのである。して見ると、長い年月の間、折に觸れて書き溜めて置いた殘稿を歸田後に補足して、一部の成書としたのであらう。

　前の書目中に鼓吹續音があつたが、惜むべし、最も早く散佚して仕舞つた。この書は、元遺山の唐詩鼓吹に續ける積りで編纂したので、宗吉は、自ら歸田詩話に記して「少日、その制に效ひ、宋金元、三朝名人の作るところを取りて、一千二百首を得たり、分つて十二巻となし、鼓吹續音と號す。大家數、全集あるものは、これを約取し、その或は一二首、わづかに世に傳へらるるも、その事、記すべきものは、作るところ、未だ善を盡さずと雖も、棄て去るに忍びず、これを存して、以て數に備ふ、これ著作の本意なり。又謂ふ、世人但だ唐を宗とするを知り、宋に於ては、棄てて取らず、衆口一辭、詩は唐に盛にして、宋に壞るとの說あり、私に獨り然りと謂はず。故に序文に於て、前後二朝、諸家の所長、唐に減せざるものを擧げ、附するに、己の見を以てし、觀る者の參せむことを請ふ。仍つて、自ら八句を爲つて、その後に題して云ふ。

騷選亡來雅道窮。尙於律體見遺風。半生莫停穿楊技。十載曾加刻楮功。此去未應無伯樂。從來當復有揚雄。吟窓玩味韋編絕。擧世宗唐恐未公。

すでに成る、觀るを求むるもの衆く、轉じて相傳借す。或は之を嫉むものあり、その半を藏匿す、これに因つて、遂に散失して存せず、再び裒集せむと欲する、復た是心なし」といひ、同書丁鶴年の條に「後、杭に至り、予の集めしところの鼓吹續音を見て、繙閱再過、その中、未だ善を盡さざるものあるを惜みて、予に謂ふ、當に此を以て限りとなすべし、更に博く諸作を求め、一の善き者を得れば、一の疵ある者を易へ去れ、これ亦た著述の法なり、と。因つて、手づから、作るところの序文を鈔して去る。今、この集、久しく、すでに散失す、しかも、鶴年の言、なほ耳に在り、太息を爲すべきなり」といつて居る。そこで、朱竹垞は「惜しいかな、見るを得ず」といひ、これに就いて、朱文藻は說をなして「題後の一詩、又詩綜に采入せず。知るべし歸田詩話は、竹垞尙ほ未だ之を見ざるを」との斷案を下して居る。宗吉が「詩の盛、ひとり唐に限らず」と云つたのは、まさしく一かどの見識であるが、さて、その采選は、如何(どん)なものか、この書は、むしろ名のみ聞いて居る方が善い様なものであつたかも知れないので、潘德輿は、養一齋詩話に於て「元遺山の鼓吹、多く晚唐を收め、以て格に入るとなす、亦た善本に非ず、而して、瞿宗吉、又これに續がむと欲す、瞿の書、成らず、しかも、明末の人、又鼓吹新編の選あり」といつて、いづれもの價値を認めぬ様な口ぶりである。

上述の如く、宗吉の著述は、極めて豐富であつたが、郎瑛が「失ふところ、尤も多きなり」といへる如く、その生前、早く散佚し、今日幸に殘つて居るものは、極めて寥寥、實は數種に過ぎぬ。四庫全書提要には、唯だ三種を著錄してあるが、いづれも、容赦なく、存目の中に追ひ込んで、餘り褒めて居らぬ。**四時宜忌**に就いては「甚しきは、道家の符籙に至るまで、亦た載入す、徵引博しと雖も、究に蕪雜を傷(いた)むを免れざるなり」といひ、歸田詩話に就いては「考證に於て亦た疏、しかも猶ほ楊維楨・丁鶴年等、諸人を見るに及ぶ、故に記するところの前輩の遺文、時に採るべきあり」といひ、樂府遺音に就いては「その古樂府は綺靡軟熟、溫李に近くして、元末の習氣を出でず。詞は南北宋を兼學せむと欲し、反つて、夾雜純ならざるを致す、殊に其名に稱はざるなり」といつて居る。

そこで、この不幸なる大著作家を記念するものは、差し向、歸田詩話・翦燈新話、二書の外に出でず、そして、後者は、その書の特質上、はるかに普遍的である。

翦燈新話の原本は卽ち翦燈錄、計四十卷、それには、洪武十一年の自序があつたから、その著作の年次も、大抵、同じ頃に相違ない、時に宗吉は歲三十二、未だ出仕せざる家居中の事であつた。その自序中に「余、すでに古今怪奇の事を編輯し、以て翦燈錄となす、凡そ四十卷……その事、皆喜ぶべく、悲むべく、驚くべく、怪むべきもの、惜むところは、筆路荒蕪、詞源淺狹、目を蒐て耳を鴻にするの論、以て之を發揚するなきのみ……この編、世敎民彝に於て、或は補ふなしと雖も、善を勸め、惡を懲らし、窮を哀れみ屈を悼むは、それ亦た言ふもの罪なく、聞くもの以て戒むるに足るの一義に庶幾からむか」とあつて、その著作の本領を知るべく、なほ、自序の外に淩雲翰・吳植・桂衡・金冕等の序跋を附してあつて、雲翰の序は、洪武三十年であるから、その頃まで、剪燈錄は、無論、存在して居たのであるが、その後序に自ら述べた通り、讁戍の後、他の著述と併せて、その稿本は、ずつかり散佚して仕舞つた。然るに、盱江の胡子昂は、かつて四川の蒲江に尹たりし時、その文學掾田以和より、剪燈新話四卷を獲、永樂十八年の春、興和の戎幕に從ひし序（ついで）に、公暇、馬を躍らして保安に至り、親しく宗吉に面して其話をすると、宗吉は大に喜んで、是非一見したいといつたから、歸後、幸便につけ、その寫本を呈して校定を乞ふた。畏友鹽谷節山博士は、國譯漢文大成に收めた剪燈新話の解題を文語體で書き、それを口語體に引き直したものを支那文學大觀に收め、その中、如上の事實を略述して、

著述が多かつたのに、保安に讁遷されるやうになつて、散逸して存するものがないやうになつた。然るに、盱江の胡子昂といふ人が、嘗つて四川の蒲江に尹となつてゐた時、その文學掾の田以和から、剪燈新話四卷を手に入れ、永樂十八年、興和の戎幕に從つてゐる序に、公務の餘暇に、馬を躍らして保安に行き、親しく宗吉に校正を願つたものが、卽ち本書である。

と云つて居られるが、胡子昂が宗吉を保安に訪ふた時には、新話が手許（てもと）に在るとい

ふことを話しただけで、その書を呈して校定を乞ふたのは、その後の事であるから、これでは、遺憾ながら、誤謬の譏を免れ難く、是非とも訂正を願ひたい處である。

そこで、念の爲に、その間の曲折を詳説すると、永樂十八年の春、胡子昂が保安に至り、その地に居た瑞州の守唐岳と共に宗吉を訪ふた時の狀況は、同人の書いた翦燈新話書後に「先生、阜比の席を擁せしが、欣然屣を倒にして相迎へ、亟（にはか）に僮子を呼んで酒肴を市（か）ひ、舊好を論じ、今を感じ、舊を懷ひ、因つて、翦燈新話に及ぶ。今、その本を失ふも、余が是藁を存するを喜ぶ」といひ、唐岳の後志に「觴酌の間、子昂告ぐるに、むかし、蜀の蒲江に尹たりし時、文學掾田以和、先生著すところの翦燈新話を出し示す、人をして謄寫せしめしに、魯魚亥豕の失多く、藁、今、僑寓に留むるを以てす、先生喜ぶこと甚し」といつた通りである。 それから、間もなく、唐岳が公事を以て興和に至りしに因り、胡子昂は之に託して、新話の寫本を寄呈すると、宗吉は、爲に其訛誤を訂正して、唐岳に返したから、唐岳は、自ら一本を寫し、そして、原本を持主たる胡子昂の處に送り屆けた。 序跋四篇は舊と翦燈錄のであつたのを、その時、すべて、翦燈新話のに引き直して、その儘用ひたが、その外に、關係諸人一同は、書後・後志を作り、胡子昂のは同年五月、唐岳のは八月、作者宗吉のは後（あと）から送つたと見えて、翌十九年正月と署し、その中には「抑も、是集は、洪武戊午の歳(十一年)に成る、今を距つこと四十四禩。かの時は、年富み、力强くして、立言に銳、或は傳聞未だ詳ならず、或は鋪張太だ過ぎて、疎率するところあるを免れず、今老いたり、追悔せむと欲するも、及ぶべからざるなり」とあつて、胡唐二人の跋と併せ見ると、讀者をして、著者の境涯に多大の同情を寄せしめる。なほ、宗吉は、最後に題後の四絕句を揭げ、その書後に「むかし、鄕里に在つて、翦燈錄を編輯し、前後續別の四集、甲より癸に至り、分つて十卷となし、又自ら一詩を爲つて集後に題す。今、この集、存せざれども詩は尙ほ能く記憶す。新話を閱するに因つて、遂に末に附寫すと云ふ」とあつて、その詩は、卽ち左の如くである。

午酒初醒啜茗餘。香消金鴨夜窗虛。翦燈濡筆淸無寐。錄得人間未見書。
風動疏簾月滿臺。敲棋不見可人來。只消幾紙閒文字。待得燈花半夜開。
花落銀釭午夜深。手書細字苦推尋。不知異日燈窗下。還有人能識此心。
辛苦編書百不能。搜奇述實費谿藤。近來陡覺虛名著。往往逢人問翦燈。

して見ると、今傳ふる翦燈新話は、翦燈錄の拔き書であつて、卷數から云へば、十分の一に過ぎず、その大部分の湮晦に歸したのは、惜みても、なほ、餘ある事である。但し、附錄の秋香亭記だけは、宗吉の處に手稿があつたのか、それとも記憶中に存して居たのか、これよりも先、永樂十七年頃、趙司馬(浚儀の人といひ、浚儀は開封の故名であるから、開封府志、卷二十四、人物の處を檢すると、名は翀、字は雲翰といつたらしい)の需に應じて、唐岳が懇に賴み、宗吉に自ら書かせて上つたことが、岳の後志に見えて居る。すると、今の翦燈新話に此記を附載してあるのは、その固有の者か、或は此際補入した者か、その邊の事は、とんと分からぬ。

かくの如く、新話の一書に多大の貢獻を爲せし胡子昂は、夙に宗吉と兩京に於て遇ひ、後には、同じく錦衣獄に繫がれて、もとより夙緣の深いものであつた。歸田詩話には、この人の事を記して「詩を能くし、飮を嗜み、字體、趙松雪に逼る、因つて、自ら竹雪と號し、予に竹雪齋の詩を作らむことを求む。久しうして、奉ずるに及ばず。近く邊將に隨つて、輿和に守禦し、道を枉げて來り顧み、去後、復た來り督す。はじめて、爲に長歌一篇を作つて寄せ去る。子昂、甚だ喜び、亦た韻に和して來り答ふ」とある。胡子昂が宗吉を保安に訪ひしは、後(あと)にも、先(さき)にも、唯だ一度であるから、これは、例の翦燈新話が手許に在ることを話して聞かせた其時に相違ない。胡子昂の和韻は、格別のものでもなく、試に對比一番すれば、竟に一籌を輸するが故に、ここには、宗吉の原作だけを引抄することにする。

盱江才子世無匹。作字哦詩俱第一。酒酣落筆風雨生。滿幅龍蛇飛狭狭。平生與竹同歳寒。手種千竿復萬竿。開窓倚檻忽有得。四園總是靑琅玕。山空歳晩獨相對。一夜幻出銀色界。靜聽春蠶食葉聲。閒看瑞鳳穿花態。瓊琚玉佩下朝端。聯珠積翠紛成團。曳履先生大寒乞。煮茶學士眞儒酸。何以銜盃自賓主。戯呼元穎相爾汝。臨池一掃陣雲開。狂欲歌兮喜欲舞。手斡造化天無功。顚張醉素趣下風。一紙千金世珍惜。不數前朝松雪翁。

子昂は、宗吉を保安に訪ひし翌、永樂十九年、興和の守を失ひし時、氣の毒にも陣歿したとのことで、もし彼の時、宗吉に遇はずに死んだならば、翦燈新話の一書も、現在する形に於ては殘り得なかつたであらう。

翦燈新話てふ書名は、誰が附けたのか。節山博士は「四方に流傳する際に附けられたものか、又胡氏が改めたものか」といつて、疑を存して居られるが、鄙見を以てすれば、これは、格別六づかしいことでもなく、無論、校定以前、逸早く世上に流布して居た間に、この名を得たのである。校定本の卷首に冠する數篇の序跋は、前述の如く、舊と翦燈錄のであつたのを、宗吉自身校定の際、すべて改書したものであらうから、すこしも證據には成らぬが、この校定と同じ永樂十八年の閏正月、曾棨の書いた翦燈餘話の序に「近時錢塘の瞿氏、翦燈新話を著す」といひ、同年ではあるが、新話の校定に先つて居る様に思はれ、現に宗吉の書後には十九年正月と署してある位。まして、全然沒交渉なる遠隔の地に居た人の文中に見えて居る以上、この名が校定以前に存在して居たことは、最早疑を挾むべき餘地が無いといつても宜しからう。

翦燈新話は、すでに、翦燈錄の拔き書であるから、かく名づけたといへば、それ濟んで居る様なものの、ここに大に注意すべきことがある。後にも詳論するが、わが天文年間の著作に係り、新話を和文に抄譯した書中、一番古いものとして知らるる奇異雜談集第四章の小引に、

> 新渡に剪灯新話といふ書あり、奇異なる物語をあつめたる書なり。今二三ヶ條をひきて、ここにのするなり。剪灯どは、蠟燭の心をきるなり、夜ふくるまでかたるといふこころなり、新話とは、舊(もと)、剪灯夜話といふ書あり、事ふりたるゆへに、あたらしき事どもをかたるゆへに新話といふなり。

とあつて、はじめ、翦燈夜話といふ書があつたから、新話と稱したといふのである。奇異雜談集は、小說年表・國書解題等に見え、その書も現存して居て、上に掲げた一節は、藤井紫影博士の江戸文學研究に收めた「支那小說の翻譯」にも引抄してある。そ

こで、この問題は、翦燈夜話が何時出來たかといふことに因つて、容易に解決されるのであるが、寡聞なる予には、翦燈夜話の名が初耳であつて、これに關する前人の説を聞いた事さへ無い位。仍つて、取り敢へず、一友人を煩はして、念の爲め、紫影博士に照會して貰ふと、次の如き返翰に接することを得た。

御下問の翦燈夜話は、小生所藏致居候ひしも、五六年前、藏書の一部分を賣却致候折、翦燈新話と共に沽却、目下手許に無之、記憶も不鮮明に候へども、新話と共本、同體裁の大本にて、白表紙の和刻本(極めて精刻美版に候)に有之、冊數は二冊なりしやう被存候。著者も、内容題目も、書留めおかざりし事、殘念に御座候。小生は、別に珍敷書とも思はず打過ぎ居候處、今回、久保氏の如き專門家も未見との事に、今更賣るではなかつたと後悔致候。

その後、夜話の支那石印本が確に有つたといふことをも耳にしたが、不幸にして、いづれも、まだ手に入らぬ。奇異雜談集の筆者は、由緒ある武門から出た坊さんであるから、まさかに虚言は言ふまいと思ふ。すると、翦燈新話の原本たる翦燈錄が、すでに夜話にかぶれて、翦燈の名をも襲用したのか、それとも、雜談集筆者の言は、諳記の失より出でたる大間違で、事實は、全く反對に、新話が一時に流行した結果、似通つた名の翦燈夜話が出たのか。他日、夜話を手にするを得るまで、未了の疑案を保留して置く外はあるまいと思ふ。

翦燈新話四卷、每卷五篇、附錄として秋香亭記がある。その中、水宮慶會錄・龍堂靈會錄・修文舍人傳は、不遇の文士の爲に聊か氣を吐き、華亭逢故人記は、事功を喜ぶ野心家の感想を述べ、令狐生冥夢錄・富貴發跡司志・太虛司法傳は、冥報の昭彰なるを記し、天台訪隱錄は、塵外の仙境を描き出して居るが、その他は、謂はゆる偎紅倚翠の語で、殊に閨情を寫すに長じ、且つ往往にして神怪の事を加へ、哀怨徘徊、情致纒綿、一誦人をして魂銷の想に堪へざらしめる。最後に、附錄の秋香亭記は、前に屢ば述ぶるが如く、筆者自身の幻想を敍したものとして、特に有名である。

翦燈新話の中には、無論、當時の街談巷說から取つたものもあるので、聯芳樓記は、事實として、列朝詩集・本事詩・宮閨文選・情史等に轉載されて居るし、翠翠傳に就いては、領頭書傳奇の著者袁聲が「親ら道場山に至る、士人猶は能く金翠(金定と劉翠翠)の葬處を指す、反つて、淮陰を過ぐるや、父老傳聞、その說、やや詳、元末、眞に此事ある、疑なし」といつて居るから、大方、これも事實であらう。序に云ふが、渭塘奇遇記の中に引ける無名氏の四時詞は、宮閨文選等に據ると、元の鄭奎の妻の作である。しかし、宗吉が古しへの小說を變化して構想を試みたのも、大分あるらしい。開卷第一に見えて居る水宮慶會錄は、湖州の儒士余善文が、南海廣利王の使者に迎へられ、龍宮に至つて、上梁文を作るといふ話であつて、苕谿漁隱叢話に引ける東坡の仇池筆記から思ひ付いたに相違ない。東坡の夢物語では、紫相公が「蘇軾、諱忌を避けず、祝融の字、王の諱を犯す」と進言し、廣利、大に怒りしに因つて、止むなく退出したといふので、結局は正反對であるが、廣利王が其作を命ずる處までは、全く同じで、宗吉は、疑もなく之を踏襲したのであらう。天台訪隱錄が陶淵明の桃花源記の燒き直しに過ぎざることは、言はずもがな。金鳳釵記は、唐人の離魂記を改竄して敷衍したものと云はれ、滕穆醉游聚景園記は、唐の常沂の靈鬼志に見えた白濬の話に彷彿たるものがあるし、綠衣人傳は、搜神記の辛道度から出たものでは無からうかといふ人もある。牡丹燈記も、同じ搜神記の鍾繇が鬼と知らずして、墓中の人と契りしと相類し、又張安儒と多少の關係があるらしく、人の屍までも毆擊して灰とした醜胡女鬼の執念深きは、牡丹燈の幽靈と聊か似て居る樣である。要するに、宗吉は、力を晉唐小說に得るところ多く、從つて、換骨奪胎の妙を極めたものであらう。

諸家の序跋は、例の如く、とりどりに贊辭を呈して居るが、田汝成が西湖游覽志に記して「宋吉の翦燈新話、閨情を粉飾し、冥報に假託し、百を勸めて一を諷す、間ま取るべきものあり。秋香亭記は、乃ち其自ら寓するところ、亦た元微之會眞記の意なり」と云つたのは、一番公平で且つ穩當である。それから、魯迅が中國小說史略に記して「明初、錢塘の瞿佑、字は宗吉あり、詩名あり、又小說を作つて翦燈新話といひ、文題意境、並に唐人を撫す。しかも、文筆殊に冗弱、相副はず、然れども、閨情を粉飾し艷語を拈掇するが故に、特に時流に喜ばれ、仿效するもの紛起せしが、禁止に至つて、その風、はじめて衰ふ」といつたのは、どう考へても、やや苛酷に失する嫌がある。何は兎もあれ、この書は、東洋の三大國に亙つて、あれだけ廣く流布し、あれだけの影響を與へたのであるから、さう無造作に片づける譯には行かないので、文筆殊に冗弱といつたのは、果斷に過ぎ、新話の筆致は、その書の性質上、品格こそ高くないけれども、割合に簡淨で且つ典雅である。艶語を拈掇してあるから時流に喜ばれたといふのは、事實に相違ないが、それとても、唾して棄つべき程度のものではない。要するに、この內容の事實が面白いのみか、文章上、讀者を引きつける力を持つて居ることは、この書の特質であつて、その不朽なるも、主として、これに起因して居るのである。

顧みれば、宋の中葉以後、宣和遺事・五代史平話・京本通俗小說・三藏取經詩話の如き、口語で書いた、謂はゆる平話の小說が大に行はれた爲に、唐代裴鉶の流を汲める文語體、殊に美文的と稱すべき傳奇體の舊小說は、たとひ全く廢絕せざるまでも、決して振はず、元明以後に於て、その傾向は、愈よ彰明較著となつた。宗吉は、この點に注意して、傳奇體小說の復興を企てたので、その華麗富贍なる才筆は、忽ち一世を風靡して、幾多の模倣者を輩出せしめ、聊齋志異等、怪談を以て目すべき清代の奇話集も、矢張、はるかに、その系統を引いたものとして知られて居る。それから、朝鮮を經て、わが日本に傳はり、その影響の更に大なるに至りては、蓋し、宗吉自身、夢にも考へ及ばなかつたことであらう。

都穆の談纂には「かつて、嘉興の周先生鼎に聞く、云ふ、新話は、宗吉の著に非す。元末、富某といふものあり、宋相鄭公の後、杭州吳山の上に家す。楊廉夫、杭に在り、かつて、その家に至る。富生、他事を以て出づ、廉夫、留まること旬日、戲に爲に此を作つて、將に以て主人に遺らむとするなり。宗吉、少時、富家の養壻たり、かつて、廉夫に侍して其稿を得、遂に掩うて己の作となす。惟だ秋香亭記一篇は、乃ち其自筆と。今新話の文を觀るに、廉夫に類せず、周先生の言、豈に別に本づくあるか」といつて居る。これが萬一事實ならば、瞿宗吉の不德義は、宜しく鼓を鳴らして攻むべきであるが、予輩は、他に確證なき限り、宗吉その人の名譽を重んじて、うかとは之を信せぬ積りである。由來、小人は人の美を成すを欲せず、兎角けちを付けたがるもので、これは、かりにも周先生と稱せらるる人の言葉として受け取れず、ひよつとすると、その邊の事情の爲めではないかと思はれる。

新話の永樂刊本は、槧刻の古雅を以て稱せられ、上端には挿畫があるといふが、その底本は、宗吉が「脱略彌よ甚し」といつた從前の坊刻本に過ぎぬから、憑據に足らぬは、當然の事である。次に、宗吉の校定本は、その姪羅遲の手に依つて、杭州で開版された。その年月は缺けて居るが、次に述ぶる如く、正統七年には、新話の刊行が禁止されたから、無論、その前に在つたに相違ない。

張益の詠物詩序に「德啓・德恭・德宣・德潤といふものは先生の弟宗尹の子なり、富んで禮を好む。宗尹、かつて、先生の詩文を梓に壽せむと欲して果さず。今、德啓兄弟、篤く父の志を承け、先づ詠物百篇を以て、板に鏤（ちりば）めて世に行ひ、他は將に次第に以て之を成さむとす」とある。おもふに、新話が禁止されたから、宗吉の名譽を回復する爲に、多年の夙望を愈よ實現し、正統九年に詠物詩を出したのを皮切りとして、宗吉の遺著を續續發刊せむと計畫したのであらう。然るに、成化二年木訥の書いた歸田詩話序には「その姪德恭、暨(およ)び德宣・德潤、ともに梓に鋟せむことを圖(はか)り、持して以て示す」とあつて、ここに德啓の名の見えぬのは、すでに二十餘年後であるから、多分死んだのであらう。そして、翦燈新話の發刊者たる姪瞿暹は、以上四人の姪兒中、いづれかでなくてはならぬが、名字相關の上から判斷すると、どうやら、その最長たる德啓らしい。

新話の禁止は、顧炎武の日知錄之餘卷四、禁小說の項に見えて、その全文は、下の如くである。

實錄、正統七年二月辛未、國子監祭酒李時勉言、近有俗儒、假托怪異之事、飾以無根之言、如翦燈新話之類、不惟市井輕浮之徒、爭相誦習、至于經生儒士、多舍正學不講、日夜記憶、以資談論、若不嚴禁、恐邪說異端、日新月盛、惑亂人心、乞勅禮部、行文內外衙門及提調學校僉事御史幷按察司官巡歷去處、凡遇此等書籍、卽令焚燬、有印賣及藏習者、問罪如律、庶俾人知正道、不爲邪妄所惑、從之、

これは、一面に於て、翦燈新話の盛に流行したことを證明するものである。しかし、新話の一書が、實際かくの如き弊害を醞釀したか、論者の言は、到底、誇張を免れぬこととと思ふ。そして、その禁止が果して有效であつたか、多くの場合に見るが如く社

會の裏面に於ては、豫期と全然反對なる結果を來しはせぬか。しかし、新話に萬曆刊本あり覓燈因話の如き擬作が、萬曆中に出で、新話中の一篇を北曲に改作した寒衣記が、同じ時分に發刊せられ、又日本東京所見中國小說書目提要に、矢張、萬曆年間に出來た通俗類書たる萬錦情林・燕居筆記等に新話の數篇が各抄載されてあると記せし等の諸點から考へると、百餘年の後、折角の禁令もいつしか忘れられて、全く空文に歸したことと思はれるので、新話の一書は、取りも直さず、萬曆に於て復活したのである。

清朝になると、乾隆八年の坊刻本があるが、これは、永樂本を以て底本となし、その通せざる處は、意を以て勝手に删改し、尤も甚しきは、新話の詩で、誤つて餘話に取り入れたのさへあるといふ位。この外、單行の刊本は、先づ無いやうである。

朝鮮・日本に於て普通見るのは、後に詳論する句解本であるが、姪瞿暹刊行といふ奥書の卷末に存する處から見ると、卽ち宗吉自身の校定本である。朝鮮に於ける無註本の飜刻は、古く有つたかも知れぬが、たしかなことは分からない。

剪燈新話の明刻本は、すでに求め易からず、乾隆坊本は、訛誤頗る多く、どうも然るべき定本の無いには困るといふので、大正六年、董君授經は、誦芬室に於て、新話と餘話とを合刻し、新話は、日本の慶長活字本に據つて、その本文だけを抽出した。この合刻は、同氏刊行の他の諸書と同じく、まことに體裁の善い美本であるが、新話に卷首金鼇の序と卷後の附屬物全部とを缺けるはまだしも、その他の序中に、若干の缺字があり、殊に山陽才人疇與侶云云といふ七言四十句の題詩中、それが五つもあるのは、原本が不明であつたからでもあらうが、何にしても、目障りである。この詩の終の署名に、洪武己巳六月六日睦人佳衡書於紫薇深處とあつて、佳衡は人の姓名であるが、支那に於て、佳などいふ姓は全然無い。これは、當初の底本たりし朝鮮句解本が誤つて居たらしく、現に慶安再刻本にも、矢張、さう書いてある。按ずるに、この詩は、瞿宗吉の友たりし仁和の人桂衡、字は孟平の作に係り、佳は即ち桂の誤である。列朝詩集には、この人を宗吉の次に列して、この一首だけが擧げてあるし、その他、歸田詩話・西湖游覽志等にも載せてあつて、缺字などは一つもない。序に、睦人とは何か、その鄕貫たる仁和に因んで、自ら撰んだ別號の類では無からうか。これが影印本なら仕方がないが、さうでない以上は、前に擧げた手近の諸書を參照して、その缺を補ひ、その誤を正すことが至當であらう。その他、數處に焉馬の誤あるは、白璧の微瑕とはいへ、かへすがへすも遺憾の至である。

〔二〕

翦燈新話の盛行に連れて、その續撰と稱すべきものが、同じ明代に於て、兩三種出來た。その中、最も古くして且つ著名なるは、李昌祺の翦燈餘話である。

昌祺、名は禎、字（あざな）を以て行はる、廬陵の人、永樂二年の進士、庶吉士を以て選ばれ、禮部郞中を授けられ、永樂大典の編修に與（あづ）かり、後に廣西・河南の左布政使に歷官して、竝に惠政があつた。その傳は、明史卷百六十一に見えて居る。昌祺は、瞿宗吉の翦燈新話を覽て、その措辭、太だ美なるも、風敎に關するものの少きを惜み、仍つて、本書を著したとのことで、諸家の序に、永樂十八年とあるから、矢張、その當時出來たのに相違ない。ここに、翦燈新話の新定本は、永樂十九年に完成したのであるから、昌祺は、宗吉が「或は鏤版するものあるも、脫略彌よ甚し」といつた舊本を見たに過ぎぬと思はれる。

　昌祺の才學は、瞿宗吉に十倍して居るが、その著作の現存するものは、さばかり多からず、唯一の集として知らるる運甓漫藁は、詩詞に限り、文章としては、餘話の一書が殘つて居るだけである。四庫全書提要には、その詩を稱し、陳循・曹安・朱彝尊等の評語を列記せし後「昌祺の詩、綺麗纖巧の習を一變し、しかも、流逸を以て之を出す、故に鮮潤饒く、はるかに庸流に異なれり」との斷案を下し、陳田の明詩紀事には「方伯の詩、色新に、意古く、諸體竝に工に、永樂詩家中に在つては、ひとり一格を標す。當時、二十八士を選んで文淵閣に進學す、才ある、かくの如くして、その實に與からず、鑒衡を操るもの、豈に咎を辭せむや」といひ、安磐の頤山詩話には、餘話中に載する集句の殊に巧妙なるを賞して「李昌祺の翦燈餘話、記事觀るべし。集句、不將脂粉涴顏色、惟恨緇塵染素衣。漢朝冠蓋皆陵墓、魏國山河半夕陽。對偶天然、取るべきなり」といつて居る。

昌祺の餘話の自序に「往年、余、役を長干寺に董し、睦人桂衡の柔柔傳を見るを獲、その才思俊逸、意婉に詞工なるを愛し、因つて、還魂記を述べて之に擬す。後七年、又房山に役す、客、錢塘瞿氏の翦燈新話を以て余に似すものあり、復た之を愛し、銳に甕に效はむと欲す、埃氛に奔走し、心志荒落すと雖も、なほ技癢已まず、事を受くるの暇、護聞を捃摭し、次いで二十篇となし、名づけて翦燈餘話といひ、仍つて、還魂記を取つて、篇末に續く」とあつて、その由來は、粗ぼ遺憾なく、ここに盡きて居る。そこで、これを世に公にしたのは、永樂十八年庚子の夏であつた。かくの如くして成りし餘話は、もとより新話と同じく、子氏の寓言・稗官の傳奇に外ならず、且つ概ね幽冥の人物・靈怪の事蹟であるが、その善を勸め惡を懲らし、節義を奬め、風俗を勵ますことに就いては、三たび其意を致したらしい。まことに、羅汝敬の言へる如く、餅師の婦の貞、譚氏の妻の節、何思明の廉介、吉復卿の交誼、賈祖二女の雅操、眞文二生の俊傑にして時を識れる等、皆名教に益がある。一言すれば、新話よりも、はるかに教訓的だといふ點に於て、むかしから、評判が高い。但し、教訓的といふことは、小說の眞價値とは、全然無關係であつて、張光啓の　「蓋し、瞿氏の作るところに超えむと欲するなり」といへる昌祺の志は、もとより壯とすべく、昌祺は、宗吉よりも、學殖文章、ともに優れて居たから、餘話の一書は、造意の奇、措辭の妙、粲然として自ら一家言をなし、必然的に新話に比して、駕して上ること數等といひたい處であるが、その筆を運ぶ間に、自然と新話の淒艶趣味に引き付けられ、加ふるに、文辭の稍や冗雜なると、どことなく道學の臭氣がするとは、到底、新話に及ばざる所以であつて、遺憾ながら、その初志に孤負することを免れない。

都穆の談纂に「昌祺、人と爲り淸謹、著すところの詩に運甓漫稿あり。景泰間、韓都憲雍、江西を巡撫するや、廬陵の郷貫を以て學宮に祀る、昌祺、ひとり、餘話を作るを以て入るを得ず」と書いてあるのを見ると、游戲の文字が誤つて累を爲して、千古に血食するを得なかつたので、まことに氣の毒至極、そして、似而非道學者流が、碌に内容をだに見ず、その書名に因つて、早計にも、これを排斥して仕舞つたことが分かる。

餘話の邦刻本は、七卷二十二篇に成つて居るが、これは、誰か知らぬが、さかしらを加へて、勝手に編次を改めたので、斷じて、その舊に非ざるやの嫌がある。最も信據すべき誦芬室の覆刻本は、五卷二十二篇。更に詳しくいふと、翦燈新話と同じく毎卷五篇、その外、第四卷には一寸した附錄で、詩を主としたる至正妓人行があるし、第五卷は唯だ一篇、卽ち賈雲華還魂記、その著作の動機より見るも、その體裁より見るも、先づ附錄の形で、新話の秋香亭記に對比すべきものであるから、昌祺の自序にも「次して二十篇となし」といひ、羅汝敬の序にも「翦燈餘話、凡そ四卷、計二十篇」といつて、ことさらに、この兩者を加算して居らぬ。そこで、餘話は、普通に四卷二十篇といひ、その篇數は略ぼ同じであるが、いづれも、篇幅が可なり長いから、全體の分量から云ふと、新話に倍する程である。

餘話は、前述の如く、永樂刊本があつたが、現存するは、宣德八年癸丑、張光啓の校刊に係るもので、即ち定本として知られて居る。その次には、成化二十三年の刊本がある し、降つては清版もある。わが邦に於ける翻刻本の一番古いのは元和活字版、次には、元祿五年の木版本があつて、京東洞院通林九兵衞壽梓と署してあるが、如何したものか、著者の自序を落して居る。董君授經の合刻は、即ち元和活字版を以て底本としたのである。それから、萬錦情林・燕居筆記等に、新話と同じく、各數篇を選錄してある處を見ると、早くより、相並んで世に盛行したことは、もとより言ふまでもない。

次は、邵景詹の覓燈因話である。景詹は自好子と號して居たが、その鄉貫閱歷等は、さつぱり分からない。この書には、著者自身の小引があつて、「萬曆壬辰、自好子、書を遙靑閣に讀む。案に翦燈新話一編あり、客過ぎて之を見、手を釋くに忍びず、閱して夜分に至り、はじめて罷む、すでに足るに抵る。客、因つて、爲に耳目に覩聞せる古今の奇祕を道ふ、纍纍數千言、幽冥果報の事に非ざれば至道名理の談、怪にして欺かず、正にして腐ならず、姸以て感ずるに足り、醜以て思ふべし。自好子、深く其衷に動くあり、童を呼び、火を擧げ、客と擇んで之を錄す、凡そ二卷」とあつて、その著作の由來を盡して居る。又その次に「燈、すでに滅し、復た擧げ、新話を閱して因つて及ぶ、皆一時の高興、その實を志すなり」とあるのを見ると、その書に名づけた理由も分かる。この書は、すでに二卷であつて、凡そ八篇、その目は、卽ち左の通り。

卷之一……桂遷夢感錄　姚公子傳　孫恭人傳　貞烈墓記　翠娥語錄

卷之二……唐義士傳　臥法師入定錄　丁縣丞傳

その中には、可なり面白いものもあるが、全體より見れば、到底、新話・餘話と相敵することが出來ぬやうである。この書は、古くから單行本があつた。

淸朝の中ごろに出來た坊刻の俗書に、四燈集といふものがある。これは、新話・餘話に加ふるに、ともに書名に燈の字が付いて、聊か關係あるらしく聞こゆる秋燈叢話・覓燈因話の二書を以てした巾箱本である。覓燈因話は、すでに述べたが、殘る一つの秋燈叢話は、福山の王棫、字を疑齋といふものの著作に係り、卷首に、乾隆四十二年、仁和の胡高望の序があつて、その年代を推知することが出來る。全部十八卷、無慮數百條。その單行本は、今でも傳存して居る。序に云ふが、その開卷第一なる義夫貞女の一條は、山陽の國學生程允文と許嫁たる劉女と、相逢ふ機會なくして五十餘年を經過し、しかも、二人とも、堅く前盟を守つて婚娶しなかつたのが、偶然邂逅、はじめて合卺の禮を擧げたといふ話であつて、禮部旌表の告文もあるし、李次靑・黃天河の記事、並に淮陰太守荆如棠の作れる七古貞義行等もある。これは、その當時、極めて著名なる話柄であつたと見えて、傳奇に作つたものさへある位で、郁州山人の義貞記・徐鄂の白頭新（誦荻齋二種曲の一）は、現に予の書架中に在る。要するに、秋燈叢話は、簡單なる異事瑣聞を蒐輯したもので、その性質が丸で違つて居るから、これを剪燈二書及び因話に伍せしむるは、到底、失當の誚を免れぬことと思はれる。

新話の續撰は、先づ此位にして置いて、新話が非常に流行した爲に、その中から抽出して、劇曲に改作したものも少くない。董君授經は、合刻本の終に記して「この書、明代流傳甚だ廣し、後人譜するところ、蘭蕙聯芳樓記・領頭書・瓊奴傳・芙蓉屏記・洒雪堂傳奇、咸な此に本づく」といひ、前の二は新話、後の三は餘話より采り、又聯芳樓記・瓊奴傳には教坊本と注してあるから、卽ち院本であらう。しかし、これだけでは、まだ盡して居らないので、予の知るところを以てすれば、材を新話に取つて、これを劇曲に作つたものが凡そ三種、曰く寒衣記、曰く領頭書、曰く紅梅記――以下、この三種に就いて略説することにする。

寒衣記は、王國維の曲錄にも見え、元と純然たる北曲の雜劇で、その作者は葉憲祖である。憲祖、字は美度、一字は相攸、桐柏と號し、又別に槲園居士と稱した。餘姚の人。萬曆二十六年、擧人となり、四十七年、進士に及第し、崇禎三年、南京刑部主事に補せられた。すでにして、官游に倦み、方に辭せむとせし折から、廣西按察使に改められ、後に鄕に歸り居ること五年、崇禎十四年に病歿した、年七十六。生平、度曲を好み、その脱稿する毎に、伶人に命じて之を習ひ、日を刻して伎を呈せしめた。かの西樓記の作者として有名なる袁于令は、實に其弟子であるし、綠牡丹療妬羹等、謂はゆる粲花齋四種を以て知らるる吳石渠(名は炳)の如きも、毎度、その作の是正を求めて後に世に出した。又佛法に歸依して、僧湛然とも親交があつた。湛然は、卽ち魚兒佛の作者で、この雜劇は、僧智達の歸元鏡と並び稱せられるものである。なほ、憲祖の經歷は、黃宗羲の南雷續文案に收めたる外舅葉公改葬墓誌銘に、可なり詳しく見えて居る。憲祖の作は、傳奇雜劇を併せて十數種の多きに上り、傳奇の中で、鸞鎞記は六十種曲に收め、その他に、玉麟記・雙修記・四艶記・金鎖記の四種があるといふこと、次に、雜劇の中で、北邙說法・團花鳳は盛明雜劇第一集に見え、易水寒・天桃紈扇・碧蓮繡符・丹桂鈿盒・素梅玉蟾は、同じく第二集に收められ、罵座記・寒衣記は、一二年前に刊行した元明雜劇に載せてある。すると、傳奇四種の傳本、得るに難きは仕方がないとして、憲祖の作は、傳奇一・雜劇九が現存して居るので、明人中に在りては、可なり多く其作劇を傳へた一人である。

この雜劇の梗概は……淮安の人金定と劉翠翠とは、同學であつて、少より相愛し、遂に婚約が成立して夫妻となり、すでに半年を經過した。時に、張士誠の兵馬が城中に亂入し、二人とも、離れ離れに成つて、その難を避けた。翠翠は、士誠の部下李將軍に擄へられ、しばらくは、その養女にされて居たが、やがて、好事を成して、專房の寵を受けて居た。金定は、これを傳聞し、李將軍の駐屯して居る湖州まで往つたが、なかなか之を尋ねることが出來ない。そこで、翠翠の兄と稱して、李將軍に遇ひ、はじめて、翠翠と相見ることが出來た。李將軍は、金定が儒を業とし、粗ぼ文理に通ずるを愛でて、門館先生となし、書記の任に當らしめた。金定は、一計を案出し、追追、時候が寒くなるから、一枚の寒衣に綿を入れて貰ひたいといつて、書童に託して、翠翠の許に届けさせたから、翠翠が受取つた後、絲を切つて、縫目を解きほごすと、中から紙片が出て、その上には、左の七律一首が書きつけてあつた。

好花移入玉欄干。春色無緣得再看。樂處豈知愁處苦。別時雖易見時難。何年塞上重歸馬。此夜庭中獨舞鸞。霧閣雲窓深幾許。可憐辜負月團團。

翠翠は、詩を得て傷感禁せず、卽坐に一詩を作り、矢張、それを衣中に縫ひ込んで、金定に送り届けさせた。

一自鄕關動戰鋒。舊愁新恨幾重重。腸雖已斷情難斷。生不相從死亦從。長使德言藏破鏡。終敎子建賦游龍。綠珠碧玉心中事。今日誰知也到儂。

その頃、明の元帥徐達は、兵を率ゐて、湖州に打入らうとして居た。金定、これを聞いて、その軍前に馳せ至り、ありし事どもを訴へた。徐達、これを領し、やがて、李將軍が明軍を迎へて歸服すると、將士に令して之を捕へしめ、斬首して衆に示し、滿門の良賤、盡く誅に伏し、ひとり劉翠翠を留めて金定に歸し、夫妻は、再び團圓することが出來た。

如上の內容は、人名から挿入せる詩に至るまで、全然同一であつて、疑もなく、翦燈新話の翠翠傳に據つたのである。しかし、それは、寒衣に併せて詩を贈答した處までであつて、その結末は、全然異なつて居る。新話の方では、その後、金生は沈痾に感じ、折から見舞に來た翠翠に抱かれて、奄然息が絕えたから、李將軍は之を憐んで、道場山麓に葬つた。その送殯の夜より、翠翠も亦た病を獲て、遂に起たず、李將軍に囑して、その兄(實は夫、卽ち金定)の側に葬られたしといひ、やがて、金定の墳左に附葬した。洪武の初、翠翠の家の舊僕が道場山下を過ぎると、金定夫妻は、立派な家に居て之を引見し、やがて、一封の書を託して、翠翠の兩親に届けさせた。父母、これを得て大に喜び、その僕に案内させて、はるばる道場山下に往つて見ると、昔日留宿の處は、荒煙野草のみで、家らしいものは全く無く、偶ま通りかかつた坊さんに問うて見ると、ここは、むかしからの墓地で、人家などは無かつたといふ。驚いて、念の爲に、前日の手紙を出して見ると、一幅の白紙であつた。その夜、父母が墳下に宿すると、三更の頃、娘夫妻が夢の中に顯はれて、細細と語り出せしに因つて、ありし事どもは、はじめて判明し、父母は、明日、牲酒を奠せし後、僕と共に棹を返して淮安に歸著したといふので、金定夫妻は、明かに悲劇的最後を爲して居る。寒衣記に於て、元帥徐達の助力の爲に、夫妻再び團圓を爲したといふのは、取りも直さず、作者の構想に係り、熟套に落ちた嫌はあるが、兎に角、新話に見えた其收局を變じ得たものである。

領頭書は、清の袁聲の作つた傳奇であつて、曲錄にも、その名だけは見えて居る。袁聲は濟南の人、その字を詳にせず、閱歷等も、一切不明である。

この傳奇に於ては、李將軍の名を伯昇としてある。翠娘、すでに擄へられし後、死を求むれども得ず、伯昇を紿いて、前夫が新に喪びたから、服麻三年、服除かば、命に從はむといつて、決して李將軍に肌身を許さなかつた。金定は、潤江紫姑仙の夢の告に依つて、湖州に至りしものから、あからさまに名乘り得ず、はては、病を以て死し、仍つて道場山麓に葬つた。すでにして、劉公・劉媼(翠翠の兩親)が同じ夜に同じ夢を見、金定夫婦、破鏡重ねて圓に、現に道場山下に住して居るとのことで、覺めての後に、互に語り合うて、不思議の想をなし、念の爲に、家僕劉旺を湖州に遣して、その跡を尋ねさせることにした。一方では、李伯昇も亦た夢を見たが、金定夫婦、來り謝し、自分等は、權に兄妹と稱して居たが、實は夫婦であるから、合葬の恩を感ずると共に、墓地の近くに寺を建てて貰ひ、佛力に託して還魂を得たいといつたので、伯昇は、宿德の稱ある道場山瞿曇寺の臥輪禪師に請うて、道場を建て、禪師は、定中に於て、金定夫婦を見、その過去未來を知ることが出來た。やがて、劉旺、亦た至り、假りに姿を現はした金定夫婦に遇うて、寺傍の一大宅に宿し、夫妻から、その父母に贈る手紙を託された。劉公は、書を得て、金定の父母にも報知し、親ら山下に往つて見ると、唯だ雙墳あるのみで、大宅などは全く無い。ここらまでは、すべて、新話の原文の通り。すでにして、劉公は、臥輪禪師に遭ひ、金定夫妻の既に死せしことを知つて、哀慟に堪へず、禪師は、方丈に引き入れ、金定夫妻の亡魂を攝定して、劉公に遇はしめた。劉公は、爲に招魂牖を造り、復た墓に至つて相招き、金定の父母も、はじめて、その子媳の死せしことを知つた。さる程に、金定夫妻の魂が冥府に赴くと、冥司は、爲に其籍を査して、その當に還魂し、且つ後福あるべきことを知り、これを送つて歸らしめ、普門大士は、佛旨を奉じて其塚に臨み、雷公を召して、塚を開かしめ、楊枝水を其屍に灑ぎかけると、金定夫妻は、直に蘇生した。そこで、夫妻は、その親を省せむが爲に、淮安に歸りたいと云つたから、臥輪禪師は、爲に裝を治めて之を遣し歸した。その道すがら、金陵に差しかかると、折しも、賢を招き、士を試むる最中であつて、同じ宿に泊まり合せた兪友仁・吳公達は、金定の靑年にして美才なるを見、これに勸めて、試驗を受けさせると、主司宋訥の爲に、廷試二甲第一に取られて、編修を授けられた。その捷書は、家に屆いたが、父母は、同姓名の人と思ひ、悲悼して信じなかつた。程なく、金定は上表して假を請ひ、愈よ故里に歸著すると、父母は、尙ほ、その鬼たることを疑つて居たが、徐に其詳を聞きはじめて、重生衣錦の始末を知つた。やがて、その事、上聞に達し、兩家の父母までが、各封誥を賜はつたといふので、まことに目出たし目出たしの大團圓。

曲海總目提要には、曲中に倩ひ來りし人物を以て大抵實在せしものとなし「按ずるに、元の順帝至正十三年夏五月、泰州の張士誠、兵を起し、その黨、李伯昇・潘原明・呂珍等十八人と兵を聚めて泰州を陷る。二十五年、士誠據るところの郡縣、南は紹興に至りて、方國珍と境を接し、北に通泰・高郵・淮安・徐宿・濠泗あり、濟寧に至りて、山東と相距ぐ。二十六年、明の太祖、兵を以て湖州を徇(とな)ふ、士誠の左丞張天麒等、城を以て降り、伯昇、亦た降る。又按ずるに、兪友仁は杭州仁和の人、洪武辛亥の會元、吳公達は處州麗水の人、洪武辛亥の探花。劇中、又學士宋訥を引いて主考官となし、狀元を吳伯宗となす、皆これ實事。宋訥は大名滑縣の人、伯宗は撫州金谿の人」とある。新話には、唯だ李將軍とのみ云つて居るが、この劇に於て伯昇としたのは、蓋し誤でなからう。それから、應試以後に出て來る人物も、皆實在の者であるが、應試その事が、全く有りふれた常套の趣向であるから、皆據り處があるといふだけで、格別の手柄にも成らない。

　劇の名に成つて居る領頭書は、衣類(きもの)の襟に縫ひ込んだ手紙といふことで、金定が其妻に贈つた詩を指したのである。その自序は、前にも引いたが「親ら道場山に至る。士人猶ほ能く金翠の葬處を指す、反つて、淮陰を過ぐるや、父老傳聞、その說、やや詳」とある通り、新話の紀述も、一に事實に據り、この曲も、矢張、それを取り込んで居るが、新話に見えた事實の範圍內に止めて置けば善かつたものの、曲海總目提要に「前半は皆實蹟、後半回生・應試・歸里・禁封は作者の添出に係る、團圓の歸結を作(な)さむと欲すれば、然らざるを得ざるなり」といつた通り、構想淺近、例の熟套に落ちて、詰まらぬ技工を施し、殊に紫姑仙を擠ぎ出したものの、後に照應が無い樣であるし、臥輪禪師の神通も、夫妻の回生も、ともに荒誕に過ぎて、甚だ以て感服出來兼ねる。ここに至れば、小說考證に引ける花朝生筆記に「傳奇の後年、回生、應試、歸里、榮封の諸齣を添出す、殊に意味なし、明清の交、小說家の思想、大抵、これに類す。今人、筆を執つて小說を作る、才力遠く古人に遜ると雖も、必ず肯て此等の腐語を作さず、風氣の人を囿する、中酒よりも甚し、識解超絶なるものに非ざれば、克く自ら拔くこと鮮きなり」とあるのは、稍や苛激に失した嫌はあるが、まさしく正鵠を穿つた至言であつて、領頭書の一劇は、いかに辯護しても、失敗の作たるを免れぬものであらう。

この曲の傳本、なほ世に存するや否や、未だ考へざれども、曲海總目提要・傳奇彙考に其梗概が見え、上に述べたのは、專ら之に據つたのである。小說考證に、新話の翠翠傳を引いたのは善いが、この曲の後半に就いては、殆んど何とも書かないから、その委曲を盡し得ぬ憾がある。

最後に、紅梅記は、明の周良俊の作つた傳奇である。曲錄及び螾廬曲談等には「朝俊、字は稊玉、吳縣の人」とあるが、鄭振鐸の文學大綱には、これを駁して、鄕貫が違ふといつて居る。焦循の劇說には、甬上詩傳を引いて「字は夷玉……紅梅、最も傳ふ」とあるから、その甬上の人たることは明かで、卽ち甬江に沿へる鄞縣の人といふのが、一番まことらしい。曲選には「諸生」とあるのみで、その閱歷は、例の如く不詳である。

この傳奇は、裴禹と盧昭容との二人、紅梅が媒となつて合を作すより名づけたのである。裴禹、字は舜卿、唐の裴行險の後裔で、錢塘の山水を愛するに因つて、その地に移り、昭慶寺に寓して書を讀み、社友郭謹、字を穉恭といふものと親交があつた。ある時、郭謹は、その友李子春を攜へ、裴禹を邀へて花を湖上に看た。適ま賈似道は、歌妓を擁し、畫船に乘じて至りし故に、裴は、その友と共に斷橋に佇んで居た。すると、歌妓中に李慧娘といふものがあつて、裴の年少なるを覷ひ「美なるかな少年」といふと、賈似道は、その意を裴禹に屬するを怒り、歸館せし後、見せしめの爲に、慧娘を手刃して羣妓に示した。ここに、盧總兵の未亡人崔氏は、湖上に孀居し、一女、名は昭容、頗る才貌を具へて、詞賦を善くし、小鬟の朝霞も、亦た聰慧であつた。時しも春、梅花盛に咲き出でしに因り、ともに紅梅樓に登つて之を眺め、昭容は、梅花を折つて吟詠して居た。裴禹は、偶ま其處を通りかかり、紅梅の愛すべきを見て、その一枝を折らむとし、樹を攀ぢると、誤つて、地上に轉び落ちた。それを婢の朝霞が見て居て、昭容に告げしに因り、昭容は、その手にせる紅梅一枝を贈り、裴は、朝霞に詢うて、盧氏の家世を知るを得た。　賈似道は盧女を垣間見て、是非妾にせむことを謀り、僕を遣して、盧母に告げさせ、盧母は之を拒絶しやうとしたが、何分にも、良策なきに苦んで居た。折よく、裴は再び女を訪はむとして來り過ぎ、小鬟より、ありし次第を聞いたから、盧母に見えて、策を獻じ、もし賈氏から人が來たならば、これを紿いて、女は、すでに他に婚約をしてあるからといつて堅く斷ること然るべく、自分は、汝等の爲に、極力、これを拒いで遣らうと云つた。　盧母は、裴の俊偉なるを見て大に喜び、もし能く似道を拒いで吳れたならば、娘に妻はさうといつたが、裴禹は、權に婿に充てらるれば、それで善いので、決して心配には及ばぬといつた。　やがてその通りにすると、さしもの賈似道、これを奈かむともするなく、ひどく殘念に思つたが、程なく、その事實を偵知して、怨、骨髓に徹し、假りに禮を以て裴を聘し、餐を授けて、館に適かしめ、極めて欽慕の意を道ひ、裴が氣を許して居るに乘じて、これを密室に拘禁して仕舞つた。　そこで、盧氏母子を紿いて、裴禹は、すでに平章の知遇に感じて相府に壻入をしたから、汝、宜しく命に從ふべしといつて、頻りに責め立てた。　昭容は、その詐なるを察して、私に之をトはすと、ト者も、亦た裴禹は、すでに壻入をしたといつた。　しかし、昭容は、決して賈似道に從はず、似道が餘り強ひて困る處から、母子、ともに揚州に往いて、姨母曹氏に依つた。　裴禹の拘禁されたのは、賈家の後園で、園は、卽ち故の李慧娘の居た處である。　慧娘は、すでに死せしものから、その亡魂は、なほ遠くも去らず、遂に裴禹と幽媾を爲した。　すでにして、賈似道は、裴禹が美事を沮みしを恨むの餘、急に之を殺さうとすると、慧娘は、早くも、それと知つて、大に懼れ、因つて、裴禹に告げて「妾は君を一目見て、いとほしと思つたばかりで殺されたが、冥司は、君と夙緣あるを察し、仍つて、こんな事に成つたのだ」といひ、遂に裴禹を導いて遁れしめた。　賈似道は、羣妓の裴を縱ちしを疑ひ、しきりに拷訊を爲したが、慧娘の亡魂が形を燈下に現はせしに因り、似道甚だ驚懼し、羣妓も、はじめて鞫問を免れた。　裴禹は、すでに賈府より出でし後、その友郭謹を訪ふと、謹は、これに勸めて試に應せしめた。　ここに、盧氏母子の依つて居る曹姨の子曹悅も、亦た昭容を聘せむとしたが、盧母は、もとより望を裴に屬して居たから、これを允さなかつた。　曹悅は、使を臨安に遣して、樣子を探らせると、その使の者は、裴禹に遇ひ、因つて之を紿いて、昭容は、すでに曹悅と婚約を結んだといつたが、裴禹は、應試の眞最中であつたから、それなりにして置いた。　その頃、賈似道の祝壽に際し、詩を贈るものが多かつたが、郭謹は、ひとり詩を獻ずるに因つて、その販鹽、及び公田の二事を譏り、又一人氣違の老道士が鉢を遺り、その下には、收花結子在綿州といふ句さへあつた。すでにして、元兵、襄陽を圍み、守將呂文煥は、屢ば敗北したが、賈似道は之を匿して報せざりしに因り、臺諫及び諸生、齊しく起つて、その罪を彈劾した結果、勢力を失つて、高州に貶せられ、會稽縣尉鄭虎臣が貶地まで送つて行くことになつた處が、漳州の木綿菴に於て殺して仕舞つた。すでにして、試驗の成績が發表されると、郭謹は榜眼、裴禹は探花に擢んでられた。そこで、裴禹は、態態、揚州に出かけて、盧氏母子を探つた。その頃、昭容は曹悅の頻りに相逼るを恐れ、道服に改めて、將に焚修を行はうとする處であつた。曹悅は、懲りもせずに、江都縣に訴へ出で、裴禹は、自分の妻を奪つたと訐告したが、時の縣令は、裴の舊友たる李子春であつたから、ひそかに盧氏母子を送つて杭州に返らしめ、自ら媒して、昭容は愈よ裴禹に嫁した。

この傳奇は、翦燈新話の綠衣人傳から、多く其材を取り、巧に變化して之を出したものである。綠衣人傳には「天水の趙源、延祐の間、游學して錢塘に至り、西湖葛嶺の上に僑居す。その側は、卽ち宋の賈秋壑の舊宅なり。かつて日晩、門外に徙倚し、一女子の東より來るを見る、綠衣雙鬟、年十五六ばかり、明日門を出づ、又見ること、かくの如く、凡そ數度、日晩るれば、輙ち來る。源、試に之を挑む。女、欣然として應じ、因つて、遂に留宿し、甚だ相親昵す。源、その姓氏居趾を問ふ。曰く、兒常に綠を衣る、但だ我を呼んで綠衣人と爲さば可なり、と。一夕、源、酒を被り、戲に其衣を指して曰く、これ眞に綠兮衣兮、綠衣黃裳といふべき者なり、と。女慚づる色あり。數夕至らず、再び來るに及んで、乃ち曰く、兒と君とは舊相識なり。兒、實は今の世の人に非ず、亦た君に禍する者に非ず。蓋し、冥數當然、夙緣未だ盡きざるのみ。兒は、故の宋の平章秋壑の侍女なり、本と臨安良家の子。この時、君は其家の蒼頭たり、年少にして姿容に美なり。兒、見て之を慕ふ。後、同類に覺られて、秋壑に讒せられ、同じく、死を西湖斷橋の上に賜ふ、と。源、亦た之が爲に容を動かす。これに久しうして、乃ち曰く、審に、かくの如くならば、吾と汝とは、乃ち再生の因緣なり、と。遂に源の舍に留宿して、復た更に去らず」とあつて、劇中、幽會の一齣は、卽ち之に本づいたのである。但し、劇中、李慧娘が賈似道に手刄されたといふのは、本傳に於て、綠衣人が、その目擊したる秋壑の舊事を語りて「秋壑、一日、樓に倚つて閒望す、諸姬皆侍す。適ま二人、烏巾素服、小舟に乘じて、湖より岸に登る。一姬曰く、美なるかな二少年。秋壑曰く、汝、これに事ふるを願ふか、當に聘を納れしむべし、と。姬、笑つて言なし。時を逾え、人をして一盒を捧げしめ、諸姬を呼んで前に至らしめて曰く、適ま、某姬の爲に聘を納る、と。啓（ひら）いて之を視れば、姬の首なり、諸姬戰慄して退く」とあるに本づいたのである。なほ、郭謹の獻詩中、販鹽の方は劇中に詳說してないが、公田の方は、その詩を引いてあつて、卽ち本傳に「かつて、浙西に於て公田の法を用ひ、民、その苦を受く。或は詩を路左に題して云ふ、

襄陽累歲困孤城。豢養湖山不出征。不識咽喉形勢地。公田枉自害蒼生。

秋壑、これを見、捕へ得て遠竄に遭はしむ」とあるに本づき、その作者を郭謹としたのは、便宜上、これを湊合したのである。最後に、賈似道の壽日に、一人の乞食の樣な道士が似道に鉢を遺（おく）り、その下に、收花結子在綿州といふ句があつたといふのは、本傳に「又かつて、雲水千人を齋し、その數、すでに足れり。末に一道士あり、衣裾藍縷、門に至つて齋を求む。主者、數足るを以て、肯て引いて入れず。道士、堅く求めて去らず、已むを得ず、門側に於て齋す。齋罷む。その鉢を案に覆して去る。衆、力を悉して之を擧ぐれども動かず、秋壑に啓し、自ら往いて之を擧ぐれば、乃ち詩二句あり。云ふ、得好休時便好休、收花結子在綿州、と。はじめて、眞仙降臨、しかも識らざるを知るなり。然れども、終に綿州の意を喩らず。嗟乎、誰か漳州木綿菴の厄あるを知らむ

や」とあるに本づいたのである。　要するに、この劇は、古い材料を巧に運旋して、新機軸を出した點に於て、作者の巧想を認むべく、全篇三十四齣、その曲も巧麗嬌冶、謂はゆる細膩の風光、殊に人に可なるものである。

上述の如く、この劇は、翦燈新話の綠衣人傳に本づいたものである。　然るに、曲海總目提要に「中間、李慧娘等の數折、綠衣人傳を借用す」といへるは先づ善いとして、その次に「元人稗史の內に綠衣人傳あり」といひ、吳梅の中國戲曲總論には「余、按ずるに、元人の稗史に綠衣人傳あり、記中、李慧娘の事と絕えて類す。　大抵、この記の事實は、皆、綠衣人傳に本づくなり」といひ、同じ人の曲選にも、全然同文で一寸書いてあるし、蔣瑞藻の小說考證には見山樓叢餘を引いて「中間、李慧娘等の數齣、蓋し元人の綠衣人傳を借用す」といひ、友人靑木迷陽君の支那近世戲曲史には「卽ち此記の本づくところは、元人の稗史綠衣人傳にして」といひ、いづれも、綠衣人傳を以て元人の稗史となし、すこしも翦燈新話中の一篇たることを言はぬは何故か。　おもふに、最初、誰か一人、言ひ出したのを、每每、その儘に繼承し、その本に溯ることを忘れたからの誤では無からうか。　もとより、新話の作者たる瞿宗吉を元人といふのは、斷じて穩當でないと思ふ。　宗吉は、元末に生まれたには相違ないが、朱元璋が天下を統一して國號を明と稱せし洪武元年には、やつと二十二歳、新話の原本たる翦燈錄の起稿は同十一年、且つ、その生涯は、明初の五朝に亙つてゐるから、無論、明人と稱すべきものである。

紅梅記の原本に就いて、萬曆間に袁宏道の删改本があつたことは、曲海總目提要・傳奇彙考・中國戲曲概論・小說考證等、齊しく之を言ひ、殊に曲海總目提要に「その第一齣の白に、讀書則師前漢後漢、吟詩獨師初唐盛唐と云ふ。宏道、萬曆の時に當つて盛名あり。その前、李夢陽・李攀龍輩、文は必ず兩漢を宗とし、詩は必ず初盛を宗とす。宏道、心以て非となし、每に之を排詆す。蓋し此を借りて意を寓するなり」といひ、次いで、吳梅が曲選に記して「明の萬曆の時、袁宏道、删改本あり。淸の乾隆三十五年の重刻本あり。余、皆未だ見ず。おもふに、乾隆本は、伊齡阿、局を揚州に設けて、詞曲を修改する時、刊するところと爲すなり」といつて居るのを見ると、袁宏道删改本は今日の處、一寸得られぬものと見える。これに次いで、同じ人が中國戲曲概論に記して「この記、久しく佚して存するなし。余、偶ま之を破肆中に得たり、海內、恐らくは多からず」といひ、曲選に記して「この記、玉茗堂批本たり、久しく、すでに散逸す。余、冷攤より之を得たり、心殊に得意」といひしを見れば、吳梅は、ひとり、玉茗堂本を所有して居ると見える。 玉茗堂本は、時代が稍や先んじて居るから、前に擧げた袁宏道が白を直した處などは無い筈で、その他、互に文字の異同があることと思はれる。 予が所藏の紅梅記は、玉茗堂圏點批評とあるから、吳梅の所藏本と同じものであらうが、乾隆四十六年重鐫とある。 吳梅が之に就いて何とも云はないのを見ると、或は、この重刊本の存在を知らないのであらうか。 この書の樣式は、全く明本であるから、明版が幸に殘つて居たのか、明版を底本として再び版を起したのか、兩者、必ず其一に居ることと考へられる。 この玉茗堂本の重刊も、予が之を得た前後に於て、かつて聞いたこともない處を見ると、決して、有りふれたものとは思はれぬ。

なほ、吳梅が「この記、傳唱絕えて少し、五十年前、鬼辨・算命等の折あり、偶ま歌場に現はる。 余の生や晩く、すでに見るに及ばず」といひ、王季烈が「今人、知るところのものは、惟だ脫穽・鬼辨・算命の三折のみ」といへる如く、むかしは可なり流行したが、その後、廢絕したものと思はれる。 但し、綴白裘には算命の一齣を集成曲譜には脫穽・鬼辨の二齣を載せ、吳梅の曲選には、殺妾・折梅・脫難・秋懷・改妝・夜晤の六齣を採つてある。 それから、萬曆間に刊行した繡谷春容の中なる小說「古杭紅梅記」は、殆んど、この記に本づいて作つたものと稱せられ、日本東京所見中國小說書目を檢すると、國色天香・

燕居筆記等、皆これを收めて居る。　近時、亂彈腔の紅梅閣といふ劇は、賈平章外傳といふ小說に本づいたものとも云はれて居るけれど、實は、この記を檃括して成れるものであるが、吳梅は、これを排擊して「實に是れ金を點じて鐵と成す」といつて居る。

以上三種の外に、翦燈新話を劇化したものが、まだ有るか如何。　服部博士の佚存書目に渭唐夢があるが、唐は、無論塘の誤植で、內閣文庫圖書第二部漢籍目錄には、明かに渭塘夢に作つてある。　するとこれは、新話の渭塘奇遇記を翻したものに相違ないが、刻下、親ら就いて檢閱する機會なきを遺憾とする。

序に餘話の方は、前に擧げた二種の中、芙蓉屛は、淸初無名氏の作に係り、餘話に見えた芙蓉屛記を其儘すつかり劇化したので、傳本の有無は知らぬが、その梗概は、曲海總目提要・傳奇彙考・小說考證等に見えて居る。　洒雪堂は、前にも述べた通り、桂衡の柔柔傳の向ふを張つたものと稱して、餘話の末に附した賈雲華還魂記に本づいて、明末梅孝已の作つた傳奇であつて、後に龍子猶、卽ち馮夢龍の評定を經た本が新曲十種に收められ、現に予の書架中にも在る。　なほ、曲錄を調べると、明の無名氏の撰に係る賈雲華の一劇が、沈璟の南九宮譜中に見えて居たといつて、その名が掲げてある。

〔三〕

翦燈新話は、鏤版の後、未だ幾ならずして、朝鮮に傳はり、やがて、その擬作をさへ見るに至つた。元來、高麗の末年には、鄭夢周が兩度までも、南京に使に往つたことがあるし、李成桂が王氏を簒して、新に國を朝鮮と號した時代には、明の帝室の承認を得むが爲に、梯航頻りに來往し、爾後、子孫相繼いで、常に事大の禮を執り、朝貢來聘、年を以てせしが故に、その使臣などが、いつしか、この書を將來したものと思はれる。そこで、謂はゆる擬作は何かといふと、金時習の金鰲新話が卽ちそれである。

金時習は、一代の畸人たるのみならず、朝鮮に於ては罕に見る耿介の節士であつて、李栗谷・李寧齋、二人の撰に係る本傳は、ともに、その終始を詳記し、その他、諸家の隨筆雜記にも、その軼事が散見して居る。今、さういふものを摘きませて、下に彼の傳記の概略を述べることにする。

時習、字（あざな）は悅卿、東峰と號し、江陵の人、新羅閼智王の裔、父の名は日省、母は張氏、宣德十年、漢師に生まれた。生禀異質、生まれて八月にして、自ら能く書を知りしに因り、崔致雲は、一見、これを奇として、名を時習と命じた。 李栗谷の傳には「語遲くして神警、文に臨んで、口讀むこと能はざるも、意は皆曉る。 三歳、能く詩を綴り、五歳、中庸・大學に通じ、人、神童と號す。 名公許稠輩、多く就いて訪ふ」とある。 世宗の時、しばらく太平にして、人才極めて盛であつたが、時習の事を以て上聞に達せしものありしに因り、世宗は、特に之を承政院に召し出した、時に甫めて五歳。 黄門が之を提げて入朝すると、世宗は承旨成三問をして其才を驗せしめ、三問が童子之才、如白鶴游青雲之上といふと、時習は、聲に應じて、聖主之德、如黄龍蟠碧海之中と答へた。 次に韻を呼んで、三角山の絶句を作らしめると、卽坐に之を賦した。

束聳三峰貫太靑。 登臨可摘斗牛星。 非徒岳岫興雲雨。 能使邦家萬世寧。

その時、世子は侍坐し、世孫は幼なるが故に、扶けられて牀上に坐して居た。 世宗、これを顧みて時習に向ひ「これ汝の君なり、善く之を識れ」といひ、又世子に對しては「時習は、當に汝の碩輔たるべし、宜しく、結んで布衣の交を爲すべし」と仰せられ、仍つて、敎を下して「予、親しく見むと欲するも、恐らくは、俗聽を駭かさむ。 宜しく、その家に勸め、韜晦敎養、その學の成るを待つて、正に大に用ふべし」といひ、祕閣書籍の外に帛五十匹を賜はり、それを前に積んで「これは君の賜であるから決して、人に擔がしてならぬ」といはれると、時習は、直に針線をこひ、その端を綴つて之を連ねた上で、自ら之を曳き出したから、宮門の內外、環立して之を觀、一日にして、その名、國中に遍ねく、すでに長大となりし後までも、金五歳と綽名されてゐた。

時習は、長じて徐居正と游び、文學行義を以て相高うした。居正は、早くより貴く、後には、宰相にまで陞つたが、時習は、屑屑として擧子の業を爲すを肯んぜず、三角山の白雲寺に籠つて、專ら御賜の書を講習して居た。

世宗、すでに薨じ、世子嗣いで立ちしが、未だ幾ならずして又薨せられたから、世孫が卽位した、これが卽ち魯山君で、後に端宗と諡した。居ること數年、叔父首陽大君、內難を靖んじ、魯山君に逼つて、位を遜らしめ、後に世祖と稱せられた。仍つて、魯山君を寧越に徙し、尋いで、世宗の舊臣朴彭年・成三問が復辟を謀りしに因つて之を殺し魯山君も亦た縊り殺された。時習は、適ま漢東の水落山中に居たが、變を聞くと、戶を閉ぢて出でざるもの三日、乃ち大に哭して、盡く其書を焚き、忽ち狂を發して、溷厠より逃れ出で、儒衣を裂き、髮を削つて僧となり、自ら雪岑と名づけたが、その後、しきりに其號を變じて、淸寒子といひ、東峰といひ、碧山淸隱といひ、贅世翁といひ、梅月堂といつた。時習は、未だ仕へざれども、童時、世宗に知られた位だから、その子孫の末運を眼前に見ては、義として、首陽大君に臣たることを屑しとしなかつたのである。端宗の縊殺せらるるや、戸長嚴興道といふものが、これを其家に收葬すると、時習は、奔哭して甚だ慟し、しばらくすると、その踪跡を失つた。次いで、端宗の妃の陵が發掘されて、玄宮が水に沈められむとした時、一夕、風雨晦冥に乘じて、その遺骨を負うて立ち去つた僧があつたが、それが卽ち時習で、仍つて、これを山中に葬り、公論回復の後に至り、禮を以て改葬することが出來たとのことで、さながら、宋末の義士唐珏・林景曦等が、楊璉眞伽といふ胡僧の爲に掘り起された宋の諸陵の遺骨を收葬したと相似て居る。世に端宗の時の忠臣を算して、生六臣・死六臣といつて居るが、生六臣は卽ち金時習・嚴興道等、死六臣は成三問・朴彭年等である。

出家した後の時習は、狂態百出、大に時人を驚かした。李栗谷は、その學問を記して「聰悟、人に絕ち、その四書六經に於ては、幼時、業を師に受け、諸子百家の若きは、傳授を俟たずして、涉獵せざるなく、一記して終に忘れず、故に平日未だ嘗て書を讀まず、亦た書笈を以て自ら隨へず、しかも、古今の文籍、通貫して漏らすなく、人、擧げて問ふものあらば、口に應じて、說いて礙なく、磊塊忼慨の胸、以て自ら宣ぶるなし」といひ、その平生を記しては「士子、學を受けむとするものあらば、逆擊するに木石を以てし、或は弓を彎き、將に射て其誠を試みむとす、故に其門に處るもの、すでに罕なり。且つ喜んで山田を開き、綺紈家の兒と雖も、必ず役するに耕穫を以てし、甚だ苦、終始業を傳ふるもの尤も鮮し。山行、必ず好んで樹を白うして詩を題し、諷詠やや久しく、輒ち哭して之を削り、或は紙に題して、亦た人に示さず、多く水火に投ず、或は木を刻し農夫耕耘の形を爲して、案側に列置し、熟視終日、亦た哭して之を焚く。時あつて種うるところの禾、甚だ盛に、穎栗玩ぶべし。醉に乘じ、鎌を揮ひ、頃を盡して地に委し、因つて、聲を放つて哭す、行止測りがたく、大に流俗に嗤黠せらる」といひ、以て其大概を推知することが出來る。

時習の山居中、客を見れば、都下の消息を聞き、人の己を罵るもののあるを聞けば、必ず色喜び、反對に、佯狂して蘊むところありと云へば、眉を攢めて、不機嫌であつた。除目を見ても、達官にして或は人望に非ざれば、必ず哭して「この民、何の罪あつて、この人この任に當るか」といつた。時の名卿金守溫・徐居正は、賞するに國士を以てした。ある時、居正が參朝の途中、白竹笠を戴いて居る一人の乞食坊主が、前驅を犯し「剛中、別來恙なし」といふと、居正は、憮然として謝し、しばらく立話をして、やがて別れたので、一市の人は、皆目を駭かして相視たが、識るものがあつて「あれは、當年の金五歳である」といつた故に、愈よ驚かされた。朝士にして侮を受けしもの、その堪へざるに至り、居正に見えて、その罪を啓治せむことを請ふと、居正は、首を搖かして「止めよ、止めよ、狂子、何ぞ與に今の罪を較ぶるに足らむ、この人、百代の下、必ず公の名を累せむ」といつた。次に、金守溫が試驗官となつた時、これを愚弄した話は、李栗谷の本傳に見え「金守溫、知館事たり、孟子、梁の恵王に見ゆるの論を以て、太學の諸儒を試む。上舍生あり、時習を三角山に見て曰く、乖厓(守溫の別號)劇を好む、孟子、梁の恵王に見ゆ、豈に論題たるべけむや。時習、笑つて曰く、この老に非ずむば、この題を出さず、と。乃ち筆を走らして篇を成して曰く、生員、自ら爲りしものとなして、試に、この老を瞞せよ、と。上舍生、其の言の如くす。守溫、讀んで未だ終らず、遽に問うて曰く、悦卿、京山の何寺に往するか、と。上舍生、隱す能はず。その知らるること、かくの如し」と書いてある。その論は、孟子當待價而居、遇賢君親聘則可出、不當爲庸主所招來也といふので、卽ち乖厓の出仕を皮肉つたものであつた。

世祖は、佛を好んだ故に、屢ば國中の高僧を召し出した。すると、雪岑の道を得たことを言上するもの多かりしに因り、命を下して招致し、その至るや、世祖、親ら齋戒し、朝臣及び衆僧を會し、その說法を聽聞する積りで待ち構へて居た處が、雪岑の遁れ去りしを告ぐるものがあつて、いくら探(さが)しても分からない。やがて、宮外の人が俄に騷ぎ立てて、道傍の便所の中に、一人の坊主が落ち込んで、汚穢を浴びて居るといつたから、取り敢へず吟味させると、卽ち金時習であつた。朝臣輩は、打揃つて說をなし、時習は狂書生で、佛法など知らう筈がないといひ、世祖も亦た之を不問に付した。當時の僧徒は、盛に雪岑を稱して生佛といひ、時習も亦た夷然として、自ら佛法を知ると云つて居たが、その實、何も知らなかつたといふ話。蓋し、時習は、世祖を愚弄して、聊か自ら快としたのではあるまいか。

時習が初めて佛門に入つたのは二十一であつたが、四十七の時、文を爲(つく)つて父祖に告げ、俄に還俗して、安氏の女を娶り、程なく、子を生んだ。人、或は出でて仕へむことを勸めたが、終に其志を屈せずして、放曠舊の如く、月夜に値へば、喜んで離騷を誦し、誦し罷めば、必ず哭した。時習の家には、元と相當の財產があつたのを、年來棄てッぽかしにしてあつた。ある時、時習は、牒を抱いて官に至り、その舊に還さむことを求め、官も亦た之を直としたが、すでに官衙を出ると、天を仰いで大笑し、盡く其券を燒き棄てて仕舞つた。幾もなくして、妻子、ともに死せし後は、再び髮を削り、名山に隱れて出でず、金鰲山にも、しばらく籠つて居た。しかし、喜んで江陵・襄陽の境に游び、多く雪嶽・寒溪・淸平等山に住んで居た。時に柳自漢は、襄陽に宰となり、待つに禮を以てし、家業を復して世に行はむことを勸めたが、時習は書を作つて之を謝した。秋高く木落つる候には、必ず山に登り、泉高く瀑急なる處に至るや、悲歌して詩を賦し、落葉に書して流に浮べ、一葉を浮べては一哭し、はては、哭聲、山谷に滿つるばかり。しかし、その詩に何といひしかを知らず、但だ哭する時は、往往にして世宗を呼んだとのことである。その後、麟蹄雪山より累りに徙つて、鴻山の無量寺に至り、そこで遂に老死した。時に弘治六年、年五十九。易簀の際、遺令し、儒衣冠を以て殮殯せしめ、愼んで燒葬する勿れといひ、その徒は權に寺側に置くこと三年にして、これを開いて見ると、面貌生くるが如く、緇徒驚歎し、咸な以て佛となしたが、遂に之を火化し、その骨を取つて浮圖を作つた。生時、手づから老少二像を畫き、且つ自ら贊して寺に留め置いたが、その贊の辭に、俯視李賀、優於海東、騰名謾譽、於爾孰逢、爾形至妙、爾言大侗、宜爾置之、丘壑之中とあつた。宣祖は、儒官李珥（卽ち栗谷）に命じて、その傳を作らしめ、正祖の時、吏曹判書を贈り、淸簡と諡した。

李寧齋は、傳中に論贊を加へ「時習、奇才を負ひ、雅に爲さむと欲するところあり、それをして爲すあらしむれば、必ず彭年・三問が桁楊の間に徙死せしが如くならず。

然れども、時習灼として天命を知る、世祖の世、豈に時習の能くするところならむや。事、卒(つひ)に爲すべからず、意、卒に解くべからず、故に佛に託し、以て自ら摧挫して之を銷鑠す」といひ、李栗谷は「その人を想見するに、才、器外に溢れ、自ら持する能はず、乃ち氣を受くること、輕清に豐に、厚重に嗇なることならむや。然りと雖も、節義を標し、倫紀を扶く、その志を究むるに、日月と光を爭ふべく、その風を聞かば、懦夫も亦た立つ、すなはち、これを百世の師と謂ふと雖も、亦た之に近し。惜しいかな、時習英鋭の資を以て、礱磨するに學問踐履の功を以てすれば、その成就するところ、豈に量るべけむや」といつて居る。時習は、滿腔の憤念を銷釋せむが爲に、強ひて佯狂して、その一生を斷送したものである。但し、諸家の傳記は、世祖の仕草(しぐさ)に不滿であり、且つ時習に同情を寄するの餘、やみ雲に之を擔ぎ上げた傾向があるから、いくらか割引して見ねばならぬことと思ふ。亡友今西博士の私信に、

御承知の如く、梅月堂も、實は、もつと俗物に相違なきも、栗谷や寧齋の輩が、世祖の簒奪を憎む餘り、この男を偶像視して祭り上げたる證據、顯然たるものの有之、この件、念の爲め申添候。

といはれたのも、成程と頷(うなづ)かれる。

時習の著作を擧げて、師友名行錄には「著すところ、詩萬餘篇」といひ、記言には「四方志一千六百、山を紀し、水を紀する二百」とあるが、李栗谷の傳に「著すところの詩文散失、十に一を存する能はず」とある通りで、その大部分は、早くから、無くなつて仕舞ひ、今や、彼の著作は、李耔・朴祥・尹春年等が先後哀集して刊行せる梅月堂集十七卷の中に收められ、そして、金鰲新話と四游錄とは、早くから單行して居た。

前にも見ゆるが如く、金鰲は山の名、一に南山と稱し、慶州の南六里(朝鮮里數)に在つて、あまり高くはないが、形勢頗る雄偉、南嶽と云はれて居る含月山よりも、はるかに著名である。唐の顧雲が崔文昌に贈つた詩の破題に、我聞海上三金鰲、金鰲頭戴山高高、山之上兮珠宮貝闕黃金殿、山之下兮千里萬里之波濤、傍邊一點雞林碧、鰲山孕秀生奇特とあるし、徐四佳・魚西川の慶州十二詠にも、鰲山奇勝として、その第二に擧げてある。十餘年前、予の始めて朝鮮に游んだ時は、新羅の景哀王が末路の悲哀を留めたる鮑石亭の邊に立つて、この山を仰ぎ、徐魚二君の原韻に次して、左の一律を賦した。

獨立南離畫景宜。幾多軼事記前時。依然古佛長留像。無復狂僧解詠詩。萬壑松聲含雨急。半山磴勢入雲危。怕過蟹日嶺邊路。秋草廢陵風亂吹。

その第四句に謂はゆる狂僧は、取りも直さず、金時習、その人である。時習が此山に住んで、金鰲新話を著したことは、その書名が、すでに之を表示して居るのみならず、他に幾多の證左がある。龍泉談寂記に「東峰金時習、韶齓より、すでに能詩の聲あり、遂に糾紛を擺落し、祝髮して僧となり、名を雪岑と改む……詩を爲る、典重にして蔬筍の氣少し、金鰲山に入り、書を著して、石室に藏す。曰く、後世、必ず岑を知らむものあらむ、と。その書、大抵、異を述べ、意を寓す、翦燈新話等の作に效ふなり」とあり、東京雜記、古蹟の條に「梅月堂は、金鰲山に在り、金時習棲息の處、遺蹟尚ほ在り、階下に北向花あり」と記し、その次に、時習の詩として、

矮屋青氈暖有餘。滿窓梅影月明初。挑燈永夜焚香坐。閒著人間不見書。

玉堂揮翰已無心。端坐松窓夜正深。香罐銅瓶烏几淨。風流奇話細搜尋。

の二絶を擧げてあるが、これは、金鰲新話の末にも附載してあつて、第一首は、宗吉の翦燈新話題後の第一首を全く踏襲して居る。又圖書學校の條に「梅月堂の祠宇は、金鰲山の南邊洞口に在り、卽ち茸長寺の舊基にして、金公時習游息の地なり。公の事蹟は、具さに、栗谷李先生、敎を奉じて撰するところの傳中に見ゆ。公の平日の足跡、殆んど國內の名山に遍ねく、しかも、獨り金鰲に居て、將に終焉せむとするが若き

の志あり、四游錄を見て知るべきなり。その『金鰲に居てより、遠游を愛せず、但だ海濱に優游し、郊廛に放曠し、梅を探り、竹を問ひ、常に吟醉を以て自ら娛む』といへるは、これ公自ら志せる言なり。世傳ふ、梅月を以て堂に名づくるは、金鰲梅月の意に取ると。金鰲新話に題する詩に矮屋青氈暖有餘、滿窓梅影月明初と謂ふところのもの、是れなり」とあり、卷首刋誤の中に「茸長寺は、詩僧雪岑、かつて、ここに居を構ふ。按ずるに、茸長寺は、新羅の僧伽瑜の創むるところ、梅月堂は、蓋し舊基に因るなり」とあり、佛宇の條に「金時習に茸長寺有懷の詩あり」として次の五律が擧げてある。

茸長山洞窈。不見有人來。細雨移溪竹。斜風護野梅。小窓眠共鹿。枯椅坐同灰。不覺茅簷畔。庭花落又開。

して見ると、時習が金鰲山なる茸長寺墟に就いて廬を結び、そこで新話を著したことは、もとより言を俟たず、その住趾も、祠堂も、兩つながら、後世まで殘つて居たことが分かる。

顧みれば、翦燈新話が作者瞿宗吉の手で校定されたのが永樂十九年、金時習の生まれたのが宣德十年で、相後るること十四年。それから、時習が金鰲山に引ッ込んで書を著したのは、何年か分からぬが、晚年といふから、假りに五十歲位とすると成化二十年、翦燈新話の刊行が、前にも云へる如く、正統七年以前に在るとすると、その間、四十餘年もあるから、無論、その刊本は、明かに朝鮮に傳はり、時習も亦た之を覽たに因つて、その構想の端緒を得たに相違ない。

金鰲新話は、傳本稀少にして、今は、有數の珍本と稱せられ、その原形卷數等は、文獻備考、並に其他の書目を見ても、さつぱり分からない。但し、現行本の卷尾に題甲集後として、上記二詩の揭げてある處から考へると、もとは、翦燈新話の原本たる翦燈錄と同じく、十集あるべき筈であるが、稿、すでに完きものが散佚したのか、さういふ豫定ではあるが、何かの都合で、まだ起稿しなかつたのか、その邊の事情は、今から臆測することが出來ない。

金鰲新話の今存するものは、唯だ一卷で、凡そ五篇の短篇小說を集めてある。その各篇が翦燈新話に本づくことは、兩書を比較一番すれば、直に分かることであるが、手ッ取り早く、左に一表を揭げることにする。

（金鰲新話）	（翦燈新話）
萬福寺樗蒲記	滕穆醉游聚景園記・富貴發跡司志
李生窺牆傳	渭塘奇遇記

醉游浮碧亭記……………鑑湖夜泛記
南炎浮州記……………令狐生冥夢錄・太虛司法傳
龍宮赴宴錄……………水宮慶會錄・龍堂靈會錄

金鰲新話が著作されてから、約四百五十年を經たる後、この書は、崔君南善に賴つて世上に紹介せられ、その卷首に載する解題は、頗る觀るべきものとして知られて居る。今、その一部を轉載しやうと思ふが、元ど漢文に朝鮮の諺文を加へた、謂はゆる懸吐文であるから、京城大學豫科學友會で刊行する雜誌「淸涼」に載する同校敎授多田正知君の摘譯を拜借して、間に合はせることにする。

東峰の才學と操履とは、玆に加疊の要なきも、その豐贍なる文藻と旺溢せる意匠とは、適くとして合當せざるなく、小說家として、また優越なる天分を有せる人なりしは、種種なる點より、その鋒鋩の穎脫せるを見るべし（中略）既に、この天分ありて、天地鬼神人才君子小人を辨じ、常變・喪葬・修眞・愛民を論ずるの傍、綺語艷聞を撰せる、亦た偶然に非ざるを窺知し得るなり。 然りと雖も、現存せるもののみよりせば、金鰲新話の書は、決して卓越せる大作には非ず、先儒既に說けるが如く、明初瞿佑の剪燈新話に倣へる一傳奇にして、其體制と措辭上のみならず、立題命意と取材設人どに至るまで、翦燈新話を藍本とせるものなるも（中略）契機全く一にして、一種の換脱的關連を認むべし。然れども、審に之を察するに、萬福寺樗蒲記の老總角は、佛前に訴へて佳耦に邂逅し、李生窺牆傳の太學生の路上流眄にて異緣を締結せる動機は、吾が民間傳承に間ま見る話題にして、燈話の皮膜に覆はれたる其下には、やがて、國說の筋骨を挾み、元來の架鑿と單なる模倣とに非ざるを知るべし。また漢文に染濁せる者の概ね分明なる國故と地人名物をも漢土に轉化せるを例とせるに反し、此書は、此點に於て、最も明白なる鄕土色を把持するを努めたると共に、特に醉游浮碧亭記に平壤古朝鮮國也を起頭とし、殷裔箕女の遂に東明神人に拯濟せられ、仙侶に獲參せらるるに至る一段の如きは、作者精神の一面を窺知すべきものと爲すべきなり。

無論、金鰲新話の中には、往往にして、踏襲の甚しきものあれど、筆者は、多くの場合に、精精新しい味を加へることを忘れなかつたから、萬一、失敗に畢つた處で、鵠を刻して猶ほ鶩に類するを失はざるものである。その文辭、極めて華麗、經語、殊に論語の字句の多く挿入されたのを見ても、朝鮮に於ける經學の盛行を臆想せしめる。そ れから、朝鮮の風俗に違背せぬ樣にしたのは、翻案の上に於て、最も必要なる條件であつて、筆者が特に注意したことに相違ない。篇篇、皆五内の激盪を鎮靖せむが爲に、その感慨を文字に託したものと稱せられ、就中、浮碧亭の一篇は、殊に諷意あるとして知られて居る。浮碧亭は、今日、普通に浮碧樓といつて居るが、樓といふは、亭と稱するの穩妥なるに若かず。或は、金時習が意を用ひて特に改めたのかも知れない。この亭は、平壤城外、牡丹臺の下に在つて、大同江に臨み、永明寺に隣接して居る。ここに、最初、朝鮮の地に君臨せし箕氏は、子孫相承くること數十世、箕準に至つて、燕人衞滿に亡ぼされて仕舞つた。その時、一女ひとり存し、幸にも、神人に救はれて登仙し、やがて、玉皇香案の侍兒となつて、天上の仙福を享受して居たが、ある年、中秋の夜、ふと思ひ付いて、故國に降つて見れば、物は是にして人は非、皓月は煙塵の色に掩はれ、白露は塊蘇の累を洗ひ、淒寥滿目、感慨自ら禁ぜず、しきりに今昔を低徊して居ると、松京の洪生といふものが、ひとり亭下に來りて、平壤懷古の六律を作つて、聲高に朗誦するのを聞いたから、箕女は、これを引見して、先づ其詩に和し、仍つて、奇遇を感じて、夜もすがら語り明かし、洪生は、江亭秋夜觀月の四十韻を賦して、やがて別れたが、洪生も、仙分ありしものと見え、箕女の推薦に依り、わづか三旬の後、昇天して河鼓幕下の從事となつたといふ話。作者金時習は、まのあたり、端宗縊殺の慘劇を見、その平生、必然的に亡國の遺民の如き想を爲し、滿腹の文章も、折角ながら、時宜に合はなかつたから、箕女の登化は、取りも直さず、彼の理想であつたに相違ない。次に、南炎浮州志は、彼の世界觀を述べたものであるし、龍宮赴宴錄は、例の通り、不遇なる文士の爲に氣燄を揚げたもので、その主人公たる韓生は、疑もなく、時習その人の分身であらう。この外、初の二篇は、全く鍾情の文字で、芳芬悱惻、纏綿の思に滿ちて居る。明治新刊本の首に冕する依田學海の序文にも、その各篇を評して「この篇、蓋し明人瞿宗吉の翦燈新話に擬す、しかも、その才情飄逸、文氣富贍、琦句瑰辭、璀璨錦の如く、過ぐるあつて及ばざるなし。然れども、その樗蒲記・窺牆傳の二篇、辭は美なるも、未だ浮靡の習を脱する能はず。浮碧亭記は、樂んで淫せず、哀んで傷らず、風人の旨を得たり。浮州志は、閻王を借りて、性命の理を解き、議論卓越、才識具備する者に非ざれば、決して辨ずる能はざるなり。赴宴錄は、文章雄峻、詩賦雅麗、以て其該博の學と俊拔の才とを見るべし」といひ、次に蒲生褧亭の跋にも「その萬福寺樗蒲記・李生窺牆傳南炎浮州志・龍宮赴宴錄、諸篇の如き、或は情致纏綿、或は感慨鬱勃、或は悲壯淋漓、或は議論明快、或は豪懷骯髒、一讀、人をして節を擊つて已まざらしむ。但だ、諸篇は多く虞初の體、特に聖賢正大の筆氣に乏し、しかも、獨り醉游浮碧亭の一篇の如き、その文は歐蘇、しかも、詩は老杜の忠憤にして、許渾・劉禹錫の筆墨なり、實に是れを壓卷となす」といひ、いづれも、浮碧亭を激賞して居る。 そこで、今、その筆致を示すが爲に、一節を引抄しやうと思ふから、取り敢へず、同記中より、洪生が箕女に遇ふ一段を采ることにする。

夜已三更矣、忽有跫音自西而至者、生意謂、寺僧聞聲、驚訝而來、坐以待之、見則一美娥也、丫鬟隨侍左右、一執玉柄拂、一執輕羅扇、威儀整齊、狀如貴家處子、生下階而避之于牆陰、以觀其所爲、娥倚于南軒、看月微吟、風流態度、儼然有序、侍兒捧雲錦茵席以進、改容就座、琅然言曰、此間有哦詩者、今在何處、我非花月之妖、步蓮之姝、幸値今夕、長空萬里、天濶雲收、氷輪飛而銀河淡、桂子落而瓊樓寒、一觴一詠、暢敍幽情、如此良夜何、生一恐一喜、踟躕不已、作小謦咳聲、侍兒尋聲而來請曰、主母奉邀、生踧踖而進、且拜且跪、娥亦不之甚敬、但曰、子亦登此、侍兒以短屛乍掩、只半面相看、從容言曰、子之所吟者何語也、爲我陳之、生一一以誦、娥笑曰、子亦可與言詩者也、卽命侍兒、進酒一行、殽饌不似人間、試啖堅硬莫吃、酒又苦不能啜、娥莞爾曰、俗士那知白玉醴・紅虬脯乎、命侍兒曰、汝速去神護寺、乞僧飯少許來、兒承命而往、須臾得來、又無下飯、又命侍兒曰、汝去酒巖、乞饌來、須臾得鯉炙而來、生啗之、啗訖、娥已依生詩、以和其意、寫於桂箋、使侍兒投于生前、

なほ、普通の詩以外、全巻を通じて、塡詞が凡そ三闋あつて、寡聞なる予の知れる限りに於ては、朝鮮人の手に成れる唯一の者として珍重すべく、ひよつとすると、金時習その人は、東國に於ける倚聲の開祖かも知れない。左に、萬福寺樗蒲記中に見えた滿江紅の一闋を擧げることにする。

惻惻春寒。羅衫薄幾回斷腸。金鴨冷晩山凝黛。暮雲張繖。錦帳鴛衾無與伴。寶釵半倒吹龍管。可惜光陰易跳丸。中情滿　燈無燄。銀屛短。徒抆淚。誰從款。喜今宵鄒律。一吹向暖。破我佳城千古恨。細歌金縷傾銀椀。悔昔時抱恨蹙眉兒。眠孤館。

金鰲新話の眞價値は、上述の如くであるが、その初は、あまり流行しなかつた。その當時、朝鮮に於ては、朱子學が隆興し、一般に勃窣理窟に耽つて居たから、さなきだに形式に拘束され易い儒者輩は、小説の著作を以て筆の汚れの如く考へ、折角の此名著に對しても、一顧を與へるものがなかつた。しかし、金時習が自信の篤き、この書に對しても、相當の抱負と執著とを持つて居たので、前にも引いたが、龍泉談寂記に「金鰲山に入り、書を著し、石室に藏す、曰く、後世必ず岑を知るものあらむ」とある通り、不遇なる彼は、この書に於ても、知己を千歳の後に俟つて居たのである。

金鰲新話の鏤版は、はつきりと分からぬが、はじめ、慶州に於てせしものの如く、東京雜記書籍の條、淨慶寺藏版の下に梅月堂四游錄とあるから、多分、これと同時位であつたのだらう。そして、しかと書かないのは、その書が小說であつて、性質上、卑視されて居たからではあるまいか。やがて、この書の版本が散佚せし後は、寫本を以て僅に行はれて居たらしい。

元來、李朝以前に於ける朝鮮の小說は、今日予輩の謂ふ樣なものではなくて、街談巷說、もしくは雜事・異聞・瑣語の類に過ぎず、早くも、新羅の末に崔致遠の新羅殊異傳金大問の雞林雜編あり、これに次ぐものは、魚世謙が稗官雜記中に記して「東國小說少く、唯だ高麗李大諫仁志の破閑集・崔拙翁滋の補閑集・李益齋齊賢の櫟翁稗說・李朝姜仁齋希顏の養花小錄・徐四佳居正の太平閑話・筆苑雜記・東人詩話・姜晉山希孟の村談解頤・金東峰時習の金鰲新話・李青坡の劇談・成虛白俔の慵齋叢話・南秋江溫の六臣傳・秋江冷語・曹梅溪偉の梅溪叢話・崔校理溥の漂海記・鄭海平眉壽の閑中啓齒・金冲菴淨の濟州風土記・曹適菴伸の諛聞瑣錄、世に行はる」といひ、崔君南善は、この外に大東野乘・鵝洲雜錄・龍泉談寂記・於于野譚等を擧げて居るが、唯だ一部の金鰲新話を除いて、その餘は、全然、小說の名を僭するに足らぬものばかりである。かくて、金鰲新話、一たび出でて、稍や年所を經たる後、金萬重の九雲夢・金春澤の謝氏南征記に次いで、倡善感義錄・雲英傳・紅白花記・金山寺夢游錄・王郎還魂傳等、頻頻として世に出で、朝鮮の小說は、どうやら、今日、予輩の謂ふ意味の者に近くなつて、大に文界の光彩を添へた。されば、金鰲新話の一書は、近代に於ける朝鮮小說の開祖として、又一時期を劃する名著として、文學史上に特記すべきものである。

わが邦に於ける金鰲新話の翻刻には、承應二年の一卷一冊本と明治十七年の二卷二冊本とがある。前者は、倭板書籍考・德川幕府時代書籍考等に見え、今日でも、往往坊間に於て見出され、必ずしも珍本ではない。後者は、大塚君彥(名は彥太郞)の家藏を底本となし、東京楳月堂に於て發刊したので、三島中洲・小野湖山、二人の評を欄外に掲げ、外に依田學海・蒲生褧亭・長梅外等の序跋があつて、略ぼ書籍たる體裁を備へて居る。但し、その開卷第一に、韓人金始習原著とあるが、始の字は、宜しく時に作るべきである。なほ其前に在る梅月堂小傳は、多分、李景弼といふ朝鮮人が書いたのであらうが、金時習の字(あざな)悅卿を「烈卿」となし、江陵の人を「光山の人」と記し、鴻山の無量寺に於て寂化したことが、栗谷・寧齋の傳に見えたるに拘はらず「晚年、名山に隱れ終るところを知らず」と書いてある。同じく、朝鮮人の李樹廷は、多少聞こえたものであるが、その人の書いた跋に、考以年代、瞿佑明季之人、在先生之後百餘年、故後人疑其雷同、而且書中、詩詞不甚工、遂有魚目之辨、其實取固有者載之、非梅月堂之杜撰といひ、瞿宗吉の年代を全然誤つて、時習と顚倒したのは、如何したことか、失檢も、ここに至れば、まさしく滑稽である。次に、瞿佑遂以著翦燈之罪見謫といふに至りては、何の書に本づくか、聞かまほしと云ひたい處。この二人、亡命の僑儒を以て、客中、簡册に乏しく、且つ氣の毒にも、記憶疎謬の爲め料らずも、かういふ事に成つたのであらうが、それにしても、荒唐不經、殊に甚しく、到底、不愼重の誚を免れることは出來まいと思はれる。なほ、金鰲新話は、昭和二年、京城で發行した啓明といふ叢刻の第十九號にも收めてあつて、まさしく、この書の復活と稱すべく、崔君南善の解題は、前述の如く、紀述周匝、考證精確、予輩を益することと、決して少からざるものである。

金鰲新話は、その藍本たる翦燈新話の流布を阻害せざるのみか、多くの場合に、相輔相助の勢を爲して、愈よ之を世に盛行せしめたやうである。翦燈新話の朝鮮翻刻本は、早く有つたかも知れないが、やがて、その註釋の上木されたのが、卽ち翦燈新話句解である。

句解には、滄洲訂正・垂胡子集釋と署してあるが、その姓名閱歷は如何。李圭景の五洲衍文長箋散稿第四十七、翦燈新話辨證の項に「翦燈新話の注、但だ書して垂胡子注と云ふ、故に人多く未だ我が東の林知樞芑たるを識らざるなり。宣廟の時の人、文章を能くす、詩文豪放、翦燈新話を注す」とあり、安鼎福の順菴集卷十三、橡軒隨筆下に「翦燈新話二卷、明宗の朝、判書尹春年及び吏文學林芑の註、謂はゆる滄洲は、卽ち春年なり、芑は、頷下に垂肉あり、故に自ら垂胡子と號す」とあつて、滄洲は尹春年、垂胡子は林芑(一名は苾)といふことが分かる。但し、橡軒隨筆に句解が二人の合著ででもある樣に記したのは、無論、誤であるが、一時檢點の未だ足らざりしに因る過失であらうし、二人の姓名を調べ出す上には、格別障害とも成らぬ。かくの如くして、句解の著者も、校訂者も、ともに名たたる朝鮮の學者である。それだのに、靜嘉堂文庫漢籍目錄には、翦燈新話句解の下に注して、よせば善かつたのを、明滄洲訂として、勝手に、餘計な明の一字を加へたのは如何したものか。かくて、飛んでもない誤謬に畢つたのは、まことに笑止の至であつた。

そこで、なほ詳しく、この二人の閱歷を取り調べることとし、先づ滄洲から始めると、朝鮮名臣錄に「尹春年、字は彥久、滄洲と號す、參議安仁の子、中宗朝の文科三司を歷て、湖堂に選ばれ、官は吏曹判書に止まり、清白に錄せらる。詩文を能くし、格律を善くす、且つ廉操あり、しかも、但だ元衡と善く、普雨を奬け、これを以て削らる」とある。その詩文を能くし、格律を善くしたことに關しては、月汀漫筆・五山說林等に、その證左に當つべき記事がある。

かくの如く、尹春年は、中宗癸卯、文科に登第し、追追立身して、庚申には、提學候補にまで擧げられた程の學者であつて、詩文を能くし、且つ廉潔の行を以て淸白吏と稱せられたのに、後年には、頻りに宮廷に出入して橫暴を極めたる妖僧普雨を庇護し、又明宗の生母文定王后の弟でありながら、外戚を以て、謂はゆる乙巳の士禍を起せる尹元衡に與せる等の事よりして、罪を受け、はては、官を削られて、可惜、多年の淸譽を汚損したのは、まことに、憫むべき次第である。

李栗谷は、滄洲の生涯を知悉したもので、石潭日記に載する記事は、その品隲、いささか峻烈に過ぐる嫌はあるが、もとより憑信を値する。滄洲の人物を評しては「驟に淸顯を經、輕肆自ら信じ、浮薄の徒、多く之に從つて講學す。春年、妄りに自ら尊大、師道を以て自ら處る。人と爲り輕浮、その學、甚だ駁、佛老の緒餘を掇拾し、以て自ら張大にし、自ら道を得たりと稱す」といひ、その晚年に就いては「元衡敗れ、禮判、罷を論ずるを以て、宣廟の初、貶せられて鄕里に歸り、熱に中つて冷を飮み、病を發して死す」

といつて居る。ここに、春年の死は、宣廟の初とあるから、壬辰の亂、即ち豐公征韓の少し前である。

林芑、一に苾に作る。後に壬辰の亂に際して、艸奏廳白衣從事といふ臨時官に擢用された。松溪漫錄には「わが友林芑、羣書に博洽にして、善く文を屬し、尤も詩に長ず」とあつて、その洛陽名園の詩三十韻の中なる十數句を擧げて居る。五山說林には「林芑は吏文學官の雄なり、博學能文を以て其類に出で、常に人に杜詩を授く」とあつて、當時、敏才匹敵なしと稱せられた車天輅に褒められた位であるから、その人もとより想ひ見るべしである。梁慶遇の霽湖詩話にも亦た其才學を稱して「林垂胡芑、博く羣書を覽、兼ねて人に過ぐるの聰あり、凡そ九流百家奇書古文に於て、目渉して口誦せざるなし。かつて、都下に在り、文人才士、その家に叢萃し、各聞見するところを以て垂胡を難詰す。垂胡、左顧右眄、應對礙なく、懸河走水の如く、窮已あるなし。湖陰、毎に之を指して行祕書といふ」とある。次に五洲衍文長箋散稿に引ける開寧邑誌には「林芑は郡守霽光の子、六たび京に赴き、秩を嘉善に增し、光國功臣一等券に錄せらる。御筆、國書を賜うて曰く、林芑子孫、勿爲賤役、と。その子遇春、その妻と同じく、倭賊に死して節に殉し、宣廟の朝、事聞こえて閭に旌す」とあり、里郷見聞錄にも

「芑、六たび京に赴き、翦燈新話を帶びて來る、宣廟壬辰、賊に死す。子遇春、丁酉の亂に虜にせられ、その妻洪氏と同じく死す」とある。林芑父子が國難に殉したのは、事實であらうが、光國功臣一等券に錄せられたといふことは、功臣錄にも載せず、且つ名臣錄等に其名が全く見えぬから、恐らくは、間違であらう。林芑は、六度も燕京に往つて、翦燈新話を將來したといふが、翦燈新話は、餘程古く、朝鮮に傳はり、その擬作として、逸早く、金時習の金鰲新話さへ出た位だから、ここに特記する必要なく、或は新話に註したことが、誤り傳へられたのではなからうか。なほ、陶山諸賢錄に、林芑の名が出て居るのを見ると、彼は、元と退溪李滉の門下であつたことが分かる。尹春年と林芑と、ともに、その頃、相當の學者であつたに拘はらず、句解以外、全く著述のないのは、まことに惜むべきことである。

林芑は開寧の人で、尹春年も、多分同地の貫屬であらう。但し、二人の生死年月の不明なのは、遺憾であるが、ここに、車軾といふ人が、中宗丁丑の生まれで、尹春年と同年の文科登第であるから、春年は、多分、同年位であらう。林芑は、後に詳論する句解の自序に據ると、その著を賴まれたのが、嘉靖二十六年であるから、假りに、この時、歲方に二十とすると、國難に殉した壬辰の亂、卽ち萬曆二十年には、六十五になる勘定で、實際又そんな位であつたらうと想像され、尹春年に比して、凡そ十歳ばかりの後輩だらうと推察せられる。そこで、句解の書術に就いても、本來ならば、林芑の方を前に書くのが至當であるが、尹春年は、地位・學問・年齢に於て、ともに長者であつたから、わざと、その順序を顛倒して、滄洲訂正・垂胡子集釋と署したものと思はれる。

以上、尹林二人に關する考證は、三年前、予が在京城の詩友、松田學鷗君を介して、崔君南善の指教を辱うしたのが始まりで、學鷗君も、これに刺戟されて、研究の結果「翦燈新話句解に就いて」といふ一文を草して、昭和六年五月發刊の續日鮮史話第二篇に掲載されたことがある。今や、此等のすべてを參考して、その大要を略敍したので、少からず、二君の餘惠を蒙つたことを茲に告白して置く。但し、學鷗君が、尹春年を以て車軾と略ぼ同年としたのは善いが、軾の子雲輅は、明宗己未の生まれで、林芑と親交があつたから、この二人は、大抵同年で、林芑が壬辰の亂に歿せしは、三十四五歳位、尹春年より四十歳ばかりの年下であつたと察せらるといはれたのは、全くの間違。これは遺憾ながら、林芑の句解自跋を見なかつた爲に、根據なき臆測を逞うされたものらしい。たとひ、雲輅が林芑と親交ありしにもせよ、即ち忘年の友たるに過ぎぬ。

何故に、朝鮮に於ては、翦燈新話句解といふ註釋まで出來たかといふと、その頃、縉紳先生は、古來の慣習上、公然、この種の閒文字を玩ぶを屑しとせず、しかも、實際面白いので、主として、教養に乏しき郡衙縣廨の吏胥輩が、晝飯後の休み時間にでも、寢ころんで讀まうといふのだから、平易淺近を旨とし、故事の出典など、大抵は擧げずして、簡略に濟ませ、その他、體裁の不揃等は、顧るに暇なかつたのであらう。董君授經は「便を俗流の循諷に取り、詞旨膚淺」といつて、全然、この書を斥けてゐる。

ここに最も奇とすべきは、わが林羅山が御丁寧にも、返り點や、送り假名を施し、そして、序跋、殊に從前東西の刊本に無いものまで補寫して合綴した翦燈新話句解が、わが內閣文庫に收藏じてあるといふことである。羅山先生文集にも見え、且つ現に此書、に存する追識に「壬寅之冬十月初五、於旅軒燈下、而終朱墨之點」とあるに據ると、羅山が此書を閱したのは慶長七年、卽ち二十歲の時である。羅山は、二十二歲、藤原惺窩に謁して入門したから、壬寅は、その前前年に當り、志學を超ゆること五歲に過ぎぬが、その名聲は、早くも、世上に喧傳しかかつて居たに相違ない。時しも、秀吉逝後四年、關ヶ原役後二年に當り、征韓の壯圖も、昔日の夢と化し、諸將帥が同地から分。捕して歸つた圖籍は、漸く整理されて、わが學界に力強き刺戟を與へむとする折から、追識中の旅軒は、どこだか分からぬが、多分、大阪であらうと思はれるので、維山は、そこに旅寐を重ぬる間に於て、どこかの家の所藏朝鮮本の中から、儒書ならぬ珍らしい翦燈新話を發見し、一時の興に乘じて、上述の如く、この書の爲に、多大の骨折を敢てしたのであらう。

維山の補寫した者の中、卷頭の附屬物、即ち序跋計五篇と目錄とは、その後に出來た日本の飜刻本にも、ちやんと備はつて居るから、何でもないが、最も珍とすべきは、卷後に載する林芑の跋と尹春年の題後とであつて、刊本には全く之を缺き、しかも、これに因つて、予輩は、朝鮮に於ける句解刊行の年代を推知することが出來るから、まことに貴重なる資料である。

さて、維山は、この二文を何處から探がし出したか、今、詳にすることは出來ぬが、當時、朝鮮から將來した夥しい載籍の中から、偶然、これを發見したことは、容易に察し得べき事實である。

そこで、林芑の跋を左に引抄しやうと思ふが、やや長きに失するから、最も重要なる後半に限つて置かう。

（上略）歲丁未秋、禮部令史宋糞者、求釋於余、（中略）遂爲讎正、委諸宋糞、使之摹印、嘻糞之志勤矣、龔吏也、惟簿書是急、乃於是書、己欲昭昭、而又使人昭昭、推此志也、雖古之與人爲善者、不是過也、然而龔也不克鏤板、乃湊合木字而印之、字多刓缺、覽者病焉、今茲滄洲以天官卿、兼提調校書館、而諸員尹繼延者、稟於其提調、欲入梓以廣其傳、余更爲之刪煩就簡、以爲句解、而滄洲實訂正焉、因撮其注釋之梗槩、書諸顚末、龔之印本、訖於己酉、而繼延之購刻、終於己未、詳錄其歲、俾來者知之、嘉靖己未五月下澣靑州垂胡子跋、

尹春年の題後は、この書が讀者に益あることを述べ、次に、自分は、この書に就いて、格別の功もなかつたことを記したので、いはば尋常の挨拶に過ぎぬから、格別、參考になることもない。　林芑の言に據ると、新話註釋の著作は、全く宋龔に賴まれて、嘉靖二十六年にはじめて著手したのである。　宋龔の名は、無論、他の意味もあらうが、一寸見た處では、いかにも穢く、むかし、こんなのが有つたものかと思はれる位。　もしくは、冀の字の誤書では無からうかとも思はれるが、文中に幾つも見えて、全然誤らしくもなく、且つ他に對校すべきものが無いから、仕方がない。　そこで、精細に考へると、句解とは、尹春年の校定を經て、尹繼延が梓に壽した方の書名であつて、宋龔に遺した方の初作は、誰にも校定して貰はず、必ずしも、句解とは云はなかつたかも知れないし、且つ、內容も、聊か異なつて居たものと察せられる。　そして、宋龔の方の本

は、林芑が頼まれた翌翌年己酉、即ち嘉靖二十八年に發刊されたが、尹繼延の方の本は、凡そ十年後れて、己未、即ち嘉靖三十八年に出來、前に引いた跋にも「煩を刪つて簡に就く」とある通り、大分手入れをしたものと見えるから、句解の方が、無論、整つて居るに相違なく、要するに、林芑の手に成つた翦燈新話の註釋には、明かに二種あるといふことになる。そこで、羅山が翻閲し且つ追補したのは、宋糞の實物に就いて見るも、明がに、尹繼延の上梓した句解木版本であるから、それでは、宋糞の刊本はといふと、多田正知君は日韓文學譚に於て「內閣文庫中には、別に一種無點なる翦燈新話句解二卷本あり、同文庫の目錄には日本古活版とあるも、或は宋糞刊するところの木活字本に非ずやと思惟せられる點が多多あるも、これは、なほ他日再度の調査に須またね ば、今これを斷言し得ぬを遺憾とする」といつて居られるが、上記の話だけでは、その宋糞本らしいものは、矢張、後に云ふところの慶長活字本では無からうかと思はれるし、又朝鮮刊本であるにしても、その內容が句解と餘り違つて居らぬならば、宋糞本とは認められぬ嫌があつて、折角ながら、一寸首肯し兼ねる。そこで、宋糞の刊本は、その後、どう成つたか、そして、その內容が、今の句解に比して、どれ程、相違して居るか等の問題は、更に愼重なる他日の研究を待つ外はない。

剪燈新話と東洋近代文學に及ぼせる影響（久保）

羅山の飜閲した本かすでにさうであるから、句解は、いづれも同じであらうが、翦燈新話の舊と四卷なりしを改めて上下二卷となし、上卷は十一篇、下卷は九篇及び附錄となし、卷頭の附屬物は、全く缺けて、目錄もない。それから、多田正知君は、一番終に、新話の刊行者たる瞿暹の跋があるといはれたが、これは、題詩七絕四首の次なる存齋、卽ち瞿宗吉自身の書後を見違へたものに相違ない。その後の朝鮮版本は、數種あつて、今でも、わが坊間に於て、屢ば發見されるが、大抵は、更に卷後の附屬物をも缺き、全く本文ばかりに成つて居る。現行の洋綴活字本には、書衙の山陽瞿佑宗吉著、滄洲訂正、垂胡子集釋と並べて、東溪朴頣懸吐とあつて、朴氏は、卽ち現代の人である。

句解の尹繼延本は、嘉靖三十八年を以て發刊せられ、豐公の征韓に先つこと三十三年。おもふに、この書は、東國通鑑などと同じく、この戰役の終に舶載して來たので、わが日本に於ける翻刻の最も古きものは、慶長活字本である。

慶長活字本には、卷首の最後なる金晁の序もなく、卷後の跋は、全部脫落して居る。そして、字形も大きいし、誤脫も少くないといふ話。その發刊は、慶長元年と明記したものもある樣だが、實は、さう判然じないので、兎に角、慶長の初年といへば、先づ大

一〇三

差なからうと思はれる。成簣堂善本書目に「剪燈新話句解四卷、附錄一卷、三册、慶元中古活字印本」とあるは、同じ慶長本ではあるが、後刷に屬して居るのでは無からうか。

次に、句解の和刻木版本は慶安元年に出で、羅山が返り點や送り假名を施した其本が、多分、底本となつたらうと思はれるが、多少の間違は、致方もないこととして、序跋等は完備して、唯だ林尹二人の題跋を缺いて居るだけである。その奥付には「慶安元年十一月二條鶴屋町書林仁左衛門刊行」とある。その或は「京大佛林正五郎版行」とあり、或は「三條晴明町井筒屋六兵衛」とあるは、その板木の轉移を語つて居るだけで、格別の不思議もないと思ふ。この版本は、流傳頗る廣く、今日なほ坊間に於て逢著するものである。明治になつては、米田喜校、森仙吉出版の校正剪燈新話が、十九年十月に出た。これも、句解であつたと記臆するが、見すぼらしい洋綴の活版本で、校正といつて、堂堂たる銘を打つたのは、すさまじいが、何等の特色もなく、氣の毒ながら、羊頭狗肉の譏を免れまいと思ふ。次に、顧山處士の評釋剪燈新話と題する和裝の洋紙活字本が、三十三年、大阪なる青木嵩山堂に於て刊行された。句解の註を假名交りに書き直して、游仙窟抄の如く鼇頭に掲げたのは善いが、卷一の聯芳樓記及び卷四以下を、何の斷りもなく、勝手に刪り去つたから、もとより完本ではなく、且つどう見ても、俗書であるが、最も汎く世に行はれて居た。

その後、漢文國譯大成・支那文學大觀等に收めた對譯本の新話は、句解ではなく、本文ばかりであつて、註の付いて居る然るべき單行本は、近ごろ、とんと發刊されない。

〔四〕

剪燈新話が我が邦語に抄譯されたのは、隨分古いことである。從前、淺井了意の伽婢子(おとぎぼうこ)が、卽ち其書であると云はれて居た處が、それより九十年前、すでに、中村某の手に依つて、新話中の三篇が邦譯されて居たといふことが、大正年中、藤井紫影博士の「支那小說の飜譯」と題する一文に詳述してあつて、この文は、同十年に刊行された同氏の江戶文學研究といふ書物の中に收載されて居る。

博士の文中に「最後に注意すべき剪燈新話の紹介は、從來世にいふ如く、伽婢子が先登第一の名を擅にする權利がない事である。それは、著者が見聞した諸國の怪談因果話の類を集めた奇異雜談集と云ふ六冊物がある、出版の年月は、不明であるが、書中の記事によると、著者は、文明年中、江州三雲の庄妙感寺に居た、六角氏に仕へた中村豐前守といふ武士の子で、若年にして僧となり、丹後の府中に住み、其後諸國を遍歴したものの如く、その見聞談の年代は、明應より天文十年に及んで居る。されば、天文年間に出來たものと推定して差閊がないやうだ。怪談集因果物語としては、最も古いものである。貞享二年の西鶴諸國咄・同三年の婦人養草(金澤藩士村上武右衞門著)に、この奇異雜談集に據つた材料があるが、それらの事は、さし置いて、この書の五六の卷に、翦燈新話の譯が出て居る」とあつて、その次に、原篇名と併せて、その題目が擧げてある。

ここに揭げてある略傳は、書中の自記に據つて、その片影を推したので、瀧澤馬琴も、おのが藏本に頭註を施して「この段、作者みづからの父の姓名をあらはせり、よりて、世の人、中村氏の子なることを知れり」といつて居るが、その本名、並に法名は、不詳である。なほ、山口剛君は「全部三十一章、これが今の版本であるが、天文の頃の寫本と比較すると、五章ほど省略されてゐるとのことである」といつて居る。この書は、すでに、和漢の怪談を撮合したものであるから、誰か知らぬが、その序文にも、明かに、「錄唐土本朝怪異之說」と斷つてある。

前にも引いて置いたが、その譯文の前に小引があつて「新渡に剪灯新話といふ書あり」云云とあるを見れば、翦燈新話は、天文年中に、はじめて我が國に傳はつたので、これより先、早く朝鮮に流行して、金鰲新話といへる擬作さへ出來た位であるから、同地から輸入したか、それとも、倭寇などの手に依つて、直接に、支那本土から傳來したか、その邊の事は、遺憾ながら、考覈することが出來ぬ。

何は兎もあれ、奇異雜談集の著者中村某は、殊勝にも、かういふ支那の俗文學に趣味を持つて居て、その翻案を試みたので、現に其書中に、支那種を含んで居ることは、もとより否定することが出來ぬ。その一例を擧げると、同書卷三の三「丹波の奥の郡に人を馬にして賣りし事」は、太平廣記に見えた板橋三娘子の事で、後に怪談全書にも譯出されて居るし、卷四の五「國阿上人發心の由來の事」は、矢張、廣記に出て居る姑獲の話を更に佛臭くしたのである。

この書は、はじめ奇異雜談と稱した。その出版年月の不明なることは、柴影博士も、すでに之を言ひ、小說年表にも、唯だ江戸時代との書いてある。じかし、元祿五年版の廣益書籍目錄に奇異雜談五卷とあるから、その前、すでに刊本のあつたことは、疑を挾む餘地がない。そして、現存するものは、書名に集の字を加へて、京都書肆柳枝軒の開版となつて居るが、これは、多分、享保年中の事に係り、小說年表に云ふ通り、舊版を再摺改題したのであらう。さて奇異雜談集中に譯出された三篇は、どんな物かといふと、卽ち左の通り。

一、姉の魂魄、妹の體をかり夫に契りし事……………………金鳳釵記

二、女人死後、男を棺の内に引込み殺す事……………………牡丹燈記

三、弓馬の德によつて申陽洞に行、三女をつれ歸り妻として榮花を致せし事……………………………………………………申陽洞記

その中に牡丹燈記の譯のあるのは、最も面白く、後代に於ける同記の盛行を逸早く暗示するものである。以下、これ等の書に就いて、精細なる批評を下すのは、紙幅限あつて、到底、許さぬことであるから、大抵は紹介に止めて置く。

この書は、今でも、往往にして坊肆の間に發見されるが、珍本の一として貴重されて居るから、予輩の如き寒措大の手には一寸入り兼ねる。そこで、譯文の體裁を示すが爲に、左に一節を借抄して、原文と對照することにする。

牡丹燈記（翦燈新話、卷二）

方氏之據浙東也、毎歲元——

女人死後、男を棺の内に引込み殺す事

（奇異雜談集、卷六）

夕、於明州張燈五夜、傾城士女、皆得縱觀、至正庚子之歲、有喬生者、居鎭明嶺下、初喪其耦、鰥居無聊、不復出游、但倚門佇立而已、十五夜三更盡、游人漸稀、見一丫鬟挑雙頭牡丹燈前導、一美人隨後、約年十七八、紅裙翠袖、婷婷嫋嫋、迤邐投西而去、生於月下視之、韶顏稚齒、眞國色也、神魂飄蕩、不能自抑、乃尾之而去、或先之、或後之、行數十步、女忽回顧而微哂曰、初無桑中之期、乃有月

元朝のすゑの至正年中のことなるに、明州の鎭明嶺のもとに喬生といふものあり。妻をうしなひて、やもめにして閑居す。正月十五夜にいたりて、諸人みな出て、灯籠を見て、あそび行くといへども、喬生は、ひとり門にたたずみて、みちに出であそばず。夜半のすぎになりて、路に人もなく、月のみあきらかなるに、丫鬟の童女一人ありて、雙頭の牡丹灯をかたにかがけて、さきにゆけば、後に窈窕たる美人一人、したがつて西にゆく。喬生これを見て、やむことをえず、すなはち出行きて、ちかくみれば、はなはだすぐれたる美人なり。年に約せば十七八、くれなゐの裙、みどりの袖にして、ゆるやかにあゆむ。氣たかき體、まことに國をかたぶくべき色なり、喬生、心もまどふばかりにて、つゐにあとにしたがひゆく。あるひはさきになり、あるひはあとになりてゆくこと、半町ばかりにし

下之遇、似非偶然也、生郎趨前揖之曰、敝居咫尺、佳人可能回顧否、女無難意、郎呼丫鬟曰、金蓮、可挑燈同往也、於是金蓮復回、生與女攜手至家、極其歡昵、自以巫山洛浦之遇不是過也、生問其姓名居趾、女曰、姓符、麗卿其名、淑芳其字、故奉化州判女也、先人既歿、家事零替、既無弟兄、仍鮮族黨、止妾一身、遂與金蓮僑居湖西爾、生留之宿、態度妖妍、詞氣婉媚、低幃暱枕、其極歡愛、天明辭

て、美女、たちまち喬生を見て、微哂(すこしわらひ)ていはく、舊(もと)見し人にあらず。月下に、はじめて見る。もと知(しる)の心に似たりといへば、喬生よろこんで、さしよりていはく、我家ほどちかし。きたりてやどり給はんや、いなやといへば、女、すなはちうけがふ。丫鬟をば名を金蓮といふ。牡丹灯をかゝげてさきにゆくぞ。すなはち女の手をとりて、我家に引て入り、金蓮をば、はしのまに居せしめ、女を中堂に請じいるるなり。はからざるの佳遇とて、帳をたれ、枕をならべ、はなはだ歡悦をきはむ。世にたぐひなき多情なり。因みに、その姓名と居所をたづねといへば、女のいはく、姓は符氏、名は麗卿、字は芳叔、すなはち故奉化州判のむすめなり。父母兄弟もなく、親類一族もなし。世の縁もおとろへつきて、ただ金蓮と二人、居を湖西によするのみなり。こよひのにゐまくら、わすするべからず、鳥なき、天(そら)

別而去、及暮則又至、如是者將半月、鄰翁疑焉、穴壁窺之、則見一粉妝髑髏與生並坐於燈下、

あくるといふて、出でさるなり。喬生、ゆめのさめたるごとくにして、人とかたる事なく、よろこびたのしめり。夜にいたりて、美女またきたる。これより夜(よる)夜にきたり、朝な朝なにさること、まさに半月ならんとす。鄰家の老翁これをうたがひ、壁の穴より、これをうかがひみるに、粉をぬりよそほひしたる髑髏の女一人、ともしびの下に、喬生とならび居るを見る。

全體が此調子で、殆んど直譯に近く、極めて質實素朴な文體ではあるが、よく嚙みしめると、一種の雅味があつて、さう馬鹿にしたものではなく、兎に角、翦燈新話翻譯の先鞭を著けたものとして、殊に騷亂の世の產物として、十分顯彰すべきものである。

次は伽婢子(おとぎばうこ)、大本十三冊、寛文六年刊、瓢水子松雲の作。松雲の傳は、甚だ不明であるが、普通に淺井了意となし、字(あざな)は子石、京都の浪人で、別に靜齋とも號したとのことである。この書の續編とも見るべき狗張子に冠せし義端の序に「洛陽本性寺の了意大德は、極めて博識强記にして、特に文思の才に富めり、生來の著述、甚だ多し、晩年に及びて、筆力ますます老健なり。去年庚午の春、さきに伽婢子の遺(のこ)せるを拾ひ、漏

れたるを搜りて、狗張子若干卷を作り、その續集に擬へむとす、その年の冬に至り、すでに七卷を撰び輯む。翌年辛未の元旦、意らざるに寂を示す」とあつて、了意は、本性寺の住僧、辛未は元祿四年、卽ち其元旦に歿したといふことが分かる。歿年は不詳であるが、可なり高壽を享けたことだけは、明かである。

その著すところの東海道名所記・武藏鐙・江戸名所記・本朝女鑑・北條九代記・伽婢子・狗張子の諸書は、ひろく世に行はれた。この中、東海道名所記・武藏鐙の二書は、溫知叢書の中に入れてあるし、伽婢子も、二三の叢刻に見えた樣であるが、最も手近い處では、國書刊行會編刊の近世文藝叢書に收めてあるし、最近は、狗張子と共に日本名著全集の中の怪談名作集に入れてある。

了意が長い生涯の間に著作の多かつたことは、義端の言が、すでに之を證明して居る。しかし、その著作の數の餘りに夥しいと、その範圍の餘り廣きに亙るとに因つて、著書の署名、また其頃の書籍目錄作者附に見えたる名前、卽ち了意・松雲・淺井了意・淺井松雲了意・本性寺松雲・瓢水子松雲處士・桑門釋了意等を、すべて同一人と見ることに就いて、多少の懸念を抱かせるので、現に、柳亭種彥は「浮世物語」「江戸名所記」「武藏鐙」「錦木」の淺井了意と「伽婢子」「狗張子」の了意とを同名異人と考へて居るが、もとより書籍目錄以外に資料が無いから、きつぱり、これを解決することが出來ない。但し、ここに必要なる伽婢子・狗張子の二書が、同じ了意松雲の手に成りしことに就いては、異議を挾む人がないから、先づ安心して居ても善い。

了意は、博く内外兩典に通じ、和歌連歌の心得もあつた人だけに、善く原文を咀嚼し、これに拘束せられず、すべて、わが國風に叶ふやうに翻案して、少しも譯文らしい臭氣を留めぬ處は、頗る手際よき出來榮えと稱すべく、平易流暢にして、しかも、姿致ある文章は、巢林・西鶴以前に於ける第一人と云つても善い位。例せば、新話中の聯芳樓記の如き、原文の作意を改めて、女を唯だ一人としたのは、姉妹二人が同時に一人の秀才に私通するといふ筋が、どう考へても、わが國俗に合はず、敎訓上、甚だ不都合であつて「兒女の聞を驚かし、自ら心を改め、正道に赴く一の補にせん」とする平生の主張に違背するからであらう。

新話は、附錄を除いて二十條、その中の十八條は、正面から翻案されて、伽婢子に載つて居る。そこで、手ッ取り早く、紫影博士の江戶文學研究に載せた兩者の對照表を借用して、左に掲載することにする。

（翦燈新話）　　　　（伽婢子）

水宮慶會錄（卷一）……龍宮の上棟（卷一）
三山福地志……黄金百兩（卷一）
華亭逢故人記……菅谷九右衛門（卷七）
金鳳釵記……眞紅の撃帶（卷二）
聯芳樓記……歌を媒として契る（卷八）
令狐生冥夢錄（卷二）……地獄を見て蘇る（卷四）
天台訪隱錄……十津川の仙境（卷二）
滕穆醉游聚景園記……金閣寺の幽靈に契る（卷九）
牡丹燈記……牡丹燈籠（卷三）
渭塘奇遇記……夢のちぎり（卷四）
富貴發跡司志（卷三）……（缺）
永州野廟記……邪神を責殺す（卷八）
申陽洞記……隱里（卷十一）
愛卿傳……遊女宮木野（卷六）
翠翠傳……幽靈書を父母につかはす（卷十二）

龍堂靈會錄（卷四）……………幽靈評「諸將」（卷五）
太虚司法傳　……………鬼谷に落て鬼となる（卷三）
修文舍人傳　……………丁仙貧窮附天狗道（卷十）廉直頭人死司官職（卷七）
鑑湖夜泛記　……………（缺）
綠衣人傳………………易「生契」（卷十一）

なほ、殘れる新話の二條も、截斷して用ひてあるので、卽ち富貴發跡司志の「天狗、塔中に棲む」に於ける、鑑湖夜泛記の「妬婦、水神となる」に於ける、たとひ、幾分、明瞭を缺くとするも、彼此本支の關係は、斷じて否定することが出來ぬ。牡丹燈記も、すでに翻案された外、截斷に因つて、二つの話が新に作り出された。卽ち其一は伽婢子卷十の「祈りて幽靈に契る」であるし、他の一は、狗張子卷四の「塚中の契」である。序に云ふが、狗張子の一書は、前に一寸述べた通り、伽婢子の補遺とも見るべきものであつて、新話の蕪し直しが、若干篇ある外に、翦燈餘話の翻案が多く、卷六の「鹽田平九郎、怪異を見る」は、武平靈怪錄に本づいたものであるし、唐代の異聞瑣語から出たものも、決して少くはない。それから、怪談の開祖として、この兩書が、德川時代の小說界に與へた影響は、まことに大したものであるが、傍徑に入るの故を以て、ここに、話を端折ることにする。

伽婢子の平假名の序に「易には龍の野に戰ふ」云云とあるは、新話の冒頭なる瞿宗吉の自序に本づいたもので、了意が新話に枕藉して居たことも、直に推測される。そこで、湯淺元禎の文會雑記には、この書を褒めて「五朝小説の咄(はなし)を能く染めかへしたるものなりと、小説をよくよむ人の云へり」といつて居るが、一方には、全く反對の異見を立てて居る人もあるので、現に篠崎維章の不問語(とはずがたり)には「翦燈新話を竊(ぬす)んで、我が國の古事となして、世の人を欺くも最惡く」といつて、臆面なく攻め立てて居る。しかし、了意の文章の素直にして、且つ多少の潤ひを帶び、まさしく一頭地を拔いて居ることは、もとより否定する譯(わけ)には行かぬので、これを證する爲に、左に其文の一節を擧げ、前の如く、原文と對照することにする。

天台訪隱錄（翦燈新話卷二）

台人徐逸、粗通書史、以端午日、入天台山採藥、同行數人、憚於涉險、中道而返

十津川の仙境（伽婢子、卷二）

和泉の堺に藥種を商ふ者あり、其名を長次といふ。久しく瘡毒を憂へて、紀州十津川に湯治しけり。病に相當せしにや、十四五日の間に、平復し侍り。長次、或日思ふやう、年ごろ聞傳へし十津川の溫泉の奥に

惟逸愛其山明水秀、樹木陰翳、進不知止、且誦孫興公之賦而贊其妙曰、赤城霞起而建標、瀑布泉流而界道、誠非虛語也、更前數里、則斜陽在嶺、飛鳥投木、進無所抵、退不及還矣、躊躇之間、忽澗水中有巨瓢流出、喜曰、此豈有居人乎、否則必琳宮梵宇也、遂沿澗而行、不里餘、至一衖口、以巨石爲門、入數十歩、則豁然寬敞、有居民四五十家、衣冠古朴、氣質淳厚、石田茅屋、竹戶荊扉、犬吠雞

は、人參黃精と云ふもの生出で、尋ねあたれば、多く有りと云ふ。此慰みに、近き所を捜し見ばやと思ひ、僕をば宿に留め、唯一人深く入りしかば、道に踏迷へり。一つの谷に下りて見れば、美くしき籠の流れ出ければ、此水上に人里ありと思ひ、水に隨ふてのぼるに、日は已にくれかゝり、鳥の音、かすかに塒(ねぐら)を爭ふ。斯て十町ばかり行くかと覺えし、巖を切拔たる門に到り、内に入りて見れば、茅葺の家、五六十許り、軒を並べて立てり。家家のありさま、石垣苔生ひて、壁碧(みどり)をなし、竹の折戶、物淋しく、蔦かづら、冠木をかざる。犬ほえて砌をめぐり、鷄鳴て屋にのぼる。桑の枝茂り、麻の葉おほひ、誠に住みならしたる村里也。樵りつみける椎柴、春つきてほす粟(うる)粳(しね)、さすがに寂しからずぞ見えたる。人の形勢(ありさま)、古風ありて、素襖袴に烏帽子著て、往還しづかに、威儀みだりならず。長次が立やすら

鳴、桑麻掩映、儼然村落也、見逸至、驚問曰、客何爲者、焉得而涉吾境、逸告以入山採藥、失路至此、遂相顧不語、漠然無延接之意、惟一老人衣冠、若儒者、扶藜而前、自稱太學陶上舍、揖逸而言曰、山澤深險、豺狼之所嗥、魑魅之所游、日又晩矣、若固相拒、是見溺而不援也、乃邀逸歸其室、

ひたる姿を見て、大に怪み、驚きて問ひけるやう、如何なる人なれば、此里にさまよひ來る、世の常にして知るべき所にあらずと云。長次、有の儘に語る。ここに一人の老人、衣冠正しきが、蓬の沓をはき、藜の杖をつきて、みづから三位中將と名のり、長次に向ひて曰、ここは、山深く、巖ほ峙ち、熊狼むらがり走り、狐木玉の遊ぶ所にして、日は暮れたり、此儘打捨なば、是ぞ水に溺れたるを見ながら、援はざるに同じかるべし、此方におはせよ、宿かし侍らんとて家に連れ歸りぬ。

引抄は簡單であるが、これを見ても、伽婢子の文章が、前の奇異雜談集と全く段違ひであることが分かるであらう。そして、この十津川の住民を以て平家の落武者となし、その首領を三位中將維盛としたのは、ともに自然で、先づ無理がないといつても善からう。

伽婢子の中なる牡丹燈籠は、卽ち翦燈新話の中なる牡丹燈記の翻案であつて、これは、怪談文學の中堅として、特に後代の文學に影響を與へて居る。大體は、若い娘の亡魂が優男(やさをとこ)と契り、後には靈符を以て、その來訪を拒みしを怨り、ある時、男が戒を忘れて、旅櫬の置いてある寺の前を通りしを迎へ入れ、柩中に於て之を取り殺すといふ筋。ここに、奉化州判符氏の女麗卿、字(あざな)は淑芳(句解の邦刻本に據る、誦芬室刊本には漱芳に作る)は、二階堂左衛門尉政宣の女彌子(いや)となり、侍女金蓮は、淺茅(あさぢ)となり、喬生は、五條京極に住む浪人荻原新之丞となり、御符を授けて吳れた玄妙觀の魏法師は、東寺の卿公となり、旅櫬の置いてあつた月湖の湖心寺は、墓のある萬壽寺となり、侍女が牡丹燈籠を手に持つて、夜ごと夜ごと、案内して來るといふ處などは、さながら原文を踏襲して居る。しかし、新話の原作では、喬生が既に取り殺されし後、女の亡魂とともに手を攜へて同じく行き、これに遇ふものは重病を得て困(こま)るといふので、居民は大に懼れ、魏法師の言に從つて、四明山頂に住む鐵冠道人を迎へ來て、男女の精靈を考校せしめるといふので、殊に面白く感ぜられるは、道人の判詞であつて、その次に主者奉行、急急如律令、卽見三人悲啼躑躅、爲將吏驅捽而去、道人拂袖入山、明日衆往謝之、不復可見、止有草菴存焉、急往玄妙觀、訪魏法師而審之、則病瘖不能言矣といへる餘韻嫋嫋の趣は、遺憾ながら、この翻案に於て認めることが出來ない。

伽婢子、一たび出でし後、同じ形式を取つた怪談小説が天和・貞享より寛政・享和にかけて、頻頻として世に顯はれた。加之、さきに芥川龍之介の奇遇が滑塘奇遇記の翻案らしいのを見ると、今日に至るも、その影響は、依然、殘つて居るのである。

その次は怪談全書、全五卷、元祿十一年版で、その中には剪燈新話の金鳳釵記が譯載してある。紫影博士は「説海・説淵・太平廣記・異聞錄・搜神記などから怪異談を選り出して、片假名交りに和譯したもので、編者の羅山子が有名な林羅山であるといふことは疑はしい」といつて居られるが、伊丹椿園は、怪異譚叢に於て「漢文を譯し、傳ふるに國字を以てすれば、則ち方言土音、容易に似て容易に非ず、鴻儒碩師と雖も、間謬誤あり。慶元の時に方て、羅山林先生、博洽を以て、名、一世に高し。講習の餘閒、怪談全書五卷を著はす。是より其の後、好事の者、傳翫して、廣く海内に行はる」といひ、又その多數の引用書は、いづれも、羅山その人の讀むにふさはしい者であるのみならず、前に詳述せし如く、彼と新話との間に一段の因緣あるに想及すれば、先づ信じても善い樣である。この書の文學的價値は、大したものではないが、後人に多くの材料を供給したる點より云へば、わが怪談文學の發展を考究する上に於て、決して閑却すべからざる珍籍である。

畫傳翦燈新話(早川翠石畫、寫本)といふものが出來たのも、大方、この頃の事なるべく、あまり、新話が行はれたから、繪にまで成つたのであらう。但し、予は、まだ其書を見ないから、ここには、その名を擧げるだけに止めて置かう。

次に怪醜夜光珠(五卷、音久、享保一四)がある。翦燈新話、牡丹燈記の篇末、鐵冠道人が男女の亡魂を考校する條に、鞭箠揮扑、流血淋漓、道人呵責良久とあるに本づいて、これを具體的に取りなし、縦横に其狀を描き出したのが、この書の卷四「山田半七、亡妻の責を正しく見る事」の一章である。予は、性來、國文學に懵く、まだ其書を讀まぬから、ここには、山口剛君の怪談名作集の解說に據つて、ざつと書くことにする。なほ、後にも、かういふ場合が一兩次あるが、煩を厭うて、一一斷らず、豫め大方の寛恕を乞うて置く。

三年以前、妻に別れた山田半七は、文月十六日、慈照寺の大文字を見に行つて、道に迷ふ、僧一人、小さき挑燈をさげて來たのに逢ひ、案内せられて、その菴にやどる。門の脇の小さい穴から這入る。穴は直に廣い座敷に續いて居た。僧は云ふ、あやしき事ありとも、聲ばし立て給ふなと。しばらくあつて、鬼の様な異形の者二十人、座敷へ通る。上座の者が手を打つに從つて、瘦せたる女ども、出て來て、物を捧げ、念佛題目、または光明眞言などを唱へては內へ這入る。その十一番目に來た女が半七の亡妻であつた。生前、神佛へ詣でたこともなく、かてて加へて悋氣深かりし罪などを數へられて、呵責の限りを受ける。裸にする、背を割られる、熱した鐵丸を五體四肢の上に置かれる。見て居た半七、思に堪へで飛び出づれば、一切の物は消えて、松風のみが寂しかつた。これは、牡丹燈記を直接に翻案したのではないが、猶ほ且つ牡丹燈記から變化して出た副產物の一として見るべく、その上、牡丹燈記のあれこれを點綴した跡が、極めて著しいとのことである。

その又次に出て來るのが、上田秋成の雨月物語(五冊、安永五年版)材を撰集抄に取つて洗錬一番したる卷首「白峰」の一篇を除き、その他が概ね支那種の燒き直しであることは、今日研究の結果、すつかり明かになつて居る。その中、剪燈新話から系統を引いたものが、凡そ三篇あつて、紫影博士も、すでに、その事を言はれた。試に之を詳述すると、第一、新話の愛卿傳は、伽婢子の遊女宮木野となり、再轉して雨月の「淺茅が宿」となつた。第二、新話の龍堂靈怪錄は、伽婢子の幽靈評諸將となり、更に變じて游歷の俳人が、高野山中の夜、關白秀次の亡魂に遇ふといふ雨月の「佛法僧」となつたらしい。第三、新話の牡丹燈記は、伽婢子の牡丹燈籠となり、もう一度ひつくりかへつて、雨月の「吉備津の釜」となつたのである。

そこで、後にも必要があるから、この「吉備津の釜」に就いては、聊か詳しく述べて置かう。秋成の翻案は、折角の牡丹燈籠を取り除いて仕舞つたから、大に色澤を減じた様な感じがするが、その後半は、全く牡丹燈記の筋道である。井澤正太郎といふ男、吉備津の神官香央造酒の女磯良と結婚したが、伉儷相諧はず、いつしか袖といふ室の遊女に迷ひ、遂に女の故郷に來て、ともに匿れて居た。しかし、袖の死後、はじめは、磯良の亡魂とは知らずに、墓地で偶然逢つた女に契り込め、愈よ變化の物と分かつたので、朱符を戸ごとに貼つて、四十二日間、閉ぢ籠つて居ると、その期限の終るべかりし日の五更に、もう善からうといひつつ、鄰家に住む袖の兄彦六の處に往かうとして、戸を開いて出で、彦六が之を迎ふる一刹那、無殘にも、亡魂の爲に取り殺されて仕舞つたといふ樣に、その話の徑路と取り殺された場所とは、大分違つて居るが、その收局は、全然同じである。

秋成が原作以外に一歩を踏過し、正太郎が取り殺される刹那と、その死後の慘澹たる光景とを詳に寫し出して、鬼氣人に逼る概があるのは、その前後の作者に於て遂に見ざるところで、ある人が彼を稱して、怪談壇上の獅子王といつたのは、必ずしも、溢美の言ではない。　左に其數節を引抄して、聊か例證に當てることにする。

明けたるといひし夜は、いまだ暗く、月は中天ながら影朧朧として風冷やかに、さて正太郎は、戸を明けはなして、その人は見えず、内にや迯げ入りつらんと、走り入りて見れども、いづくに竄るべき住居にもあらねば、大路にや倒れけんと、もとむれども、其わたりには物もなし。　いかになりつるやと、或は異しみ、或は恐る恐る、ともし火を挑げて、ここかしこを見廻るに、明けたる戸腋の壁に、腥腥しき血灌ぎ流れて、地につたふ。　されど屍も骨も見えず、月あかりに見れば、軒の端に物あり、ともし火を捧げて照し見るに、男の髪の髻ばかりかかりて、外には、露ばかりのものもなし。　淺ましくも、おそろしさは筆につくべうもあらずなん。　夜も明けて、ちかき野山を探しもとむれども、つひに其跡さへなくてやみぬ。

紫影博士が「妖怪ずきで、狐狸が人を魅するといふ事を固く信じ、中井履軒に、そんな事があるものか、皆心の迷だと、一言の下に排斥されて、執念深く履軒を怨み、何かといふと、懷儒者の、世間知らずのと罵つた秋成その人には、翦燈新話や、伽婢子などは、定めて日常愛讀の書であつたらう」といはれたのは、至極御尤な事である。　但し、如上の三篇は、直接に翦燈新話から採つたのではなく、主として、伽婢子から出たものらしいが、それでも、手近に在るのだから、矢張、新話をも參照したことであらう。

雨月物語以後、新話の翻案は、すでに陳套に歸した爲か、格別の者も、世に顯はれなかつたが、牡丹燈記のみは、相變らず、小說家の構想の端緒となつて、その作が、頻頻として世に出た。

京傳に復讐奇談安積沼、一名小幡小平次死靈物語(五卷、享和三年版)あり、その結末の一章は、明かに雨月物語を踏襲したものであつて、ここに之を述ぶるは、京傳に取つて、不名譽、この上なく、まことに、氣の毒の至であるが、今さら、致方なきことといはうか。

小平次を殺した奸夫左九郎は、晴れて、姦婦お塚と共棲し、小平次の亡魂は、屢ば怪をなすけれども、强氣なお塚は、格別、心にも懸けない。怪は益す劇しく、お塚は、遂に狂氣となつた。ある日、見すぼらしい祝部が來て、寃魂の祟することを告げ、朱で書いた神符を戶ごとに貼し、三十二日間、身心を淸らかにせよと敎へた。それから、夜ごとに怪が來ると、符文に辟易し、唯だ恐ろしい聲で呟くのみであつたが、三十二日といふ夜、しののめの空明けゆくに、嬉しく廚の引窓をひらくと、風颯と吹き入るにつれて、一團の陰火が飛び入ると見る間に、あッと叫ぶ聲が耳を貫くと共に、屛風の内には、最早、お塚の姿が見えぬ。

或はあやしみ、或はおそるおそる、ともし火をとりて、ここかしこを見めぐりけるに、窓ある壁に腥腥しき血そそぎ流れて地につとふ。されど、屍も骨も見えず、月のあかりに見れば、軒のつまに物あり、ともし火をささげて見るに、たけ長き女の髮の毛ばかりかかりて、外には露ばかりのものもなし。

その取り殺されたものに男女の別こそあれ、その話の徑路は勿論、その文章に至るまで、全然踏襲に過ぎて、さしもの京傳、夥しく味噌を付けたと云はれても、辯解の餘地がないであらう。序にいふが、この書は、雨月の發刊に後るること二十七年であるから、忌はしき剽竊の汚名は、如何にしても逃れることが出來ないと思ふ。その次には、

浮牡丹全傳四卷　京傳　文化六
阿國御前化粧鏡七幕十四場　南北　文化六
戯場花牡丹燈籠六卷　京傳　文化七

の三書があつて、ともに、牡丹燈籠を書中に點出してあるといふことであるが、予の

讀んだのは、山東京傳集の浮牡丹全傳だけである。 その卷三に、瑤島豹太夫の一子磯之丞、修學の爲め、洛外山崎に居たが、盂蘭盆の夜、石清水に至り、夜半やや過ぐる頃、歸らうとすると、一少女が牡丹燈を搖つて來り、伴を見失つて困つて居るから、送つて貰ひたいといひ、野道を十町も歩いて、志水といふ處に在る其家にたどり著くと女郎花が盛に咲いて、折からの月の光に露けく見えて居た。 そこで、料らずも、主人の女と契り、爾後、毎夜これを訪うて、はやくも、七月の末になつた。 僕の弓助、これを怪み、ある夜、尾行して其家に至り、そつと窺いて見ると、女郎花の盛なるに對して、軒端に牡丹燈を懸けた座敷に、菰蓆を鋪いて、耿耿たる燈臺の下には、磯之丞が一具の骸骨に寄り添うて坐し、その傍には、二三の骸骨があつて、蝶三四、燈火を慕うて飛び來り、畫ける牡丹に戲れかかるが如く、やがて、猫が來て柱にかけ上り、蝶を目がけて狂つて居ると、冷風颯然として、燈火を吹き消したといふので、この邊は、疑もなく、翦燈新話の牡丹燈記、さては伽婢子の牡丹燈籠に於て、男と幽靈とが幽媾を爲す一段から變化したものに相違ない。 念の爲に、その初の方の一節を左に引抄して見やう。

磯之丞は、道道、彼方此方の寺院に立ちよりて、燈籠を一覽し、覺えず、時をうつしけるにぞ、往き來ふ人も稀なり、寺寺の燈火も消えて、物音も靜かなりければ、いざ歸らばやと思ひ、急ぎ行きけるに、年のころほひ、十一二歳とおぼしき斬禿の女童、容貌きよらに、いやしからざるが、美麗しく造りたる牡丹の花の燈籠を提げて、唯一個來り、磯之丞に對していふやう、妾は此の近き邊に宮仕しはんべる者なるが、今宵靈迎の爲、其の墓にまうずるに、途中にて具したる人を見失ひ、幼き身の夜道なれば、何となく物恐ろしうて、道の案内は知りながら、ひとり歸るになやみ候、こひねがはくは、君、妾を伴ひて、住家に送りたまはるまじきや、馴れ馴れしき者とおぼされんが、せんかたなきに願ひ候といふ。賢くいひけるけはひ、いかにも難儀の體なれば、磯之丞、不便に思ひ、我も歸路を急ぐなれど、さまで遠からぬ道ならば、いかにも送りまゐらすべしといふ。

この浮牡丹全傳と他の二書との關係に就いては、歌舞伎千三百八十五號に關根默庵が略述して居るから、今、併せて之に據ることにする。京傳の浮牡丹全傳が好評で、大に世に行はれたから、狂言作者鶴屋南北(四代目)が之を時代狂言に仕組み、この年六月、阿國御前と名題を据ゑ、尾上松助(後松緑)と倅榮三郎(俳名三朝)とが、森田座に於て興行した處が、古今稀なる大當りであつた。この劇の第一幕、元興寺の場に於て、牡丹燈籠は無くては叶はぬ小道具であつて、腰元撫子が之を提げ、銀杏の前と狩野四郎次郎元信との後から續く。場面は依然として、牡丹燈記その儘であつた。元信が案內された御殿には、お國御前が居た。元信にからむ樣樣の葛藤ありし後、土佐又平所持の佛像の奇特に因つて、お國御前は、死靈の姿を現はす。大ドロドロで、御殿は變つて荒寺となる。軒の牡丹燈籠は碎けて、花瓣は、はらはらと落ちる。古い佛前の燈籠となつて、系圖の一卷が出る。お國御前の姿は消えて、髑髏が一つ殘る。かくの如く、三朝は、古寺の場に於て、牡丹燈籠の趣向を借用したが、これこそ、芝居に於て牡丹燈籠を使つた最初の者であらう。この狂言の評判、極めて宜しきに、刺戟されて、京傳は、お國御前の筋に據つた戲場花牡丹燈籠(六卷)と題する合卷を翌七年の正月に刊行した。その後、柳亭種彥は、これを草雙紙に綴り、一休廓問答(一名風流牡丹燈籠の記)として發行した。なほ、南北は、四谷怪談(五幕、文政八)の大切、蛇山の庵室に於ても、この趣向を用ひて居る。要するに、牡丹燈籠は、翦燈新話より出で、德川末期に於ては、わが國の劇界に侵入して、大に世に持て囃されたのである。但し、次第に變化を重ねて、その筋道を異にし、原文の匂ひが、どうやら稀薄に成つたのは、爭はれぬ事實である。

それから、この前後、翦燈新話といふ書名をもぢつた者も少くないので、即ち左の通りである。

敎訓雜談 錢湯新話 四卷	伊藤單朴	寶暦四序	滑稽本
穿當珍話 十八卷	八幡大名	寶暦七	滑稽本
深川新話 一卷	南畝	安永八	洒落本
賢愚湊錢湯新話 三卷	京傳	享和二	黄表紙
船頭深話 三卷	三馬	文化二	洒落本
御伽草春燈新話		明治初	小說

一番初めに在る錢湯新話は、單に書名の秀句であるが、大に漢文臭を持たせた具合から考へると、著者伊藤單朴は、蓋し、おどけたる儒者で、やがて、戯作者の仲間入りをしたものであらう。これに本づく浮世風呂と共に、三馬の傑作として知らるゝ浮世床も、一名を柳髮新話といつて、翦燈新話との間には、切つても切れぬ一脈の因緣がある。なほ、最後の春燈新話は、明治初年の作であるから、天文年中に翦燈新話が傳來せし後、ここに三百餘年、その流行の決して衰へざることは、これ等の書に因つて、反照的に證明されるのである。

明治十八年、三遊亭圓朝が怪談牡丹燈籠を著し、古來數ば飜案された例の牡丹燈記なる幽媾の一段を其中に取り込んだ處が、讀者は、その新奇を愛でて、大に世に行はれ、まことに、脛なくして善く千里を走るの概があつた。そこで、同二十五年、これを劇化することになり、福地櫻癡が補綴して、二十一回の小説を七幕十七場の脚本となし、三世河竹新七が全篇を世話口調に直し、竹柴其水が幕切などに加筆し、矢張、怪談牡丹燈籠と題し、同年七月、歌舞伎座に於て上演した處が、これは、五代目菊五郎に孝助と伴藏とを當て、榮三郎に飯島の娘お露をはめる爲に書き卸したとのことで、その計畫は、見事、圖に當つて、大に好評を博した。なほ、この脚本は、どうしたものか、他の俳優が演ずれば、何の事もないが、音羽屋一家が演ずると、毎度必ず祟があるといふ迷信的な不緣起極まる話があつて、頻繁には上場せられず、且つ之が爲に愈よ著名である。

圓朝の作は、元と新幡隨院の濡れ佛に附會したのであるが、飯島の家僕黑川孝助の孝義を寫すを主とし、その終局に於ては敵討となり、幽靈の一段は、中間の挿話に類し、全體の上には格別重大なる關係を有せず、これを以て全篇の名としたのは、太だ相當らざる樣ではあるが、居然として、全篇中の精彩たるを失はぬものである。

その初、旗本飯島平左衞門の娘お露は、谷中に住む浪人の萩原新三郎に思ひ焦がれて死ぬと、その亡魂が、牡丹燈籠を片手に持つ乳母のお米に案內されて、夜ごとに、新三郎の浪宅に通つて來る。新三郎は、亡魂と契つた爲に、愈よ衰弱したから、良石和尙に加持をして貰ひ、幽靈退散の御札を入口に貼つて閉ぢ籠つて居た。すると、門前に住む伴藏といふ惡黨が、お露の亡魂に賴まれ、百兩貰つて、その御札を剝がすと、新三郎は、卽坐に取り殺されて仕舞ふといふことに成つて居るが、實は、伴藏の奸計で、新三郎は、惡僕の爲に其生命を失つたのである。伴藏が、後日、山本志丈に話す言葉の中にも「實は幽靈に賴まれたと云ふのも、萩原樣があゝ云ふ怪しい姿で死んだと云ふのも、いろいろ譯があつて、皆私の拵へ事、といふのは、私が萩原樣の肋を蹴つて殺して置いて、こつそりと新幡隨院の墓場へ忍び、新塚を堀り起し、骸骨を取り出し、持ち歸つて萩原の床の中へ並べて置き、怪しい死にざまに見せかけて、白翁堂の老爺を一ぱい欺込み、又海音如來の御守も、まんまと首尾好く盜み出し、根津の淸水の花壇の中へ埋めて置き、それから、己が色色と法螺を吹いて、近所の者を怖がらせ、皆あちこちへ引越したのを好いしほにして己も亦おみねを連れ、百兩の金を摑んで、此土地へ引込んで今の身の上」といつて居る。さうすると、ここに困るのは、幽靈の出現と計畫的に施行された件藏の奸謀との境界線が、はつきりせぬことで、圓朝は、すべて讀者の判讀に任せる積りかも知れないが、語つて十分ならずといふ譏は、到底免れ得ざることと思ふ。しかし、牡丹燈記の舊套を脱し、これを一惡黨の所行にして仕舞つたのは、まさしく、換骨奪胎の妙を極めたものであらう。脚本は、幽靈の出現を以て看客の心を動かさむとした爲に、却つて、翦燈新話の舊に復歸した觀があつて、結局、圓朝の折角の作を勝手に改作し、その苦心の跡を全く沒却したものであるから、ここに詳論すべき限りでない。予輩は、何も、牡丹燈籠の梗概を書くのでもなく、又念入りの批評を試みるのでもなく、實は翦燈新話・伽婢子・牡丹燈籠といふ如く、遞次的に幾分か宛、改作されて來た其過程を審にせむとするのであるから、これ以上、こまかに語る必要はない。

圓朝は、直接に其材を翦燈新話から取つたか、それとも伽婢子から取つたか、孰れか其一に居るべきものであるが（尤も、その取り殺された場所の浪宅なることは、雨月物語に近いけれども）男の名を伽婢子に荻原新之丞となし、牡丹燈籠に、萩原新三郎となし、いささか相近い處から考へると、どうやら、伽婢子から好個の資料を發見したものらしい。但し、信夫恕軒の書いた小傳（花月新誌第三十四號）には、圓朝その人が、晩年、閒暇なる折ふし、數ば同老人を訪うて、漢籍を講習したといふ様な事が書いてあるから、翦燈新話の活版本位は、見て居ないとも限らぬ。

改作せる脚本牡丹燈籠を歌舞伎座に於て上演せし時の景況は、歌舞伎一千三百六十五號に「同座は、三日目の午前十時には、棧敷土間とも賣切の札を掲げしほどの景氣にて、ために入場を斷られて歸りし客數も夥しかりきといふ。十七日・十八日にかけては、やはり、齋日の餘波(なごり)にて、目に餘る程の入なりといへば、定めて、ひきつづき、大入大當をなすなるべし」とあるにて、その大概を推知することが出來る。なほ其劇評は、同誌一千三百六十八號に三木竹二の盆替狂言品定の一文があるから、左に引抄することにする。

それより萩原の裏手へ廻りて、立木の枝にさはりて、わつと飛のく可笑味あり。引窓のお札へ手の届かぬ思入ありて、階子を持來りしところへ、幽靈が叉形を顯はすに、階子を持乍ら、がたがた胴ぶるへをするところ、大受々々。階子をかけて、上らんとして、足を階の間へ落し、又は御札の剝がれぬを上下へ手で唾を塗りつけて、そろそろとめくるなどいふ小細工あつて、やうやう剝して下ると、幽靈がこなたへ向ひて思入あるゆゑ、わつといひて著物の襟を延し、頭からすつぼり冠りて、這ひ乍ら下手へ這入るまで、音羽屋、思ひ切つて大茶利をやられ、それで又幽靈が滅法凄く見えるので、見物の喜びやうは一と通りでなかりき。この度も、全くこの幕が利いて、又候、大入大當を占められたるお腕前は、實に天下の利口者といふべし。二役下女お米の亡靈役、萩原寐間にて、代り役のお米に己れが仕度の出來る迄、髑髏を冠せ置くは、好き思ひ付なり。お米の顏の作りが、いやに蒼白く、どうしても、冥府（あのよ）の人と見えたる具合は、いかにも好し。調子も、例の凄い聲にて「もう、この上は、お孃樣、冥土へお連れ遊ばせ」と、横向に立ちて體（からだ）をねぢ向け、右の人差指で下手を指す態（すがた）は、お家十八番のこなしと見え、凄いことであつたり。とど、新三郎をたくり寄せる、幕切は、さしてあげつらふほどの事なし。

かくの如くして、圓朝は、あまりの非理を避け、これを伴藏の奸謀に歸して、さつぱり片付けたのであるが、これを脚色した劇本は、俗受を旨とし、大分、その舊と異なつて居ることを記憶して置かねばならぬ。なほ、昭和六年頃、遠く其舊に溯つて、最初の牡丹燈記を劇化したものが、雪洲・八重子の一派に因つて演ぜられたといふことを聞いて居る。

この小論文を書き上げる爲に、可なり多くの載籍を參考した。就中、左の數篇は、多少の別こそあれ、均しく、予が直接に餘惠を蒙つたので、いづれも現代の學者の手に成り、最も手近に在つて、且つ最も有益なものであるから、敢て之を好學の士に推薦しやうと思ふ。

支那小説の翻譯	江戸文學研究(單行本)	藤井乙男	大正一〇
金鰲新話解題	啓明一九號	崔南善	昭和二
怪談名作集解説	日本名著全集一〇卷	山口剛	昭和二
剪燈新話句解に就いて	續日鮮史話二篇	松田甲	昭和六
日本文學に影を投じた支那文學	支那哲文雜誌一〇號	早川光三郎	昭和六
日鮮文學譚	清涼一二號	多田正知	昭和七

一わたり見渡した處で、朝鮮・日本の事に就いては、比較的に善く詮議が行き屆いて居るに反して、肝腎の新話及び明清間に出た其續撰等に關しては、學者の探究が、まだ全く缺乏して居る。そこで、予は、主として、この方面の闕漏を補はむことを企てたので、しかも、決して徒勞に畢らざることを自ら確信する次第である。

（昭和八年十一月稿）

上田敏の『海潮音』

――文學史的研究――

島田謹二

目次

序　西洋文學に對する上田敏の研究と譯業と……1
I　『海潮音』の出現に至る譯者の心境と環境と……8
II　『海潮音』の制作年次と材源と……16
III　『海潮音』中の詩派と作品とに對する解釋の檢討……29
IV　『海潮音』の譯述法に關する諸問題……88
V　『海潮音』の及ぼしたる影響の考察……144
附　註……196

序

上田敏（明治七年―大正五年）の業績は多岐多端に亘つてゐるが、その最重要なるものが西洋文學の研鑽と移植とにあつたことは、ひとのすでに知るごとくである。彼がいかなる態度といかなる方法とを以て、西洋（特に英佛）文學のいかなる部門をいかなる程度まで究めたかといふことは、すでに余の小論（「上田敏の英文學觀」『英文學研究』昭和九年四月號及び續出すべき「上田敏の佛文學觀」「上田敏と世界文學」等參照)に於て說いておいたが、その西洋文學の移植は、これに對する研鑽數年の後、その見方が確立しすでに相當な結實をあげた後に、着手されたのであつた。卽ち、彼の西洋(特に英)文學研究は、主として大學在學時代、卽ち明治二十八年一月以降三十年末まで約三年の間にほぼその基礎を築かれたもので、今日『文藝論集』『最近海外文學』『詩聖ダンテ』等に收められた作品の多くは、此三年間(著者二十一歲より二十四歲までの間)に出來上つたものである。彼は此研究の基礎が置かれ、その態度と方法とが確立すると、一方その方面へ益益深入りするとともに、一方ではその味讀研鑽したものを日本の文苑に移し植ゑて、新日本文學の水準を高め、世界文學の中にその獨得な座席を要求しうる一助にしたいと念ずるやうになつた。その第一聲が散文集『みをつくし』なのである。此婉美な小品集は、他の諸著と時を同じくして、明治三十四年十二月に發行されたが、彼の事業を概觀するとき、むしろ一年を後に加へて、明治三十五年八月にまで亘るものと見、『海潮音』直前の都合二年の歲月を主としてこれに費したと見るべきであらう。

さらば、何故に此前後から彼が急に譯業に乘り出して來たかといふに、彼一個についていへば、此頃になると、語學力に於ても、對象の背景たる西洋文化一般についても、譯者の教養の全體からいつても、西洋文學の移植を行ふに十分な自信をもてるやうになつたからである。第一の理由には、これを數へねばならぬ。更にこれを日本の文壇そのものについて見れば、新刺激の培養體として、當時は何よりも正確緻密な飜譯を渇望してゐた時代である。今日のごとく西洋の古典文學近代文學の主なるものが、譯筆の精疎は兎も角として、おほむね譯出されつくした觀ある時代に住むわれわれには、當時の人人が、作家も批評家も一般讀者も、いかに飜譯を渇望したか、一寸想像が出來ないのではないかと思ふ。しかもその業に堪へうる人は極めて少數であつた。加ふるにその人人も漸く沈默期に入つて、飜譯壇もまた何か新らしきものにあくがれてゐたといつてよい。彼の擡頭せる第二の理由にはかういふ一般の狀勢を數へ上げねばならぬ。

彼が譯筆をとり始めた明治二十三年前後とは、明治文學史の上でいかなる時代であつたか。

作家では、尾崎紅葉、宿痾の故に『煙霞療養』の客となり、幸田露伴、觀想の傍、釣魚に隱れ、泉鏡花・後藤宙外以下の人人擡頭躍進し、評壇では、雜誌「太陽」に據る高山樗牛(所謂

「齒のないニィチエ」がひとり獅子吼をつづけてゐた。一言で掩へば、鷗外漁史が「末流文壇」といふ稱呼を獻せる時代である。譯壇では、當時世人が、三大家と稱した人人の中、英吉利畠の森田思軒は、二十九年十一月、チフスのため世を捨て、露西亞畠の二葉亭四迷は、二十九年以來、『うき草』『かた戀』のやうな泣血の苦心になる精錬の譯文を示して再び文壇に返り咲いたが、間もなく東京外國語學校に教職をえて譯筆をとることもまた稀になり、獨逸畠の森鷗外は、三十二年六月、第十二師團の軍醫部長として任に小倉に赴き、審美に關する攻學と閱藏及び佛蘭西語の修得に專念して、一時藝苑を捨て去つた。これら「英獨露三如來」の名づけ親であつた坪内逍遙は如何といふに、彼は此頃早稻田中學教頭として實踐倫理の研究に深入りして、おのづと文壇に背を向け出してゐたのである。

上田敏が譯筆をとり始めた頃は、ほぼかういふ形勢にあつた。從つて、彼が『みをつくし』に集成された諸小品で文壇に乘り出した時、彼の胸裡には非常な抱負と自信とがみちみちてゐたことは容易に推察されよう。「西洋文學の飜譯にして、能く原文の聲調を味ひ辭章の措列を考へて、或時は流麗暢達、又或時は簡勁粗宕、一一歐文の機微を穿ちて譯出したるもの殆ど稀なり」(『上田敏全集』卷三。三八三頁)と嘆いた程の彼であるから、上述した譯壇の先進に對してもさのみ敬意を拂つてゐたとは見えない。「特に小說の如き美文を和譯したるものに、西歐文化の大勢、風俗好尙の微細ながら全篇の着色に大關係ある點に留心したるものなきを以て、殆ど原文の妙趣を沒却し、往往滑稽なる誤譯を來すことあり」（全集卷三。三八三頁）と說いて、特に思軒居士に對しては、その名をこそ指さね、はつきり輕蔑してゐる。例へば、「輕卒なる英の譯本を基礎とするのみか、重譯にさへ誤謬を重ねつつ、しかも雄豪通を以て鳴るもの」（同上）といふごとき言葉がそれである。逍遙や二葉亭に對しても、先輩として一應の敬意は拂つてゐたが、その性向文體の相違以外に、實はかたく自己に恃むところがあつたらしい（「鏡影錄」（一）（二）全集卷五。五二五頁・五三二頁等參照）。ひとり鷗外には傾倒、敬重の念と親愛の情とを獻げてゐた。「滔滔たる世の西歐文化を說く者の中、吾等はただひとり森醫學博士の文辭思想ともによく泰西の新趣味を傳へて、評論に制作に、幽婉にして容易に捉らへ難き妙趣を含ませたるを多とす。蓋し氏は近歐文化の眞相を看破したるものなり。西歐の學藝を窺はむと欲し、或は彼邦の文學を飜譯せむと欲するもの、須らく先づ『水沫集』其他『卽興詩人』等の如き妙文を味ひて、良好なる譯文の筆路と名家の苦心を察すると共に、兼て森博士が素養造詣の偶然ならざるを思ひ、其細心精緻なる學風に傚ふ所あれ。明治文壇に森博士の如き名家のありて、滔滔たる弄學者流の群中に屹然たるは、眞に學藝の神聖なるを知るものの意を强うするに足る。餘の西歐文化を說くもの概ね兒戲のみ」(全集卷三。三八三―三八四頁)とまで、彼は極言してゐる。恐らく明治の飜譯文學中、取るに足るものは、『水沫集』『卽興詩人』と、敬虔の信徒が刻苦して大成した『新舊約全書』のみといふのが、當時の彼の腹の中であつたらしい。

では、彼は飜譯をいかなるものと考へてゐたか。彼の考へによると、西洋詩文を飜譯するものは「外國の語に通せざるものに、多少の新趣味·新知識を傳へむと試むるのみならず、日本の言語を以て、未だ曾て無き一種の藝術品を製作し、以て淸新の美を創成せむ」(「鏡影錄」(一)全集卷五。五二〇頁)とす、といふのである。從つてかかる業に從ふ者は、西洋文學の十分な解釋鑑賞の能力をもち、且つそれを日本語に移す文才を兼ね備へてゐること、卽ち學者にしてかねて藝術家たる天分を要求される。――かくのごとく解する時、その勞力といひ、苦心といひ、純な創作の時よりも甚しいだけ、もし成功すれば、その功をさをさ創作に讓らない。「歐洲諸國の文學史に徵するに、文運の將に盛ならむとする時、或は學藝の圓熟する時、才幹ある士が、飜譯に全力或ひは餘力を傾けたる例多し。」(同上)眞の譯業は一國文化史の上で極めて高い意義と價値とをもつといふのが、彼のつねに揚言するところであつた。かういふ飜譯觀は、律語についても、散文についても、終生變らなかつたといへるであらう。

以上のごとき抱負と目標とを以て行つた彼が譯業の第一聲は、前述の『みをつくし』である。これは米・佛・獨・露・伊・西・諸國の近代、小品の飜譯であつたが、この散文小品集は、『卽興詩人』が明治二十年代中期以後の青年に與へた感激を明治三十年代中期以後の人人に向つて、繰り返すことが出來た。つづいて彼は明治三十九年から四十二年にかけてレオニイド・アンドレエフの短篇を、大正の初年には英佛近代の散文小品を、いづれも美事に移植した。かかる散文方面の業績もユニイクな意義に富んで、細心の研究を要求するに十分であるが、此小論にはそれを詳說するだけの餘裕がない。ここでは專ら、飜譯文學史上、空前の聲價をほしいままにする彼の譯詩——特に、明治三十八年十月上梓の『海潮音』に集成されたその譯詩——を、概觀することにしたいと思ふ。

上田敏は日本文學の花園に奇しき異國の玫瑰花を移し植ゑた一代の詩人である。われらが百世に亘つて誇るべき譯詩家である。しかもその詩人が、はじめは、新體の律語に對して、甚だしき不快感を抱いてゐた事は知るひとが少い。試みに明治二十九年頃から『海潮音』の萌芽の現はれかけた三十五年頃にかけて、彼の書いたものを通覽してみると、至るところに此「新體詩」を痛罵してゐるのが眼につく。彼がまづ痛撃するところは、その思想の眞摯ならぬ點にあつた。彼はその氣持をかう說いてゐる。――「戀を歌ふや、古來の套句を新に補綴せしに過ぎず。史を咏ずるや、徒に唐詩を和らげたる觀あり。かの哲理といふこちたきものを寓するを聞けば、理議の書なる他人の諸說を述べしのみ」（全集卷三。四三四頁）と。次にあきたらぬ點は自然の敍景などが、俳句に現はれたるほどの淸新さもなく、德川の散文に見えるあの奇聳な趣もないことであつた。要するに、新體詩などといふものは、青年のもてあそびもので、「命なく、心なく、僞多く、品つくりて、たけ高き言葉に稱げなる思想」をこめたる玩具に類するものと言へる。かかるものを讀む位なら、直接かの國の言葉なる莊麗體を誦するがよい、或ひはまた『たけくらべ』に見るやうな淸姸或ひは幽婉な姿、水際だつた名文を讀むがよい、と彼は力說してやまなかつた。これらの言葉から推してみると、彼が「新體詩」を好まなかつたのは、すべて完成した藝術に愛をもつ人が、いつも蕪雜な新形式に對してショックを感じ、おもてをそむけるのと同じ心理であつたらしい。さうしてかういふ痛罵の的になつて暗暗裡に例示される詩風――例へば「漫に星を天上の花といひ、花を造化の命とよび、永遠暗黑など耳遠き語を列ねて、ひたすら一佛蘭西詩人の面影を忍ばむとするは、原の歌をしれる吾等にも無意義なるに、何ぞ一代の耳を傾けしむるに足らむ」（全集卷三。

四二八頁）といふごとき――が、當時時花(はやり)の漢詩まがひの放吟調であつたといふことは、いろいろな意味で注目に價ひする。殊に武島羽衣の「古言雅語を行りて、典雅の調を吟」じた「朧朧たる孤笛のしらべ」（全集卷三。四〇二頁以下）や、島崎藤村の「情熱熾にして、幽婉の裡燃ゆるが如き感慨の籠れる」（同上）作品が、推奬賞美されてゐるのと較べてみる時、特にその感を深くするであらう。（此問題は、彼がつねに嫌惡してゐた「大言壯語派」の主張とからんで、なほ細說すべきであるが、今はただ此事實を指摘するだけに止めておく。）

かういふ新體詩の輕蔑家が、なぜ此方面に轉じて、盛んに譯詩の業を行ふやうになつたかといふに、彼は稚(いとけ)なきスタイルと思想とをもつ「新體詩」こそいとはしいと感じたが、「詩」そのものは熱愛してゐた。此樣式は古來音樂と提携して、文藝の諸形式のうち最も律動に富み、純藝術的な要素を最も豐かに保持してゐる。彼はそれを文藝の中心とすると共に、もろもろの文藝の中で、最も愛重してやまなかつたのである。しかも此種の近代文藝は未だかつて日本に移植されたことがない。僅に十年前、鷗外漁史を中心とするS・S・S・の社中が多少の世界苦(エルトシユメルツ)を歌つた情熱派(ロマンチツク)の詩人の『於母影』を傳へたけれど、それさへも今は色薄れ「みちのくのままのかやはら」いと遠きうらみがある。今日の西洋詩歌の本流はあのやうな百年前の色淡きものとは違つた特色を豐かにもつ。世界文學の大河に乘り入らんとする新日本の詩壇は、まづ目前の此西洋近代詩を目標に、自己をそこまで押し進めねばならぬ。しかもこの新潮流を紹介しうる業に當れるものは、われを除いて他にあるまいといふ矜恃を、彼はもつてゐたらしい。それにまた、彼は、すでに『みをつくし』に於て、近世西洋散文を傳へるにふさはしい幽婉體を創始した。が、あれは散文ともつかず律語ともつかぬ獨得のリズムをもつ風雅な文體であるけれども、畢竟するに變體である。どうしても散文より調子がととのつて、純な節奏の美しさに富む正格な日本律語を創出したいといふ念願が、『みをつくし』の集成以後にはおのづと生れて來てゐたらうといふことを忘れてはならぬ。

彼の內部にあつたかかる二個の要求は自ら相合して、彼に譯詩の筆を執らせる直接の原因となつたけれど、それとともに明治三十年代中期といふ當時の時代そのものの思潮をも考慮に入れる必要がある。明治文化史上、此頃は潑剌たる青年期であつた。明治二十七八年戰役の後、長夜の迷夢を破つて、漸く國民的自覺と自信とをもちえた時代であつた。それとともに明治政府の新敎育は、善惡ともに漸く芽を吹いて、漸次舊代の倫理感に疑惑を覺え、西洋の思潮を率先して取入れ、從來全くその存在を認められなかつた個性の解放を圖らんとする青年が現はれ初め、特に文藝の方面では、抒情詩的形態にその新感情のはけ口を見出してくるやうになつた。恐らく空前にして絶後なるべき『若菜集』の成功は、かかる時代思潮を背景に入れないと、理解することが出來まい。——「文學界」から巣立つて新日本のみづみづしい感情をはじめてのびやかに歌ひ上げた藤村の後を承けて、これより新星續出、詩壇は十年の間空前のにぎはひを見せるのであるが、いはば傍系に當る土井晩翠を除いて、藤村に直系の後繼者となり新詩壇の巨匠となつたものは、まづ薄田泣菫であり、つづいて蒲原有明であつた。『海潮音』の譯業の始めて現はれかけた明治三十五年十二月には、藤村すでに退壇し、晩翠遊歐中で、『暮笛集』『ゆく春』の二卷を出した泣菫が覇者たる位置に近く迫り、有明は『獨絃哀歌』調の新體によつて漸く擡頭しかけて來てゐた。この二人の新進(特に後者)は、夙に英詩の影響をうけ、バイロン、シエリ、キイツ、ロゼッティ、スキンバアン諸家の感化の下に作品を公けにして、漸く日本近代詩を世界文學の大潮流に導き入れようと志してゐたのである。しかも當時は此二人の俊髦を始め、一般詩壇は英詩以外の西洋近代詩の眞髓を味はふ餘裕と語學力とに豐かであつたとはいはれない。ために新らしい刺戟に饑ゑてゐた新詩壇は、その渴望する西洋近代詩の趣味を傳へてくれる指導者を翹望してやまなかつたのである。その際に續出した彼の譯業は、まさしくさういふ要望を徹底的に滿足させたのであつた。かういふ意味で、彼の『海潮音』は出づべき時に出でた當然なる業績で、時代の要求するものと譯者の抱負と力量とがこれほどぴつたり合した文學は他にあまり例が多くあるまいと思ふ。

しかもその譯章の大部分が當時の詩壇の王者であつた新詩社の機關誌「明星」に揭げられたといふ事實は、彼の譯業の成功を助けることが多大であつたと見ねばならぬ。『海潮音』中には、初出誌名の不明なのも十一章ほどあるが、それを除いて他の四十六章について點檢すると、森鷗外の傘下に成つた「萬年草」の數號(卷第三、卷第四、卷第五)に亘つて揭げたもの以外には、「帝國文學」(第九卷第四號)「心の花」(第七卷第一號)「中央公論」(第十九卷第九號)「音樂」(第八卷第三號)「白百合」(第一卷第一號、第二卷第四號)等、最後のものを除いて、皆僅かその一號に關係したに過ぎぬ。他の譯章は悉く「明星」に揭げられたのである。かくのごとくして、此雜誌との關係は極めて重大なことが明らかであるから、「明星」特にその主幹たりし與謝野鐵幹夫妻との交渉については、一應の知識をえておかなければならぬ。――今「上田敏年譜」を按ずるに、明治三十三年(二十七歳)の條下に「與謝野寛と知る。雜誌「明星」に據れる、特に詩歌の分野に於ける、その新運動に援助を吝まざるもの爾後年と共に加はる」(全集補卷。六四六頁)とあるが、同誌に載せた作品によつてこれを見るに、「明星」の創刊は明治三十三年三月のことで、その七號(十月)にピエル・ロティの「屠牛」、八號(十一月)に「白馬會畫評」等を寄せてゐるのを手始めに、三十四年二月號には「近世の英文學」、三十六年一月號には「佛蘭西近代の詩歌」等を寄せてゐる。是等の寄稿によつて判ずると、此頃はすでに此詩社の顧問たる實を見せそめてゐたと言つてよい。ことに明治三十四年十月號に掲げられた『みだれ髮』を讀むの文は、鳳晶子の處女歌集の批評として、特に鐵幹を感激させたであらう。これが與謝野一家と親交を締させる有力な契機になつたことは容易に推測されるところである。現に「書簡集」を開いてみると、明治三十五年十一月五日には鐵幹の長子の名づけ親になつてゐるほどである。が、かかる私情以外に、彼は鐵幹の詩的天禀に對しても敬意を表してゐた。明治三十七年五月十九日附の書簡は、「靜かに過ぎし十年來文藝にたづさはりし人人の上を考ふるに、君ばかり日に日に新らたなる進歩のみえてわれらの眼を驚かすもののなし。譬へば芭蕉葉のおのづから文ひろぐる如きはめざましく候」(全集補卷。五二三頁)といふ句を含んでゐるが、それは蓋し鐵幹に對する彼の本心を吐露した文であらう。鐵幹夫妻もまた彼を遇するに(馬場孤蝶とともに)親友たる顧問の位置を以てした(「三田文學」大正五年九月號。一三五頁)が、世間からも彼は「明星」の最有力な同情者と見做されてゐたらしい。從つて『海潮音』の諸譯章が寄せられたとき、その大部分は特別な大活字を以て多く卷頭に特別な位置を占めて印刷されたのである。これは勿論「明星」のよびものの一つともなつたが、かかる待遇が彼の譯詩に衆目を惹く有力な動機となつたことは否定しえないと思ふ。(附註參照)

實に此「時代」と、此「譯者」と、此「作品」と、此「發表機關」と、さうして此「讀者」と、――すべてのものが渾然として融合してゐた。『海潮音』が文藝史上の位地を見るには、これらの諸點を十分に考慮に入れなければならぬ。

「これに反して、『海潮音』以後の作品は大正四年の冬に編纂されて、譯者みづから校正中、急逝したため出版の機を失つて大正九年十月になつてから漸く上梓されたが、『牧羊神』と題されたその第二詩集は、作品そのものの藝術的價値に於ては、『海潮音』を拔くこと數等であるのに、『海潮音』ほど文藝史上の位地のはえないのは、一にその公表された時代の社會的狀勢と詩壇の要望の方向とが與つて力あつたと見なければならないのである。」

II

上田敏が譯詩を試みる徑路と、その時代と、その發表の機關とは、これでほぼ說き盡した。では、彼は『海潮音』に於ていかなる國のいかなる作家を移植したか。それに答へるものは卷頭の序文である。「卷中收むる所の詩五十七章、詩家二十九人、伊太利亞に三人、英吉利に四人、獨逸に七人、プロヴンスに一人、而して佛蘭西には十四人の多きに達し、嚢の高踏派と今の象徴派とに屬する者其大部を占む」と。即ち、英吉利、獨逸、伊太利、プロヴンスの四箇國にも亘つてゐるが、主力を注いだのは佛蘭西の詩人であつた。これは何故であらう。彼が當時の專攻は英文學である。その英文學を以て彼は世界に冠たる詩歌の文學であるとまで揚言してゐた位である(全集卷三。四四四頁・四七〇頁等參照)。それが僅か四人の作家(しかもその中シェイクスピヤとクリスティナ、ロゼッティとはさのみすぐれた出來榮とはいはれない)を示すに滿足して、佛蘭西詩人の移植に全力を擧げたのは何故であらうか。

それにはまづ『海潮音』の譯詩を年代順に配列して、何等かの手がかりをえて見たい。いま『上田敏全集』補卷の著作年表に據つて『海潮音』を構成する作品を配列すると、次のごとき結果を得よう。

譯名	原題(原作者。原集)	初出年月
春の朝	The Year's at the spring (Robert Browning : Pippa Passes)	35、12
小曲	The Sonnet (D. G. Rossetti : The House of Life)	35、12
戀の玉座	Love Enthroned (D. G. Rossetti : The House of Life)	35、12
出現	Apparitions (Robert Browning : The Two Poets of Croisic)	36、2

至上善	Summum Bonum (Robert Browning : Asolando)	36、2
良心	La Conscience (Victor Hugo : La Légende des Siècles)	36、4
山のあなた	Über den Bergen (Carl Busse : Gedichte)	36、4
秋	Herbst (Eugen Croissant : Gedichte)	36、4
わかれ	Geschieden (Heriberta von Poschinger : Gedichte)	36、4
水無月	Juli (Theodor Storm : Gedichte)	36、4
夢	Un Songe (Sully-Prudhomme : Stances et Poèmes)	36、11
春の貢	Youth's Spring-tribute (D. G. Rossetti : The House of Life)	37、1
鷺の歌	Parabole (Émile Verhaeren : Poèmes)	37、1
心も空に	A ciascun' (Dante Alighieri : Vita Nuova)	37、10
燕の歌	—— (Gabriele D'Annunzio : Francesca da Rimini)	38、1
出征	Les Conquérants (José-Maria de Hérédia : Les Trophées)	38、1
花くらべ	—— (William Shakespeare : The Winter's Tale)	38、2
花の教	Consider the Lilies of the Field (Christina Rossetti : Poetical Works)	38、2
法の夕	Soir religieux (Émile Verhaeren : Les Moines)	38、6

水かひば　L'Abreuvoir (Émile Verhaeren : Les Flamandes)　38、6

銘文　Exergue (Henri de Régnier : Tel qu'en songe)　38、6

愛の教　La Sagesse de l'Amour (Henri de Régnier : Les Jeux rustiques et divins)　38、6

花冠　La Couronne (Henri de Régnier : Les Médailles d'Argile)　38、6

落葉　Chanson d'automne (Paul Verlaine : Poèmes saturniens)　38、6

床　Le Lit (José-Maria de Hérédia : Les Trophées)　38、7

大饑餓　Sacra Fames (Leconte de Lisle : Poèmes tragiques)　38、7

信天翁　L'Albatros (Charles Baudelaire : Les Fleurs du Mal)　38、7

人と海　L'Homme et la Mer (Charles Baudelaire : Les Fleurs du Mal)　38、7

よくみるゆめ　Mon Rêve familier (Paul Verlaine : Poèmes saturniens)　38、7

花のをとめ　Du bist wie eine Blume (Heinlich Heine : Buch der Lieder)　38、7

眞晝　Midi (Leconte de Lisle : Poèmes antiques)　38、8

聲曲　—— (Gabriele d'Annunzio : Trionfo della Morte)　38、8

わすれな草　Vergissmeinnicht (Wilhelm Arent : Gedichte)　38、8

伴奏　Accompagnement (Albert Samain : Au Jardin de l'Infante)　38、8

篠懸	Sta il gran meriggio (Gabriéle d'Annunzio : Canto Nuovo)	38、8
珊瑚礁	Le Récif de Corail (José-Maria de Hérédia : Les Trophées)	38、9
破鐘	La Cloche fêlée (Charles Baudelaire : Les Fleurs du Mal)	38、9
畏怖	La Peur (Émile Verhaeren : Les Apparus dans Mes Chemins)	38、9
火宅	Les Villes (Émile Verhaeren : Les Forces tumultueuses)	38、9
賦	Stances (Jean Moréas : Stances)	38、9
嗟嘆	Soupir (Stéphane Mallarmé : Poésies)	38、9
白楊	Bello lèio de grand pibo (Théodore Aubanel : ?)	38、9
故國	Tout auceloun amo sou nis (Théodore Aubanel : ?)	38、9
海のあなたの	De-la-man-d'eila de la mar (Théodore Aubanel : ?)	38、9
黄昏	Douceur du Soir (Georges Rodenbach : Le Règne du Silence)	38、10
時鐘	Les Horloges (Émile Verhaeren : Au Bord de la Route)	38、10

これ以外に初出年月の不明なものが多少ある。『全集』の編者は、その年次を、大體次のごとく推定してゐる。（附註参照）

瞻望	Prospice (Robert Browning : Dramatic Personae)	35、?

岩陰に	Among the Rocks (Robert Browning : Dramatic Persona)	35、?
禮拜	La Bénédiction (François Coppée : Poémes modernes)	36、?
春	Frühling (Paul Barsch : Gedichte)	36、?
象	Les Éléphants (Leconte de Lisle : Poèmes barbares)	38、?
薄暮の曲	Harmonie du Soir (Charles Baudelaire : Les Fleurs du Mal)	38、?
梟	Les Hiboux (Charles Baudelaire : Les Fleurs du Mal)	38、?
譬喩	Paraboles (Paul Verlaine : Amour)	38、?
延びあくびせよ	Etire-toi, la Vie …(Francis Viélé-Griffin : La Clarté de Vie)	38、?
解悟	Expricit (Arturo Graf : Li Danaidi)	38、?
海光	Pieno era il giorno (Gabrielo d'Annunzio : Poema paradisiaco?)	38、?

〔但し、上表のうち「明治三十八年二月發表の「花くらべ」と「花の教」とは、すでに三十六年五月「青年界」（第二巻第七號）定期增刊所載「英文學に顯はれたる花」の中に、その初案があり、明治三十八年一月の「燕の歌」は、三十七年七月十一日、竹柏園大會で行つた講演の筆記たる「心の花」八月號所載「劇詩フランチェスカ」の中に引かれたのと同じものであり、明治三十八年八月の「聲曲」はすでに三十三年頃の作と推せられる『みをつく

し』中の「樂聲」に初案があつた。」

この表を一覽して氣づくことは、英詩の譯業が最も早く成立して一グルゥプを成してゐるといふことである。『海潮音』中最初に世に示された作品は、今日明らかにしうるかぎりでは、まづブラウニングの「春の朝」とダンテ・ゲイブリエル・ロゼッティの「小曲」外一篇である。それが明治三十五年十二月の發表で、それからブラウニング、シエイクスピヤ、クリスティナ・ロゼッティの花の歌などが順につづいて、三十六年五月に及んでゐる。これが國別から言つても、年代から言つても、第一のグルゥプである。つづいて「山のあなた」といひ、「秋」といひ、「水無月」といふやうな獨逸小曲が、第二のグルゥプをつぐる。これは大部分明治三十六年四月の交に發表された。つづいてダンテの『新生』や彼の『神曲』に取材したダンヌンチオの「燕の歌」が、明治三十七年中に譯出されてゐる。これらの伊太利詩人が第三のグルゥプをつくる。それから第四のグルゥプとして佛蘭西近代詩が來る。これも多少のぬきさしはあるが、まづ明治三十八年六月以降七月・八月・九月まで四箇月の間に殆んど一氣呵成に成就したと言つてよい。第五グルゥプたるプロヴンスの詩人はオオバネル一人であるが、これは明治三十八年九月に全部公表された。要するに、明治三十五年後期に英詩、三十六年前期に獨逸小曲、三十七年中に伊太利詩、三十八年に佛蘭西近代詩及新プロヴンス詩といふ順に示されてゐるのである。

これによつて見ると、彼は始から英詩を差し措いて佛蘭西詩にのみ愛を傾けたわけではない。いや始は英詩を移植してゐたのである。ただ何故に僅か四家十章のみを移したにすぎなかつたのか、その理由は明らかにしがたい。恐らく彼の心の中では、これだけでやむつもりはなかつたであらう。現に未定稿たる「殘闕拾遺」を見ると、

戀に惱みて、夏の夜を、わかきアイダス
床の上にねむりもえせで、叫ぶやう、
マーペッサ、ああ、マーペッサ、こひしやと。
よひやみにいろこそみえね草花の
うかべるにほひ、くだちゆく月なき夜に
村肝のこころもそらに露じめる園生のくしき
あこがれや……

云云といふ一章などは、たしかにスティイヴン・フィリップスの斷章（Stephen Phillips:

Marpessa, 1897)と知られ、その手法や文體や興趣から見ても、『海潮音』前後のものと推されるが、此外、ロゼッティの『命の家』は二章まで未定稿が傳はり、三十六年五月の「英詩花話」などにはボオモント、フレッチャア、ミルトン等の佳章を拾ふべく、加ふるにチョオサァの『カンタベリ物語』破題の美辭も殘されてゐる位であるから、おひおひ他の英詩にも手をつけるつもりでゐる中に、佛蘭西詩の愛がつひに壓倒的なものになつたのではないかと思ふ。

獨逸小曲は、西洋近代詩中の一ふしあるものや、普通の見方と異る選擇を施こしたところに、『於母影』と妍を競ふ彼の自負が窺はれる。かねて平素愛誦してゐた古民謠の詩形を新らしく復活させる下心も潛んでゐたであらう。新プロヴンス詩人(明治三十四年以後)や伊太利詩匠の譯業は、明治二十八年來斷續的につづけて來たダンテ研究の餘瀝として自然に派生して來たものと思ふ。かねて『みをつくし』中に異彩を放つたダンヌンチオ文の味讀(明治三十二年以來)が自然に延長もしてゐよう。

さらば、『海潮音』中の主體たる佛蘭西詩に接し、これを熱愛するに至れる徑路は如何。彼は文科大學も英文學科の出身であつた。しかも當時の大學は今日の制度と違つて、第一外國語以外に、佛、獨、拉丁の三語を毎學年一週三時間づつ課した。すでに第一高等中學校時代から多少佛蘭西語を心得てゐた彼は、大學に進んでよりは、エミイル・エックについて、更に此婉雅な言葉に深入りしたらしく、明治三十年八月(二十四歳の時)に發表した「佛蘭西文學の研究」(全集巻三。五一〇頁以下)と題する論文などは、組織的に佛文學を研究すべき理由と方法とを説いたもので、恐らく日本人として最初の立言であつたらうと思ふが、此論文によつて考へてみると、彼はすでにラマルティイヌや、ギニイや、ユウゴオや、ミュッセ等の情熱派の詩には一通り通じてゐたと思はれる。佛蘭西詩に對する知識の益益加はれることを示すのは、明治三十三年六月(二十七歳)に發表した「十九世紀文藝史」(全集巻五。三頁以下)で、その論文から推察すると、後の三十七八年に飜譯したもののうち高踏派のものは多く當時すでに讀み且つ味はつてゐたものらしい。さうして此前後に接したヱルハアレンの近代佛蘭西詩人に對する解説と批評と「悲哀」(全集巻五。六九九頁以下)は、その方面の彼の眼識をますます明かにするに役だつたと思はれる。つづいて三十六年のはじめには、佛文學の紹介を徹底的に行ふべきことを唱道してゐる(全集補巻。九一頁參照)。その理由として、彼は、英獨文學が不完全ながらこれ迄紹介されてゐるのに、佛文學は傳はること最も尠い。然るに世界文學史の上から見ると、佛蘭西は中世に於て全歐の文學に覇を稱し、十七世紀に曠世の大家を出し、十八世紀より今日に至るまで少しも他國に後れをとらぬのみか、文藝の革新運動は必ずまづ巴里より起る。今も猶その通りである。さればさしあたり十九世紀に於ける佛蘭西の小說史と韻文史とを日本の文壇にむかつて說明することが目下の急務であると力說したのであつた。かういふ思想とかういふ造詣とが彼をして急激に佛蘭西詩文に接近せしむるなかだちとなつたのである。（附註參照）

次に、彼は『海潮音』中の譯業の底本にはいかなるものを用ゐたか。これはなかなか決定しがたい問題である。シェイクスピヤ、ブラウニング、ロゼッティ兄妹の詩文に接し、それを愛誦しはじめたのは主として大學一年の頃からららしいが、此人人に對する彼の接觸と見解とは、拙稿「上田敏の英文學觀」を參照されたい。シェイクスピヤ、ダンテ・ロゼッティ等がグロオブ版やクロオヱル版自體より譯したことは言ふまでもない。クリスティナ・ロゼッティイの抄譯のもとは『詩集』とあるだけで明らかでないが、ブラウニングの諸譯は、必ずしも『曲中人物』『クロアジック二詩人』その他標題にあるやうな個個の分册に據つたものではあるまいと思ふ。

獨逸小曲はみな『詩集』に據つたとあるによつても、何か詞華集を底本にしたらしいことが推定される。 あるひはルウドギッヒ・ヤコポッスキィ Ludwig Jacobowski (1868—1900)の „Moderne deutsche Lieder für Volk" などに據つたものではないかとも考へられる。 高等中學校時代から接してゐた筈のハイネの底本については、別に言ふほどのこともあるまい。

伊太利詩人は、ダンテ研究の餘瀝たること既述したが、ダンヌンチオの諸作もグラアフも一一原題が擧げてある位で、これは單獨の家集を用ゐたものと思はれる。タンテの『新生』がロゼッティ譯本を參照したことはいふまでもあるまい。 オオバネルは、今日ヂャスティン・エイチ・スミッス Justin H. Smith の "Troubadours at Home" から重譯じたものと信ぜられてゐる（全集卷一。七〇〇頁）。（附註參照）

佛蘭西詩人のうち、ルコント・ドゥ・リイル、ホセ・マリヤ・デ・エレディヤ、シャルル・ボオドレエル等はそれぞれ『古代詩集』『悲壯詩集』『異邦詩集』『戰勝標』『惡の華』等の原典に據つたものと思ふが、ブリュドン、コペエ等は詞華集所載のものではなかつたか。 ユウゴオも『古今傳說集』と原題を擧げてゐるけれど、疑ふらくは『ユウゴオ詩選』のやうなものを用ゐたのではあるまいか。 マラルメは『律語と散文（ヹエル・エ・プロオズ）』、ヹルレェヌは『詩選（ショア・ドゥ・ポエジイ）』などを座右に置いてゐたらしく、ヹルハアレン、ロオデンバッハ、レニエ、ギュレ・グリフィン、モレアス等は、殆んど全部詞華集「現代詩人（ポエツト・ドオヂユルデユイ）」に據つたものらしい。それは(1)彼等の詩章でここに譯述されたものが全部この詞華集の中に見出されるからである。〔但しヹルハアレンの諸章の中、「鷺の歌」は、恐らくギヂエ・ルコックの『現代詩歌』(Vigié-Lecocq: La Poésie Contemporaine, 1884—1896, p. 213)に、「火宅」はエドマンド・ゴッスのヹルハアレン論(Edmund Gosse: French Profiles 1904.)に、もとづいてゐるらしい。〕(2)マラルメの象徴論などはユウレの「探訪錄」所載のものであるが、それも原本に接したのではなく、この詞華集の附錄として收められたものから譯出したと推せられるからである。尤も、その「現代詩人」が千九百年版の一卷本であつたことはいふまでもない。サマンの「伴奏」が何に據つたのか明らかでないのは遺憾である。

なほ或ひは全集の編者の言葉のごとく、「その本國に於て初めて新聞雜誌に掲載せられ、未だ世の視聽を惹かざるに先だつて譯出された」(全集卷一。七二〇頁)ものもあらうから、此頃の彼が接近してゐたと想像される佛蘭西の定期刊行物のことも考へておかなければならぬ。いま『上田敏全集』を通讀して、彼の接してゐたと確證しうる雜誌を擧げると、まづ「兩世界評論（ルギウ・デ・ドウ・モンド）」がある。これは、その愛讀するところ

であつた。ブリユヌティエルその他所謂「傳統主義者」の評論はさういふところから
えてゐたものらしい。「巴里評論（ルヴュ・ドゥ・パリ）」も逸してはゐなかつたであらう。それに對立する新派の雜誌では、「メルキュウル・ドゥ・フランス」を中心とする。なほ、晩年には、「N・R・F・」その他「隔週雜纂（キャイエ・ドゥ・ラ・キャンゼエヌ）」等もあるが、これは暫らく別としても「ラ・プリュウム」「コレスポンダン」、「ルヴュ・ブルゥ」のやうなものにも當時接してゐた形跡が殘つてゐるのである。

III

上田敏が西洋文學の飜譯を目（もく）して、(1)原作の清新な趣味と知識とを傳へ、しかも

(2) 日本語による一個の藝術品たらしむることと號した事實は前に説いた。此理想は『海潮音』の中にいかなる程度に實現されてゐるか。それを明らかならしめるためには、原作に對する彼の解釋を檢討するとともに、その譯述法の問題へまで及ばねばならぬ。ここではまづその內實の點に入つて、『海潮音』の中で紹介した各詩派の一般原理と個個の作品とを、解釋の方面からひとわたり精査したい。

『海潮音』に收められた詩章は、詩形・流派をも考慮しつつ、詩史的知識から分類すると、(一)に佛蘭西高踏派の莊麗體がある。(二)に佛蘭西象徵派の幽婉體がある。(三)に獨逸小曲を主とし、これに新プロヴンス詩を加ふべき、いはば民謠體とも稱すべきものがある。シエイクスピヤの短詩も是に加へてよい。(四)にダンテ・アリギェリの清新體といろいろな意味で聯絡してゐる諸體がある。たとへば、ダンテ・ゲイブリエル・ロゼッティやブラウニングの或者は複雜な心理體ともいふべきもので、はるかに十三世紀の古詩と呼應してゐるではないか(クリスティナ・ロゼッティは、兄との關係上ここに繰り入れたい。『神曲』から取材した點と伊太利詩人といふ點からみて、ダンヌンチオとグラアフも此類に加はるのである。

A

佛蘭西高踏派について、彼はいかなる解釋をもつてゐたか。

彼は此詩派の歴史的位置がラマルティイヌ、ミュツセ等の情熱派に對する反動として千八百五十年代に生れたといふこと、此派の主張が自我の思想感情を發揚することではなく、むしろ自我を脱却して廣く眼を放ち、詩人の前に横はつて文學の材料となるのを待てる自然と社會、藝術と人生、眞と美とを見んとしたといふこと、此派の任務が前人の筆をつけざるあたりを恒久の姿もて實現するにあり、前人、ことに情熱派の人人は文體が冗漫粗雜なため此恒久性を企てえず、褪めやすき色彩の華麗はあれど冷靜なる大理石像の清秀なる姿を缺いてゐたといふことを述べ、此派の主張を最もよく示せるものはルコント・ドゥ・リイルの作品だと說いた。（全集卷五。三三頁其他參照）

かかる解釋は高踏派の詩風を盡（つく）してゐる。彼が此派の本質を理解してゐたことは否定しえない。恐らくこれは彼が素質的に同感しうる詩派（エコル）であつたと思はれる。單に歷史上の流派としての高踏派は、千八百六十年代に起つて、千八百八十年代に衰退したけれど、ああいふ格調と主張とは、古來西洋詩歌の一角を成して、國別と時代とを問はず、終始一貫して今日に至つてゐる。英吉利詩人の中でも、彼の熱愛したコリンズ、ランドル、キイツ等の作風は一種の高踏派（パルナツシヤン）であつたと言つてよい。要するに希臘詞華集の正風を傳へて今日に至れるものが、此流派の精神なのである。彼自身此詩集の序で「素性の然らしむるところか、譯者の同情はむしろ高踏派の上にあり」と告白してゐるのは、這般の消息を洩したものと見るべきであらう。そのためか集中に收められた高踏派の詩人の譯章は實に美事なもので、原作者の呼吸と譯者の呼吸とがぴつたり合して、句句皆絕唱の觀がある。在來の批評は、多く『海潮音』を目して、佛蘭西象徵詩人の移植に不朽の價値ありとするが、後代への影響といふ點からみるとさういふ見方も道理はあるが、その譯業の審美的價値に力點を置けば、佛蘭西高踏派の精錬平明な藝術的移植の方が遙かに尊いものだと思ふ。『海潮音』を以て單なる象徴派の紹介書とするごときは、疑ふらくは一面的觀察に過ぎまい。

　此高踏派の中でも殊に「正風」ともいふべき作風は、ルコント・ドゥ・リイルとホセ・マリヤ・デ・エレディヤとが示してゐる。ルコント・ドゥ・リイルについては、「自家の理論を詩文に發表して、シオペンハウエルの辯證したる佛法の教理を開陳したるは此詩人の特色ならむ。儕輩の詩人皆多少憂愁の思想を具へたれど、厭世觀の理義彼に於ける如く整然たるは罕なり。……其詩は智の詩なり、而も詩趣饒かにして坐ろにペラスゴイ、キュクロプスの城址を忍ばしむ」（全集巻一。三七頁以下）といふエルバアレンの評語を引いて、さて、「清冽沈静の作品、……一字も増減すべからず。……『ヒャルマルの心』『群象』『サクラ・ファアメス』の詩、皆一世の詩家を驚嘆せしめたる秀什にして、特に正午の歌に獨創の風格と思想とを傳へて、熱烈の情をしひて冷静の器に盛りたるは、此大詩人の特調也」（全集巻五。三三頁）と讃じた。その「眞晝」は眞夏の大平原の不動の景を描いて涅槃の澄心をえしめんとする歌であり、その「象」は大波のやうな砂漠を烈烈たる熱帶の眞夏の太陽に照らされながら、何十頭といふ大象の集團が生れの里を立ち出でて無花果の森を尋ねて移動する壯大な風景を歌ひ、「サクラ・ファアメス」の詩は、深夜の大海原の暗黑の底にうごめく大魚、鱶や小判鮫の

かかりし程に、粗膚の蓬起皮のしなやかに
飢にや狂ふ、おどろしき深海底のわたり魚、
あふさきるさの徘徊に、身の鬱憂を紛れむと
南蠻鐵の腮をぞ、くわつとばかりに開いたる。

素より無邊天空を仰ぐにはあらぬ魚の身の、
參の宿、みつ星や、三角星や天蝎宮、
無限に曳ける光芒のゆくてに思馳するなく、
北斗星前横はる大熊星もなにかあらむ。

唯、ひとすぢに、生肉を嚙まむ、碎かむ、割かばやと、

常の心は朱に染み、血の氣に欲を湛へつつ、
影暗うして水重き潮の底の荒原を、
曇れる眼、きらめかし、悽惨として遲遲たりや。

Cependant, plein de faim dans sa peau flasque et rude,
Le sinistre Rôdeur des steppes de la mer
Vient, va, tourne, et flairant au loin la solitude,
Entre-bâille d'ennui ses mâchoires de fer.

Certes, il n'a souci de l'immensité bleue,
Des Trois Rois, du Triangle ou du long Scorpion
Qui tord dans l'infini sa flamboyante queue,
Ni de l'Ourse qui plonge au clair Septentrion.

Il ne sait que la chair qu'on broie et qu'on dépèce,

Et, toujours absorbé dans son désir sanglant,
Au fond des masses d'eau lourdes d'une ombre épaisse
Il laisse errer son oeil terne, impassible et lent.

といふ万物皆饑ゑて互ひに餌とし、餌とされつつも、「死」の大神の前には一切無力なる虚無の哲學を寓してゐる。すべて此詩人の作風は莊麗典雅、比類なき重厚の美に輝くが、彼はその原調に應じて、これを七五・七五、廿四音調で譯出した。いづれも集中屈指の佳章である。解釋も間然するところがない。

しかも、その壘を摩するものはホセ・マリヤ・デ・エレディヤの三章である。エレディヤについては「古史の事跡を敍し、南海東洋の瑰麗なる風色を寫して、宛も丹靑の名什を成せるが如し」(全集卷五。三四頁)と評してゐるが、

波の底にも照る日影、神寂びにたる曙の
照しの光、亞比亞尼亞(アビシニヤ)、珊瑚の森にほの紅く、
ぬれにぞぬれし深海の谷隈(たにくま)の奥に透(すき)入れば

輝きにほふ蟲のから、命にみつる珠の華

Le soleil sous la mer, mystérieuse aurore,
Éclaire la forêt des coraux abyssins
Qui mêle, aux profondeurs de ses tièdes bassins
La bête épanouie et vivante flore.

の美を歌ひ、或ひはまた、

さゝらがた錦を張るも、荒妙の白布敷くも、
悲しさは墳塋のごと、樂しさは巣の如しとも、
人生れ、人いの眠り、つま戀ふる、凡べてここなり、
をさな兒も、老も若も、さをとめも、妻も、夫も。

Qui'il soit encourtiré de brocart ou de serge,

上田敏の『海潮音』（島田）

一七五

Triste comme une tombe ou joyeux comme un nid,
C'est là que l'homme naît, se repose et s'unit,
Enfant, époux, vieillard, aïeule, femme ou vierge.

といふ「床」に感慨を寄せた莊麗の十四行詩もさることながら、西班牙(エスパニヤ)の勇士がチバンゴにありといふ金銀珊瑚を求めて白妙の帆船に乘じ、不知火(しらぬひ)燃ゆる海に旅枕を重ねたといふあの南海の傳説を歌へる「出征」こそ、優に他を壓して卓越せる絶唱であらう。

エレディヤのやうな明確にして調の高い詩文の解義はもとより申し分ないが、「夢」に示されたシュリ・プリュドンのそれも十分にゆきわたつた釋義ぶりである。彼の特色については「哲學的眼光を以て、高俊の材を雅醇の詩」(全集卷五。三四頁)に作つたと見てゐるが、プリュドンのものでは、外に

新しき家居はもたじ、
そのかほに心なければ、

ふるきこそ涙のなかに
むかしおもふやもめをんなぞ。

ふるかべのとかげのかずは
老人の皺にかよひて
緣うつす其はりまどは
悲しげにはた情ふかし。

といふ未定稿(Les Vieillos Maisons)も殘つてゐる位で、上田敏の詩情の一側面たる觀想的な哲理的な要求を滿したため、相當愛誦玩味されつつあつたものと思はれる。

ボオドレェルは、詩想上からみると後の象徴派の祖であるが、その形式の點からみて、こゝを高踏派の部に組み入れたのは、蓋し穩當かと思ふ。彼は『惡の華』を指して「病的作品」と呼び、「『アルバトロス』の歌に詩人を海鵝に比べ、靑雲のあなたに翔り嵐をあなどるの長翼はあれど、地に下りては却て其爲に歩む能はずと嘆き、『夕暮の調』『破鐘』『梟』『猫』『人と海』の歌に於て世に珍らしき奇聳の想を吐けり」(全集卷五。

三四頁)と解してゐるが、『海潮音』に示されたボオドレエルはあまり成功してゐるものと受取り難い。少くとも評者の解するボオドレエルはもつと痛烈切切たる氣に富み、上田敏のここに譯出したやうなしやれたやはらかさが、しかく强いとは思はれない。たしかに彼にも溫柔蕭洒たる一面はあるが、それはむしろ倍音で、決して主音ではないと考へられる。『惡の華』の美は、英文學に於けるキイツよりもむしろスヰフトのそれに近く、外は冷やかにして內は熱せる、氷れる火山にも譬ふべきものではあるまいか。ボオドレエルはみづから「悲哀の錬金道士」と呼んでゐた位で、エルふアレンも評してゐるやうに「濁江の底なる眼、哀憐悔恨の凄光を放つ」美なのであらう。その凄さが彼の解釋には十分出てゐないやうに感ぜられる。「信天翁」然り。「人と海」然り。「梟」に至つては輕きにすぎるであらう。强ひて言へば、眞紅な夕日の落ちかかる夕ぐれ方の花のにほひ、追風のかぐはしさ、ワルツの舞踏曲、ギオロンのひびき、それらのものが入り亂れて燦爛たる凄慘の美をつくり出した「薄暮の曲」が、或點迄成功してゐる程度にすぎまい。

花は薰じて追風に、不斷の香の爐に似たり。

痍に悩める胸もどき、ギオロン樂の清搔や、
ワルツの舞の哀れさよ、疲れ倦みたる眩暈よ、
神輿の臺をさながらの雲悲みて艶だちぬ。
痍に悩める胸もどき、ギオロン樂の清搔や、
闇の涅槃に、痛ましく悩まされたる優心。
神輿の臺をさながらの雲悲みて艶だちぬ。
日や落入りて溺るるは凝るゆふべの血潮雲。

Chaque fleur s'évapore ainsi qu'un encensoir ;
Le violon frémit comme un cœur qu'on afflige ;
Valse mélancolique et langoureux vertige ;
Le ciel est triste et beau comme un grand reposoir.

Le violon frémit comme un cœur qu'on afflige ;
Un cœur tendre, qui hait le néant vaste et noir ;

上田敏の『海潮音』（島田）

Le ciel est triste et beau comme un grand reposoir;
Le solil s'est noyé dans son sang qui se fige.

「破鐘」は佳調である。原作者の心をよく汲んで沈痛な切切音を現はすに成功した。破題の解義も素直であるが、第三聯以下

そも、われは心破れぬ。鬱憂のすさびごこちに、
寒空の夜に響けと、いとせめて鳴りよそふとも、
覺束な、音にこそたてれ、弱音の細音も哀れ。

哀れなる臨終の聲は、血の波の潮の岸、
小山なす屍の下に、身動もえならで死する、
棄てられし負傷の兵の息絶ゆる終の呻吟か。

Moi, mon âme est fêlée, et lorsqu'en ses ennuis

Elle veut de ses chants peupler l'air froid des nuits,
Il arrive souvent que sa voix affaiblie
Semble le râle épais d'un blessé qu'on oublie
Au bord d'un lac de sang, sous un grand tas de morts,
Et qui meurt, sans bouger, dans d'immenses efforts.

の受取り方も自然にきはめてのびのびとしてゐる。

ヹルレェヌは「落葉」も「よくみるゆめ」も初期の制作で、高踏派の一員たりし時代のもの故、ここに取扱つてもよいが、「譬喩」は後のアンデパンダンとなつてからの作品であるから、これらは暫らく一括して、次の象徴派の幽婉體の條で說くことにしよう。ルコント・ドゥ・リイルからヹルレエヌまでいはば、高踏派本部の秀逸の後に、「古今傳說集（レヂャンド・デ・シエクル）」時代のユウゴオとコペエとの物語詩二章が相對して載せてあるが、ともに成功作を以て許し難い。ことにコペエの「禮拜」のごときは、クリスティナ・ロゼッティの「花の敎」と相並んで、恐らく集中でも劣等の作品であらう。何故に彼が此作品をここに收めたのかは問題である。現に初出の年次も詳かではないので、「全集」の編者も年代を不明とし、或は明治三十六年の作かと推測してゐる。恐らくは「良心」と對をなして收めたい意志から掲げられたものと思ふが、同時にかかる史詩の生まれる背景として、明治三十六年を通じて新詩壇を風靡した史詩熱を考慮に入れなければなるまい。殊に「明星」同人の「源九郎義經」以下の連作は彼をしてこの方面に詩材を探らせる重要な動機になつたものと思はれる。が、それは兎に角として此「禮拜」が劣作であることは否定出來ない、もつとも原作者の意圖もよく生かされ、暢達の筆致を感ぜしめる點も二三見えはするが。解釋は要をえてゐる方であらう。

ユウゴオの「良心」は、これにまさること一等である。彼はユウゴオを隨分重んじてゐるので、その「趣味は典雅ならず、性情奔放にして狂飇激浪の如くなれど、溫藉靜冽の氣自から其詩を貫きたり」（全集卷一。八二頁）と稱し、『古今傳說集』中「良心」と「まづしきやから」、『冥想集』中、眠れるボォズ」などをユウゴオが絕唱となすのみか、佛蘭西詩歌の最高峰とさへ呼んだ（全集卷五。一一九頁）位である。ここに譯出された「良心」はしかく高く評價された佳什であるが、恨むらくは原文の澎湃とした感じが十分に現はれてゐない。ユウゴオの原詩に接するものは、大波のよせくるやうに雄偉壯重な韻律があとからあとからと押し寄せ來るので、いつの間にか恍惚として、その詩才に驚嘆する。思想の深刻雄大といふ點では、讃美者(ユウゴラアトル)が力說するほど打たれることはないけれど、何といつてもその詩才は「百世にして一人」だと思ふ。その原詩の雄偉な力感がここでは十分に解釋されつくしてゐないやうである。もつとも

> 鍛冶の祖(おや)トバルカインは、いそしみて、
> 宏大(くわうだい)の無邊(むへん)都城(とじやう)を營(いとな)むに、
> 同胞(はらから)は、セツの兒等(こら)、エノスの兒等(こら)を、
> 野邊かけて狩暮しつつ、ある時は
> 旅人(たびびと)の眼(まなこ)をくりて、夕されば
> 星天(せいてん)に征矢(そや)を放ちぬ。

Alors Tubalcaïn, père des forgerons,
Construisit une ville énorme et surhumaine.

上田敏の『海潮音』(島田)

一八三

Pendant qu' il travaillait, ses frères, dans la plaine,
Chassaient les fils d'Énos et les enfants de Seth ;
Et l'on crevait les yeux á quiconque passait ;
Et, le soir, on lançait des flèches aux étoiles.

などといふ雄大な佳調も散見しないわけではないが、要するに高踏派本部の秀什に匹敵するものではないと言へよう。

B

第二に佛蘭西象徴派の幽婉體を、彼は夥しく移植してゐる。これは當時の世界詩壇で最新の傾向たりしものを示さんとする目的からであつたらう。此新聲を移すに當つて彼の把持せる抱負は、序文の中に遺憾なく示されてゐる。曰く「徒らに晦澁と奇怪とを以て象徵派を攻むる者に同せず。幽婉奇聳の新聲、今人胸奧の絃に觸るるにあらずや。坦坦たる古道の盡くるあたり、荊棘路を塞ぎたる原野に對て、之が開拓を勤むる勇猛の徒を貶す者は、怯に非らずむば惰なり」と。また曰く、「譯者嘗て十年の昔、白耳義文學を紹介し、稍後れて佛蘭西詩壇の新聲、特にヹルレェヌ、ヹルハアレン、ロオデンバッハ、マラルメの事を說きし時、如上文人の作なほ未だ西歐の評壇に於ても今日の聲譽を博する事能はざりしが、爾來世運の轉移と共に清新の詩文を解する者、漸く數を增し勢を加へ、マアテルリンクの如きは、全歐思想界の一方に覇を稱するに至れり。人心觀想の默移實に驚くべき哉。近體新聲の耳目に嫺はざるを以て、倉皇視聽を掩はむとする人人よ、詩天の星の宿は徙りぬ、心せよ」と。彼がいかに新體の幽婉なる詩風に同情し、且つその先見の明を誇つてゐたかは、これによつて、明らかであらう。ここには言外に溢れるやうな熱氣がある。

彼はつづいて日本詩壇の現狀に及び、「日本詩壇に於ける象徵詩の傳來、日なほ淺く、作未だ多からざるに當て、既に早く評壇の一隅に囁囁の語を爲す者ありと聞く。象徵派の詩人を目して徒らに神經の鋭きに傲る者なりと非議する評家よ、卿等の神經こそ寧ろ過敏の徴候を呈したらずや。未だ新聲の美を味ひ功を收めざるに先ちて、早く其弊竇に戰慄するものは誰ぞ」と呵した。ここにいふ評家とは、主として「神經質の文學」(「帝國文學」明治三十八年六月・九月號)によつて象徴詩を批難した片山孤村のことを指したものらしく、その餘憤は後の「鏡影錄」にも洩らされてゐる。また歐洲の評壇に於ける反象徴詩論に關しては、ブリュヌティエルの位置を述べて、その評語に論及し、「譯者は藝術に對する態度と趣味とに於て、此偏想家と頗る說を異にしたれば、其云ふ所に一一首肯する能はざれど、佛蘭西詩壇一部の極端派を制馭する消極の評語としては、稍耳を傾く可きもの無しとせざるなり」(全集卷一。八頁)と述べた。ブリュヌティエルの何に基いて彼が此言をなしたのか、今明らかでないが、『上田敏全集』を通讀してみると、ブリュヌティエルの著書のうち、彼がその名を明記してゐるのは、僅に "Essai sur la Littérature contemporaine," 1891 のみであつた。ところでブリュヌティエルの象徴詩論の重なものは千八百八十八年と千八百九十一年の「兩世界評論」に載せたものと、『十九世紀佛蘭西抒情詩の展開』の第十五講、第十六講等である。彼のブリュヌティエルに對する知識もこれらのものを越えてはゐなかつたらうと推される。そのうち、千八百八十八年十一月の「兩世界評論」に「象徴派と頽唐（サンボリスト・エ・デカダ）

派」と題して、此峻嚴な批評家が新詩の特性を分析解剖し、これを批難した一文は、それらのうちでも最も要をえたものであるから此文は今、論集 Nouvelles Questions de Critiques, 1893 に收められてゐる。「兩世界評論」の愛讀者たる彼が、これを逸してゐた筈はなかつたと思ふ。 すると、文中の「佛蘭西詩壇一部の極端派」とは、ギュスタァヴ・カァンやルネ・ギル等を主として指すことになるのである。

彼は次にトルストイに及び、「ヤスナヤ・ポリヤナの老伯が近代文明呪咀の聲として、其一端をかの『藝術論』に露はしたるに至りては、全く贊同の意を呈する能はざるなり。 トルストイ伯の人格は譯者の欽仰措かざる者なりと雖、其人生觀に就ては、根本に於て既に譯者と見を異にす。 抑も伯が藝術論はかの世界觀の一片に過ぎず。 近代新聲の評隲に就て、非常なる見解の相違ある素より怪む可きにあらず」と評したが、「其人生觀に就ては、根本に於て、見を異にす」とあるのは、ワイマルの賢者のごとく「全一に生きよ」を標榜して人性の圓滿な調和的發達を理想としてゐたからで、ひたすら道徳を事とし、諸事百汎をその方便視した老伯晩年の世界觀に從ひえなかつたのは、蓋し當然なことであつたらう。 また「伯が藝術論はかの世界觀の一片に過ぎず。 近代新聲の評隲に就て、非常なる見解の相違ある素より怪む可きにあらず」と評したのは、現代藝術が(1)非敎化的分子に富んで、世道人心に有害なることと、(2)大衆の生活と何等の關係なき少數者の消閑の贅物たることとを嘆じたトルストイの『藝術論』こそ、實は藝術の史的展開に盲目な結果、悲壯なる錯誤に陷れることを早くも洞察してゐたからで、さてこそ一見大膽に見える此宣言をもなしえたのであらうと思ふ。かうして彼は「日本の評家等が僅に『藝術論』の一部を抽讀して、象徵派の貶斥に一大聲援を得たる如き心地あるは、毫も清新體の詩人に打擊を與ふる能はざるのみか、却て老伯の議論を誤解したる者なりと謂ふ可し。人生觀の根本問題に於て、伯と說を異にしながら、其論理上必須の結果たる藝術觀のみに就て贊意を表さむと試むるも難い哉」と結ぶことが出來た。ここに『藝術論』を抽讀したと揶揄された評家は、當時「讀賣新聞」に據つて「暗黑なる文壇」を書いた中島孤島を指すもので、彼は專らトルストイとノルダウとを祖述して象徵詩攻擊の聲を放つてゐたのであつた。

彼の解釋してゐた象徵派とはいかなるものか。まづ此派の出現した徑路に關しては、『海潮音』の序が委曲を盡してゐる。「詩に象徵を用ゐること、必ずしも近代の創意に非らず。これ或は山嶽と共に舊るきものならむ。然れどもこれを作詩の中心とし本義として故らに標榜する所あるは、蓋し二十年來の佛蘭西新詩を以て嚆矢とす。近代の佛詩は高踏派の名篇に於て發展の極に達し、彫心鏤骨の技巧實に燦爛の美を恣にす。今茲に一轉機を生せずむばあらざるなり。マラルメ、ヱルレエヌの名家之に觀る所ありて、清新の機運を促成し、終に象徵を唱へ、自由詩形を說けり。」――此象徵派出現の徑路に關する說明は、單に佛蘭西近代詩史のみについていへば、大體首肯しうるものと思ふ。勿論、象徵を作詩の中心とし本義として故らに標榜したものとしては、近世文藝史上、エドガァ・ポォを逸するわけにゆかぬ。事實また佛蘭西新詩に及んだポォの影響は夥しく、考へやうによつては象徵詩美學の根源は悉くポォの詩論に基いてゐるとさへ言へる位であるが、それは暫らく不問に附して置かう。

さらば、彼は「象徵」そのものをいかなるものと解してゐたか。彼はユウレの「探訪錄」所載のマラルメの詩論をも譯して、相當な知見を見せてはゐるが、この問題を仔細に追尋してゆくと、いろいろ物足らぬ點が現はれてくるのである。――彼は『海潮音』の序に、「象徵の用は、これが助を藉りて詩人の觀想に類似したる一の心狀を讀者に與ふるに在りて、必ずしも同一の概念を傳へむと勉むるにあらず。されば静に象徴詩を味ふ者は、自己の感興に應じて、詩人も未だ説き及ぼさざる言語道斷の妙趣を翫賞し得可し。故に一篇の詩に對する解釋は人各或は見を異にすべく、要は只類似の心狀を喚起するに在りとす」と稱し、まづヱルハアレンの「鷺の歌」を例示してゐる。

ほのぐらき黄金隠沼、
骨蓬の白くさけるに、
静かなる鷺の羽風は
徐に影を落しぬ。

水の面に影は漂ひ、
廣ごりて、ころもに似たり。
天なるや、鳥の通路、
羽ばたきの音もたえだえ。

漁子（すなどり）のいと賢（さか）しらに
漪らなる網（あみ）をうてども、
空翔（そらか）ける奇（く）しき翼の
おとなひをゆめだにしらず。

また知らず日に夜をつぎて
溝のうち花瓶の底
鬱憂の網に待つもの、
久方の光に飛ぶを。

Parmi l'étang d'or sombre
Et les nénuphars blancs,
Un vol passant de hérons lents
Laisse tomber dos ombres.

上田敏の『海潮音』（島田）

一九一

Elles s' ouvrent et se ferment sur l' eau
Toutes grandes, comme des mantes ;
Et le passage des oiseaux, là-haut,
S' indéfinise, ailes ramantes.

Un pêcheur grave et théorique
Tend vers elles son filet clair,
Ni voyant pas qu' elles battent dans l' air
Les larges ailes chimériques,

Ni que ce qu' il guette, le jour, la nuit,
Pour le serrer en des mailles d' ennui,
En bas, dans les vases, au fond d' un trou,
Passe dans la lumière, insaisissable et fou.

彼はこれを解して、次のごとく述べた。曰く――「此詩を廣く人生に擬して解せむか、曰く、凡俗の大衆は眼低し。法利賽の徒と共に虚僞の生を營みて、醜辱汚穢の沼に網うつ、名や財やはた樂欲を漁らむとすなり。唯、縹渺たる理想の白鷺は羽風徐に羽撃きて、久方の天に飛び、影は落ちて骨蓬の白く淸らにも漂ふ水の面に映りぬ。之を捉へむとしてえせず、此世のものならざればなりと。されどこれ只一の解釋たるに過ぎず。或は意を狹くして詩に一身の運を寄するも可ならむ。肉體の欲に饜きて、とこしへに精神の愛に飢ゑたる放縱生活の悲愁ここに湛へられ、或は空想の泡沫に歸するを哀みて、眞理の捉へ難きに憧がるる哲人の愁思もほのめかさる。而して、此詩の喚起する心狀に至りては皆相似たり」と。これはギヂエ・ルコックの『現代詩歌』(La Poésie contemporaine, 1884—1896)二一三頁以下の釋義をそのまま日本語にしたにすぎないが、これを彼の本旨として、さてかういふ「象徵」の解釋から考へてみると、彼は「象徵」の觀念的要素を强調しすぎてゐるのではないかと思ふ。『海潮音』公刊の翌年に書いた「象徵詩釋義」の中でも、彼は「象徵詩」の特色を定義して、「思想感情の本質そのものを捉へて、時處の約束羈絆より脫出せしめ、その最高最廣の意義を明らかにするにあり」(全集卷五。九九頁)と言つてゐる。それらの言葉を考へ、また『海潮音』中に象徴詩として引かれたものを集めて考へてみるとき、更にまたヱルハアレンと並んで當代一流の詞客であつたレニエの「花冠」を解して、「詩人が黄昏の途上に佇みて、「活動」、「樂欲」、「驕慢」の邦に漂遊して、今や歸り來れる幾多の「想」と相語るに擬したり。彼等默然として頭俛(た)れ、齎らす所只幻惑の悲音のみ。孤り、此等の妹姉と道を異にしたるか、終に歸り來らざる「理想」は法苑林の樹間に「愛」と相睦み語らふならむといふに在りて、冷艶素香の美、今の佛詩壇に冠たる詩なり」(序)と說くのを聞くとき、上田敏の解した「象徴」とは、近世美學に謂ふ「觀念象徴」、せいぜいのところ「情趣的觀念象徴」を指すものと見て差支なささうである。事實また佛蘭西象徴詩の正風體の或ものには、此情趣的觀念象徴が、重要な一要素になつてゐることも否定出來ない。但し、純然たる「情調象徴」に屬する詩統も、此派の一有力體になつてゐるので、後者を見落すことは重大な錯誤であるといはねばならぬ。兎に角、上田敏が『海潮音』時代には、純然たる「情趣象徴」乃至「情調象徴」をはつきり知得してゐなかつたらうことは、十分に推測しうる事柄なのである。日本新詩壇の象徴詩運動が、少くともその初期に於ては寓話體(アレゴリ)に墮すこと多く、且つまた批評家と讀詩階級とがこれを比喩と見て兎角批難嘲罵の聲をあげがちであつたのも、一つには此派の先達たる彼の「象徴」に對する解釋例證の不足が與つて力あつたと見ねばならぬ。

加ふるにまた一つの不滿がある。それは佛蘭西象徴派の史的事實について、今日の學者が有するほどの精細な知識を譯者は有してゐなかつたといふことである。これはまだ象徴詩派の研究に關して文獻も多く現はれなかつた時代のことではあるし、考へやうによつてはむしろあの時代に此派の特色をあれだけにつかみ、あれだけにこなしえた才能に感嘆すべきなのであるが、象徴詩派の運動史に關する彼の知識の乏しさが、今日の文學史家ならば此詩派の中に數へ上げるのを躊躇する底のものをさへ、その派のものと見做させるあやまちを犯させる一因となつたことは指摘しておかなければならぬ。

彼はヱルハアレンの「鷺の歌」以下マラルメの「嗟嘆」までを「多少皆象徴詩の風格を具ふ」（全集卷一。一六二頁）と稱してゐるが、ヱルハアレンの作中でも、「法の夕」や「水かひば」は高踏派の末流たる寫實詩であり、幽婉の美に富むがロオデンバッハの「黃昏」もむしろ高踏派系統の抒情詩として解する方が正しく、モレアスに至つては、一時象徴派の音頭を取つたが此「賦」邊ではすでに古典的な作風に復歸して、L' Ecole Romane

と呼んだ新體を創め、その新詩派の頭梁となつてゐたのである。

春日霞みて、葦蘆のさざめくが如笑みわたれ。
磯濱かけて風騒ぎ波おとなふがごと、泣けよ。
一切の快樂を盡し、一切の苦患に堪へて、
豐の世と稱ふるもよし、夢の世と觀ずるもよし。

Riez comme au printemps s'agitent les rameaux,
Pleurez comme la bise ou le flot sur la grève,
Goûtez tous les plaisirs et souffrez tous les maux;
Et dites: c'est beaucoup et c'est l'ombre d'un rêve.

といふ一聯のごとき、その清明な人生觀と格調とによつて希臘詞華集の美を偲ばしめるが、かかるものを文學史上、象徴詩派の本部に繰り込むことは、どうしても困難であらう。かくのごとく今日の文學史的知識から立言すると、上田敏の象徴詩派に對する知見には物足らぬ點が現はれてくる。然し何をいふにもこれは三十年前の譯業である。譯者が「序」にいふとほり、當時は西歐の評壇でさへ一部具眼の士を除いては殆んど認めるものなく、且つその本國に於てはブリュヌティエルのやうな、露西亞に於てはトルストイ伯のやうな、諸大家の叱責を買つてゐた此新體の歌について、これだけの知見を有し、これだけの解釋・移植力があつたといふことは全く驚嘆に價ひすると言つてよい。

象徴派一般に關する解釋と知見との問題はこれ位にして、個個の作品に對する解義に移ると、まづマラルメの持味はよく捉へてゐる。「嗟嘆」といふのは、ひとも知るやうに作者二十五歳の時の發表で、「パルナス・コンタンポラン」第一輯に掲げられたものであるが自然と心理との照應にまで這入つた幽玄體の手法が多少自覺的に遂行されてゐた。此小詩の解釋は適確精妙で、原文の幽趣をよく傳へてゐる。

ヱルレエヌに關しては、繪畫の色を帶びたユウゴオ、彫塑の形を具へたルコント・ドゥ・リイルに對して、「音樂の聲を傳へ、而して更に陰影の匂なつかしきを捉へむ」（全集卷一。七三頁）としたことを多としてゐるが、「落葉」の縹渺とした哀愁は、原詩の本義を活かすにつとめて細部の末節を捨て去つたきらひはあるが、その原義を捉ふる

に成功し、「よくみるゆめ」の佳調は

常によく見る夢乍ら、奇やし、懷かし、身にぞ染む、
曾ても知らぬ女なれど、思はれ、思ふかの女よ。
夢見る度のいつもいつも、同じと見れば、異りて
また異らぬおもひびと、わが心根や悟りてし。

わが心根を悟りてしがの女の眼に、胸のうち、
噫、彼女にのみ內證の祕めたる事ぞなかりける。
蒼ざめ顏のわが額、しとどの汗を拭ひ去り、
涼しくなさむ術あるは、玉の淚のかのひとよ。

栗色髮のひとなるか、赤髮のひとか、金髮か、
名をだに知らね、唯思ふ朗ら細音のうまし名は
うつせみの世を狹く去りし昔の人の呼名かと。

つくづく見入る眼差(まなざし)は、匠(たくみ)が彫(ゑ)りし像の眼(め)か、
澄みて、離れて落居(おちゐ)たる其音聲(おんじやう)の淸(すず)しさに、
無言の聲の懷(なつ)かしき戀しき節(ふし)の鳴り響く。

Je fais souvent ce rêve étrange et pénétrant
D'une femme inconnue, et que j'aime et qui m'aime,
Et qui n'est, chaque fois, ni tout à fait la même
Ni tout à fait une autre, et m'aime et me comprend.

Car elle me comprend, et mon coeur, transparent
Pour elle seule, hélas ! cesse d'être un problème
Pour elle seule, et les moiteurs de mon front blême,
Elle seule les sait rafraîchir, en pleurant.

Est-elle brune, blonde ou rousse ? —Je l'ignore.
Son nom ? Je me souviens qu'il est doux et sonore
Comme ceux des aimés que la Vie exila.

Son regard est pareil au regard des statues,
Et pour sa voix, lointaine, et calme, et grave, elle a
L'inflexion des voix chères qui se sont tues.

民謠調の柔かな折かへし(ルフラン)を多少逸したうらみはあるが、大體その風格を模して原詩の壘に迫り、更にまた「譬喩」は、耶蘇とカトリカ教會とに對する藝術的な讚仰と熱慕とを背景に比類少き成功を收めた。ヱルレェヌの解義は、少くともボオドレェルのそれに比べてみる時、遙かに眞髓に近いと見られよう。

マラルメとヱルレェヌと、此兩家の解義移植が功を收めたのに反し、レニエは案外の出來榮である。彼は此詩匠をその岳父と比較して、「ホセ・マリヤ・デ・エレディヤは金工の如く、アンリ・ドゥ・レニエは織人の如し。」また譬諭を珠玉に求めむか、彼には青玉黄玉の光輝あり、此には乳光柔き蛋白石の影を浮べ、色に曇るを見る可し」(全集巻一。一九一頁)と稱してゐる。疑ふらくは、此言葉は彼が此頃その佛蘭西文學觀に負ふところ多きエドマンド・ゴッスの隻辭(Cf. "French Profiles". 1904. p. 304—305)に開眼されたものらしいが、その「花冠」はつひに原文の幽婉を逸し去つて極めて大味な釋義に墮し、「愛の敎」はレニエの圓熟した詩境を示す佛蘭西世紀末の逸詩の一つであるのに、もとの類音(アソナンス)に富むこまやかな調子がかなり粗く模寫されて出で、

森陰はまだ夏綠、
夕まぐれ、空より落ちて、
笛の音は山鳩よばひ、
「夏」の歌「秋」を搖(そそ)りぬ。
曙の美しからば、
その書は晴れわたるべく、
心だに優しくあらば、
身の夜も樂しかるらむ。

上田敏の『海潮音』(島田)

二〇一

..... le bois est vert et le soir tombe,
Et les flûtes dans l'ombre appellent les colombes,
Et l'Été chants encore aux lèvres de l'Automne;
Le jour sera meilleur si l'aurore fut bonne;
Le soir est plus charmant lorsque l'âme est plus douce.

といふ邊(あたり)のみが、レニエの此時代の風格の一面を彷彿せしめて、捨て難い味に富んでゐるのみである。恐らく最も原調を移すに成功したのは「銘文」らしく、・

夕(ゆふ)まぐれ、森の小路の四辻(よつつじ)に
夕まぐれ、風のもなかの逍遙(せうえう)に、
竈(かまど)の灰(はひ)や、歳月に倦み勞(つか)れ來て、
定業(ぢやうごう)のわが行末(ゆくすゑ)もしらま弓、
杖と佇(たたず)む。

Au carrefour des routes de la forêt, un soir,
Parmi le vent, avec mon ombre, un soir,
Las de la cendre des âtres et des années,
Incertain des heures prédestinées,
Je vins m'asseoir.

といふ破題から、

あな、あはれ、きのふゆゑ、夕暮悲し、
あな、あはれ、あすゆゑに、夕暮苦し、
あな、あはれ、身のゆゑに、夕暮重し。

O mon âme, le soir est triste sur hier,
O mon âme, le soir est morne sur demain,

上田敏の『海潮音』（島田）

O mon âme, le soir est grave sur toi-même !

といふ結句まで、一貫して比較的原調に近い。これ一つにはギヂエ・ルコックの此詩に對する釋義（Cf." La Poésie contemporaine, 1884—1896. p. 228 et suiv.）に接して、容易にその本旨をとらへる事が出來たためであつたらうと思ふ。

ギェレ・グリフィンの『命の光』の一章「延びあくびせよ」は、作者の意圖を捉へてゐる程度のもので、さして佳作とは思へぬが、アルベェル・サマンの「伴奏」は、原詩の數節を思ひきつて捨てたため、かへつてひき緊つた獨立な斷章美に輝くことになつた。

白耳義二詩人のうち、ロオデンバッハは多少しひて象徵派めかさした點が鼻につくが、ヱルハアレンの「弗羅曼景物詩」や「沙門」も同斷である。「鷲の歌」の第四聯第二行の「花瓶」が「泥土」の誤譯であることはすでに知るひとも多いが、「時鐘」は解し方が輕きにすぎはしまいか。これに反して、「畏怖」と「火宅」とは絕美の秀逸である。これはまた恐らくヱルハアレンの象徵詩時代を代表さすに好適な作品であらう。強ひていへば、「畏怖」の方が一段と原意に深く這入つてゐると思はれる。

北に面へるわが畏怖の原の上に、
牧羊の翁、神樂月、角を吹く。
物憂き羊小屋のかどに、すぐだらて、
災殃のごと、死の羊群を誘ふ。

きし方の悔をもて築きたる此小舍は、
かぎりもなき、わが憂愁の邦に在りて、
ゆく水のながれ、薄荷莢蒾におほはれ、
いざよひの波も重きか、蜘手に澱む。

肩に赤十字ある墨染の小羊よ、
色もの凄き羊群も長棹の鞭に
撻れて歸る、たづたづし、罪のねりあし。
疾風に歌ふ牧羊の翁、神樂月よ、

上田敏の「海潮音」（島田）

今わが頭掠めし稻妻の光に、
この夕おどろおどろしきわが命かな。

Par les plaines de ma crainte, tournés au Nord,
Voici le vieux berger des Novembres qui corne,
Debout, comme un malheur, au seuil du bercail morne,
Qui corne au loin l'appel des troupeaux de la mort

L'étable est cimentée avec mon vieux remords,
Au fond de mes pays de tristesse sans borne,
Qu' un ruisselet, bordé de menthe et de viorne,
Lassé de ses flots lourds, flétrit, d'un cours retors.

Brebis noires, à croix rouges, sur les épaules,
Et béliers couleur feu rentrent, à coups de gaule,

Comme ses lents péchés, en mon âme d'effroi ;
Le vieux berger des Novembres corne tempête.
Dites, quel vol d'éclairs vient d'effleurer ma tête
Pour que, ce soir, ma vie ait eu si peur de moi ?

C

第三類は民謡小曲體である。これは獨逸小曲が主であるが、オオバネルとシェイクスピヤも同類に入れてよいと思ふ。

ここで獨逸小曲を選擇したことは、彼の獨逸文學觀の片鱗をうかがはせて興深い。彼の見るところ(全集補卷。九一頁)では、レッシング、ゲエテ、シルレル乃至ハウプトマン、ズウデルマン等の大作家なことは事實としても、これ以外に捨て難い美をもつたものがありはしないか。彼一個の判斷では、シルレルよりもむしろプラアテン、アイヒェンドルフ、ヘッベル等をこそ眞の詩人と見る。ハウプトマン、ズウデルマンもさることながら、なぜメェリケやストルムを紹介しないのかといふ氣持があつた。それらの見方は、此『海潮音』にも出てゐて、ここに譯出されたものは皆、明るく懷かしくやさしい眞情の流露せる純抒情的な小曲のみである。なかにもヰルヘルム・アァレントの「わすれなぐさ」や、オイゲン・クロアサンの「秋」や、カアル・ブッセの「山のあなた」や、テオドル・ストルムの「水無月」などは絶唱である。

山のあなたの空遠く
「幸」住むと人のいふ。
噫、われひとと尋めゆきて、
涙さしぐみ、かへり來ぬ。
山のあなたになほ遠く

「幸」住むと人のいふ。

Über den Bergen, weit zu wandern,
Sagen die Leute, wohnt das Glück,
Ach und ich ging im Schwarme der andern,
Kam mit verweinten Augen zurück.
Über den Bergen, weit drüben,
Sagen die Leute, wohnt das Glück …

但しストルムが「水無月」の第五行の原詩 Schwer von Segen ist di Flur は、「野は幸のため重し(幸にみちたり)」の意である。これは、譯者がことさらに改作したものかとも思はれるが、恐らくは不注意のために犯した小過誤であつたらう(その原詩は一〇一頁參照)。他の諸作も多く原意を汲んで餘すところがない。ことにハイネの「花のをとめ」のごときはルッビンスタインの樂譜に合せて、句讀も停音も一一それに從つた程である。〔附註するが、「文藝研究」(昭和三年五月號)所載『海潮音』中の獨逸詩人」と題する茅野蕭蕭の小論は、これらの獨逸詩人に關する要をえた紹介で、必讀の好文獻である。」

シェイクスピヤの「花くらべ」の譯文は數回の改案を經たもので、譯筆に多少の苦心を見るが、これは文藝復興期の英文學の一章を民謠體の佳什にこなしかへて、その味を傳へようとしたものである。

燕も來ぬに水仙花、
大寒(おほさむ)こさむ三月(さんぐわつ)の
風にもめげぬ凛凛(りり)しさよ。
またはジュノウのまぶたより、
ギイナス神の息(いき)よりも、
なほ﨟(らふ)たくもありながら、
菫の色のおぼつかな。
照る日の神も仰ぎえて、
嫁(とつ)ぎもせぬに散(ちり)はつる

色蒼ざめし櫻草、
これも少女の習かや。
それにひきかへ九輪草、
編笠早百合氣がつよい。
百合もいろいろあるなかに、
鳶尾草のよけれども、
ああ、今は無し、しよんがいな。

...... Daffodils,
That come before the swallow dares, and take
The winds of March with beauty; violets dim,
But sweeter than the lids of Juno's eyes
Or Cytherea's breath; pale primroses,
That die unmarried, ere they can behold
Bright Phoebus in his strength—a malady

上田敏の『海潮音』（島田）

Most incident to maids; bold oxlips and
The crown imperial; lilies of all kinds,
The flower-de-luce being one! O, these I lack, ...

按ずるに、これはむしろ獨立した創作詩として面白く、原調を知るものに果して適切な解義・表現として受けとられるかどうかは疑問である。

オオバネルの諸章は、「白楊」といひ、「故國」といひ、「海のあなたの」といひ、悉く獨逸小曲系の表現にしたが、原作に接する機會をもたぬわれわれには、解釋の點について、獨立した判斷を下しがたい。疑ふらくは「白楊」などが一番原詩の氣分と發想とに近いもので、「故國」と「海のあなたの」とは、日本語の方が縹渺たる聯想と表情とに富んで、かへつて詩品が上なのではないかと思ふ。それにまた

小鳥でさへも巣は戀し、
まして青空、わが國よ、
うまれの里の波羅葦增雲（パライソウ）。

といふ今日殆んど日本新詩の一小古典とさへなつてゐるもののごときは「波羅葦増雲」といふ手品が施こしてみたくて、ことさらに取出して來たのではないかと推される。もつとも『松の葉』「鳥組」の「鳥も通はぬ山なれど、住めば都よ我里よ」は、此前後の彼の愛誦歌であつたから、此プロヴンス詩人の佳品と較べて、一は顯、一は晦、「むかふは文學者として堂堂と稱讚されるが、是ば可哀さうに作者の名さへ分らぬ」（全集巻六。五六頁）」その差のはげしきに驚き、しかもその「平凡のやうでゐて、よく考へると、ふつくらした圓滿な調子」（同上）に魅せられてもゐたので、特に此小詩が彼の感興をそそつてゐたらうことは、勿論否定し難い事實である。「海のあなたの」は、原詩にもこれ程縹渺たる神韻が見出せないのではあるまいか。

　とまれ此第三類をかりに民謠小曲體と名づけると、此系統のものが集中相當に數多く、且つ佳品に惠まれてゐるのは何故であらう。思ふに、上田敏は當時民謠體の詩を重視し、且つその研鑽を怠らず、西詩を移植するに當つて、たくみにそれを應用し、かくの如き燦爛たる成果を收めえたのではないか。彼が民謠に傾倒したのは、これを文學の母胎たる「自然詩」と見、文學はつねにかかる根源に復歸することによつて、清新潑剌たる生氣を取戻しうると感じてゐたためであつた。尚、此前後の談話その他を拾つてみると、自分は音樂をきいても、いつも民謠の這入つてゐるところが一番好きだ。越後獅子でも「おのが姿を花と見て……」といふところよりも「來るか來るかと濱へ出てみれば、濱は松風、音やまさる」といふところがよい、それも要するに深いところに根柢のある詩だからだといふやうな意味の言葉(全集卷六。四三頁)も殘つてゐるし、根元に遡つて民謠の醇朴な曲を拾ひ集め、追分節のやうなものを參考して、すなほな藝術を生み出したいといふ念願も持してゐたのである。『海潮音』中の民謠體の作品の質量ともに優秀なのは、譯者の心境に於けるかかる背景を考慮に入れなければ、殆んど解するに苦しむであらう。

D

第四類は、明治二十八年來、彼が西詩の大雅として、精研愛誦してゐた伊英の諸詩人で、特にその重なるものは心理體ともいふべきものである。伊太利古文學に所謂「清新體」乃至哲理詩に屬する風體である。例へばダンテ・アリギエリが『新生』の第一章

心も空に奪はれて物のあはれをしる人よ、
今わが述ぶる言の葉の君の傍に近づかば、
心に思ひ給ふこと應へ給ひね、洩れなくと、
綾に畏こき大御神「愛」の御名もて告げまつる。

さても星影きららかに、更け行く夜も三つ一つ
ほとほと過ぎし折しもあれ、忽ち四方は照渡り、
「愛」の御姿うつそ身に現はれいでし不思議さよ。
おしはかるだに、その性の恐ろしときく荒神も、

御氣色いとど麗はしく在すが如くおもほえて、
御手にはわれが心の臟、御腕には貴やかに
あえかの君の寢姿を、衣うちかけて、かい抱き、

やをら動かし、交睫の醒たるほどに心の臟、
ささげ進むれば、かの君も恐る恐るに聞しけり。
「愛」は乃ち馳せ走りつ、馳せ去りながら打泣きぬ。

A ciascun' alma presa, e gentil core,
Nel cui cospetto viene il dir presente,
In ciò che mi riscrivan suo parvente,
Salute in lor signor, cioè Amore.

Già eran quasi ch' atterzàte l' ore
Del tempo che ogni stella n' è lucente,

Quando m' apparve Amor subitamente,
Cui essenza membrar mi dà orrore.

Allegro mi sembrava Amor, tenendo
Mio core in mano, e nelle braccia avea
Madonna, involta in un drappo, dormendo.

Poi la svegliava, e d' esto core ardendo
Lei paventosa umilimente pascea:
Appresso gir ne lo vedea piangendo.

などは、直接心情を歌ひいで、その紆曲した精緻の感を發して、はやくも精神活動の直寫を試みてゐる。かかる十三世紀伊太利古詩人の方針を、近世の精緻な思想に應用して、單なる敍景詩ならぬ、心理體ともいふべき一種特別な詩風を試みるがよいといふのは、此前後に於ける彼の主張(全集補卷。一三〇頁)であつた。

ロゼッティの「命の家」に就て心にくきまでその眞意を汲んでゐるのは、長い間の精讀の賜物である。彼のロゼッティ觀は「上田敏の英文學觀」を參照されたいが、

「日」の歌は象牙にけづり、「夜」の歌は黒檀に彫り、
頭なる華のかざしは輝きて、阿古屋の珠と、
照りわたるきらびの榮の﨟たさを「時」に示せよ。

Carve it in ivory or in ebony,
As Day or Night may rule; and let Time see
Its flowering crest impearled and orient.

と「刹那をとむる銘文」たる「小曲」を歌へるものも、

「戀」の玉座は、さはいへど、そこにしも在じ、空遠く、
逢瀬、別の辻風のたち迷ふあたり、離りたる

夢も通はぬ遠つぐに、無言の局奥深く、
設けられたり。

Love's throne was not with these; but far above
All passionate wind of welcome and farewell
He sat in breathless bowers they dream not of.

といふ絶唱も、「春の貢」といふ愛の讃歌も、いづれもらくらくと釋義しえて、難解な原詩の神韻を奪ひ（クリスティナ・ロゼッティは評に及ばず）、近世的心理體たるブラウニングも、「瞻望」の佳什によつて、その解義の精緻を示したが、「出現」

苔むしろ、飢ゑたる岸も
　春來れば、
つと走る光、そらいろ、
　菫咲く。

村雲のしがむみそらも、
　ここかしこ、
やれやれて、影はさやけし、
　ひとつ星。

うつし世の命を恥の
　めぐらせど、
こぼれいづる神のゑまひか、
　君がおも

Such, a starved bank of moss
　Till, that May-morn,
Blue ran the flash across:
　Violets were born!

Sky —— what a scowl of cloud
  'Till, near and far,
Ray on ray split the shroud:
  Splendid, a star!

World —— how it walled about
  Life with disgrace
Till God's own smile came out:
  That was thy face!

の佳調は、後半に於て多少調子ののびた「岩陰に」を凌いで「春の朝」の絶妙「至上善」の暢達と相並んでゐる。殊に

時は春

日は朝(あした)、
朝(あした)は七時、
片岡に露みちて、
揚雲雀(あげひばり)なのりいで、
蝸牛(かたつむり)枝(えだ)に這(は)ひ、
神、そらに知(し)らしめす。
すべて世は事も無し。

The year's at the spring,
And day's at the morn;
Morning's, at seven;
The hill-side's dew-pearled;
The lark's on the wing;
The snail's on the thorn;
God's in His heaven —

All's right with the world !

といふ後者は、原調の鬼工をほとんど凌ぐ趣あつて、一世を聳動したのも故なしとしない。但しブラウニングに對する彼の解釋と、それに關する評者の私見とは、すでに「上田敏の英文學觀」の中に略述しておいたから、それに就て見られたい。

アルトゥロ・グラアフやガブリエレ・ダンヌンチオは、その詩祖と國籍を同じくするところから、暫らく一括して此項の終りに說くが、『美都波女(ダナイデイ)』の一章たる「解悟」はいかにもその作者たる學匠にふさはしき溫雅な詩風をよく傳へ、『新歌集(カント・ヌオヴオ)』、『削ル(ポエマ・パラデイジアアコ)』等に盛られたダンヌンチオ詩は、いづれも奔放燦爛たる南歐の海光・谿聲を移して、此海潮の音に伴奏、終曲するにふさはしいが、卷首の「聲曲」は、すでに『みをつくし』の中に含まれて、ショパンの卽興樂を紙上に奏してゐる。

われはきく、よもすがら、わが胸の上に、君眠る時、
吾は聽く、夜(よる)の靜寂(しづけき)に、滴(したたり)の落つるを、將(はた)落つるを。
常にかつ近み、かつ遠み、絕間なく落つるをきく、

夜もすがら、君眠る時、君眠る時、われひとりして。

Odo nella notte quando tu dormi sul mio cuore, odo nel silenzio della notte una stilla che cade, che lenta cade, eguale continua cade, così da presso, così lontano! Odo nella notte la stilla che dal mio cuore cade, lo stillante sangue che dal mio cuore cade, quando tu dormi, quando tu dormi, io solo.

このうち原文の最終行、”Odo nella notte la stilla che dal mio cuore cade, lo stillante sangue che dal mio cuore cade, quando tu dormi, quando tu dormi, io solo„ のうち、下に縦線を引いた個所を除いてゐる。彼はたえずエレル(G. Hérelle)の佛譯を參照してゐた筈だから、その譯書に脱落してゐる部分かとも想像してみたが、エレルを開いてみると、そこは la goutte qui tombe de mon coeur, le sang qui, goutte à goutte, tombe de mon coeur, として正解插入されてゐる。從つて、これは、サマンの「伴奏」と同じく、故意に脱落したものと見做すべきである。夢のやうに語る此「卽興樂」の幽趣にもまして、更に彼の意をえてゐたものは「フランチェスカ・ダ・リミニ」第三幕の插曲であつた。それはこの榮ある譯業の巻頭に置かれたことによつても推定されるが、彼みづから「ぞつとする位優美で高尙」（全集巻四。二二三頁）と評してゐることによつて、明證される。但し彼の解義はアアサア・シモンズの要をえた英譯を參照しつつ成つたものかもしれない。現に明治三十七年七月十一日竹柏園の大會で行つた講演の筆記たる「劇詩フランチェスカ」の中でも、「當代一流の名家の作を天下一の名優が演じたのであるから、多少の缺點があるにしろ、何さま世間の注目を惹いて、伊太利亞各地の都會で演ぜられ、遂には佛蘭西獨逸英吉利でも飜譯で流行しました」（全集巻四。一三頁）とあるが、その英吉利の飜譯とは、シモンズのものを指すことは明らかである。加ふるに、此頃のシモンズは、當時賣出しの批評家として、ペイタアの衣鉢を傳へたといはれる程好評を博してゐたので、彼はその「象徵派の文學運動」その他、後に「詩文研究」や「七藝術研究」等に收められた諸評論を愛讀してゐた。それらの事實を思ひ合はせると、愈愈その可能性が濃厚になつてくるであらう。（附註參照）

IV

『海潮音』中の諸派並びに作品に對する上田敏の解釋と評者の私見とは、上來その大要を盡した。では、かくの如き制作を日本語に移すに當つて、彼はいかなる方法を用ゐたか、――これからその譯述法に關する諸問題を說いてみたい。

上田敏が譯述の態度は、『海潮音』の序によつて明らかである。曰く、「譯詩の覺悟に關して、ロゼッティが伊太利古詩飜譯の序に述べたると同一の見を持したりと告白す。異邦の詩文の美を移植せむとする者は、既に成語に富みたる自國詩文の技巧の爲め、淸新の趣味を犧牲にする事あるべからず。而もかの所謂逐語譯は必ずしも忠實譯にあらず。されば「東行西行雲眇眇。二月三月日遲遲」を「とざまにゆき、かうざまに、くもはるばる。きさらぎ、やよひ、ひうらうら」と訓み給ひけむ神託もさることながら、大江朝綱が二條の家に物張の尼が「月によつて長安百尺の樓に上る」と詠じたる例に從ひたる所多し」と。——ここにいふロゼッティの序とは、"Dante and his Circle: with the Italian Poets preceding him (1100—1200—1300). A Collection of Lyrics. Translated in the Original Metres" 第一版(一八六一)の序のことで、恐らく "The life-blood of rhythmical translation is this commandment,—— that a good poem shall not be turned into a bad one. The only true motive for putting poetry into a fresh language must be to endow a fresh nation, as far as possible, with one more possession of beauty. Poety not being an exact science, literality of rendering is altogether secondary to this chief law. I say literality, —— not fidelity, which is by no means the same thing. When literality can be combined with what is thus the primary condition of success, the translator is fortunate, and must strive his utmost to unite them; when such object can only be attained by paraphrase, that is his only path."

とある一節を指したものらしい。これによつて彼が序中に要約した譯詩の原則は、(第一)「成語に富みたる自國詩文の技巧の爲め、清新の趣味を犧牲」にしてはならぬ。(第二)といつて、かの「逐語譯必ずしも忠實譯」とは限らないといふのである。譯詩の理想は、實に此兩者の渾然たる融合にあるといふのである。思ふに譯詩に對する彼のかういふ根本態度は、必ずしも『海潮音』に於て始めて現れたものではない。彼はすでに明治二十五年(十九歳)の頃より此兩者の渾融についてさまざまな苦心を拂つてゐたらしい。第一高等中學校豫科に在つた頃試作した二英詩の移植が、何よりも雄辯にその心境を語つてゐるのである。

The flower that smiles to-day
　けふにほふ花や
To-morrow dies
　あしたにちりはてん
All that we wish stay
　あらまほしきものとていとど

Tempts and then flies.
たのしきもさてなくなりぬ
What is the world's delight?
人の世をなににたとへんいなつるび
Lightning that works the night
暗をあざけりさてきえぬ
Brief even as bright.
てりわたる其はやきごとうする電光

〔右シェリイ作〕

On Jordan's Banks

On Jordan's banks the Arab camels stray
よるだんの河にそひゆけばあらぶひと馬に水かひ
On Zion's hill the False One's votaries pray
しおん山われ越えくればよこしまのうからやからの神祭り

The Baal-adorer bows on Sinai's steep
鬼拜むひともこもれりさいないのやま
Yet there —— even there —— Oh God! thy thunders sleep.
しかすがになほこそそこに大御神君かいかつちなほねむれ
〔右バイロン作〕

彼は此二作を評して、前者は「意を失はざらんとつとめて辭斷裂し」後者は「國文の脈をとらんとして反つて意をそこなつた」と嘆いてゐる(全集卷八。五六二頁)。が、翌年(二十歳)早春の作と推される「洛屈斯禮閣」は兎も角として、その直後の「蒙度」は、すでに或程度の融合に成功し、『海潮音』の前奏曲たる多少の部分を示してゐる。ことに、

かのひとは歩みきたれり、わが戀ふる
鳩のやうなるかのひとは。　命なりけり
わが戀よ。　くれなゐのさうびの花は

よばはりぬ。「近く來れり、ああ近し。」
白さうびなきつついひぬ「はや遲し。」
ひばりのこゑはおとしきぬ「われも
ききたり」。ゆりのはなかすかにいひぬ、
「われは待てり」と。

かのひとは歩み來れり、わがおもひ、
ゆたかに輕きはこびかな、花だんの土と
けすとても、胸は跳らむ、百年も
たとへねむるも、かの音にさめざらめやも、
ふるひおき、紫のゆかり色こく、紅の
花となりても、さきいでつべし。

She is coming, my dove, my dear;
She is coming, my life, my fate;

The red rose cries: She is near, she ie near;
And the white rose weeps, 'She is late';
The larkspur listens, 'I hear, I hear';
And the lily whispers, 'I wait.'

She is coming, my own, my sweet;
Were it ever so airy a tread,
My heart would hear her and beat,
Were it earth in an earthy bed;
My dust would hear her and beat,
Had I lain for a century dead;
Would start and tremble under her feet,
And blossom in purple and red.

といふ最後の二聯のごときは、多少の修訂を加へれば、十分に『海潮音』中にも收錄されうるほどである。ことにクリスティナ・ロゼッティの「花の教」の第一稿（全集卷五。九一頁）とは、相距る僅に數歩にすぎない。かくのごとき修錬の諸段階を經て、明治三十五年後期以後劃然として現出し始めた彼の諸譯章は、果してどの點まで彼の抱負を實現してゐるであらうか。彼がひそかに庶幾してゐた前述二要素の融合は、はたして十分に實現されてゐるであらうか。

此渾融の程度は、見るひとの立場によつて、さまざまな批評を招くに違ひない。思ふに今日のごとく、すでに口語體によつて或點まで緻密に西洋文學の感じを傳へうる時代に成長した人にとつては、『海潮音』の譯述法は日本化のくさみが强すぎるといふ感を免れがたいであらう。これは評者の推測にすぎないが、此譯詩集の上梓された時、すでにその嘆はあつたらしい。例へば「帝國文學」の鸚鵡公は、その「詩壇漫言」（二十）の中に、「日本の古い語を用ひ過ぎた」（明治三十九年一月號「帝國文學」六一頁）旨を痛感し、「文庫」の評者は「あまりに古ぶりな詞の使用」（「明治大正詩史」卷下。二〇九頁）を遺憾としたと言つてゐる。勿論これらの批評は、主として語彙そのものへの不滿を洩したにすぎないけれど、それは同時に譯述法全體に日本化の强すぎるうらみをこめてゐたのではないかと思ふ。もつとも當時は、日本の新詩壇として殆んど絶後の觀あるほど、古語、古調の使用復活が流行してゐたのであるから、一般に、少くとも愛詩家間の、言語感覺は、今日とはいたく異つて、或ひはあまりに古臭や日本化の臭味を感じてはゐなかつたかとも考へられる。この問題は、もう少し當時の人人の言語表現に關する資料や批判を集めてから、考察するのが至當と思ふので、評者の意見は更に後日を期することにしたいが、少くとも大正以後の言語表現に育まれてひととなつた現代の青年や壯年者にはすでに前述のうらみは十分に同感されよう。

かかる全體的な渾融感は、一一の作品を取上げて、原詩と對照しながら、語彙、律格、調律、句法、氣分等の諸問題を考へつつ、更に精細に追尋してゆくべきものであらう。が、此小論ではそれを詳密に精査するだけの餘裕が與へられてゐない。從つて、ここにはそのうちの僅か二三の問題について概括的な説明を施こすにとどめたいと思ふ。

五音と七音との詩律は、日本詩歌の基礎的律格として古來愛用されて來たが、新詩壇の成立した後も依然として中心的詩形の位置を確守した。そのうち最も原始的にして單純なる形態は、所謂七五調であり、五七調である。わが新詩壇に於て、此律格に眞の生命あらしめ、はじめて作者の呼吸を此單純素朴な詩形に托して、しかも十分に個性を現はしえたのは、何といつても島崎藤村の『若菜集』と『落梅集』とを推さなければなるまい。此律格は比較的單純なる純情の吐露に適するものである。從つて、上田敏が獨逸小曲その他純一素朴な感情の波に乘るものを、此律格に盛つたのは、極めて當然な選擇であつた。

上田敏の『海潮音』(島田)

(1)正格な七五調としては、アァレントの「わすれなぐさ」、ブッセの「山のあなた」、クロアサンの「秋」、ポシンゲルの「わかれ」、オオバネルの「故國」等があるが、いづれも原調に適して、純な氣息を感せしむるのに成功してゐる。殊に次の一章は名譯の評が高い。

ながれのきしのひとともとは、
みそらのいろのみづあさぎ、
なみ、ことごとく、くちづけし
はた、ことごとく、わすれゆく。

然しながら、この「わすれなぐさ」が『於母影』の「花薔薇」（カルル・ゲロック作）から直接に聯絡してゐることは、詩眼あるひとの、一讀して、直ちに想起するところであらう。バルシュの「春」、オオバネルの「海のあなたの」は、これに些少の變調（ヴリアシオン）を加へたに過ぎない。恐らく日本詩壇でこれ位ふつくらした民謠體を生んだのは、このオオバネルの小曲などが最初ではなかつたかと思ふ。（附註參照）

海のあなたの遙けき國へ、
いつも夢路の波枕、
波の枕のなくなくぞ、
こがれ憧(あこが)れわたるかな、
海のあなたの遙けき國へ。

かかる調子は、日本詩壇で、『海潮音』が最初に響かせたものであるが、蒲原有明へも、北原白秋へも、おびただしく餘韻を傳へてゐるものではないか。

七五調に變調(ヴリアシオン)を加へた點では、シェイクスピヤの「花くらべ」、クリスティナ・ロゼッティの「花の教」も同斷であるが、原調を考へると、しかく贊成は出來ない。後者はまだそれほどの無理を感じないが、前者は獨立した創作品として味はふ時に、はじめて譯者の詩腕に興趣を感ずるにすぎないものであらう。

更にまたボオドレェルの「梟」とヱルハアレンの「水かひば」とは、ともに正格な七五調に盛られたが、ボオドレェルの八綴詩は兎も角として、ヱルハアレンの十二綴詩を強ひて此詩形に盛つたのは、原詩の堂堂たる氣息を無理に壓縮してしらべを輕からしめたうらみがないか。

ほらあなめきし落窪の、
夢も曇るか、こもり沼は、
腹しめすまで浸りたる
まだら牡牛の水かひ場。

En un creux de terrain aussi profond qu'un antre,
Les étangs s'étalaient dans leur sommeil moiré,
Et servaient d'abreuvoir au bétail bigarré,
Qui s'y baignait, le corps dans l'eau jusqu'à mi-vente.

(2) 五七調の好例は、ストルムの「水無月」と、エルハアレンの「鷺の歌」とによつて代表されるが、七五の正調にくらべて多少呼吸が重くなるだけ、強弱四脚律の北獨逸詩星の氣息や、沈痛な「たとへ草」の作者の六綴の原調には、比較的適した律格となつた。

子守歌風に浮びて、
暖かに日は照りわたり、
田の麥は足穗（たりほ）うなだれ、
茨（ゐばら）には紅き果（み）熟し、
小河には木の葉みちたり。
いかにおもふ、わかきをみなよ。

Klingt im Wind ein Wiegenlied,
Sonne warm herniedersiht,
Seine Ähren senkt das Korn,
Rote Beere schwillt am Dorn,
Schwer von Segen ist die Flur——
Junge Frau, was sinnst du nur?

上田敏の『海潮音』（島田）

二三九

オオバネルの「白楊」は五七の變調で、特に後半に五音を繰り返したところに、譯者の詩律に關する神技を感ずることが出來る。

落日の光にもゆる
白楊の聳やく並木、
谷隈になにか見る、
風そよぐ梢より。

(3) ハイネの「花のをとめ」は、

妙に清らの、ああ、わが兒よ、
つくづくみれば、そぞろ、あはれ、
かしらや撫でて、花の身の
いつまでも、かくは淸らなれと、
いつまでも、かくは妙にあれと、

いのちまし、花のわがめぐしご。

Du bist wie eine Blume
So hold und schön und rein;
Ich schau' dich an, und Wehmut
Schleicht mir ins Herz hinein.

Mir ist, als ob ich die Hände,
Aufs Haupt dir legen sollt;
Betend, dass Gott dich erhalte
So rein und schön und hold

のごとく、七・六／七・六／七・五／八・六／八・六／八・六／といふ律格であるが、實は三・四・二・四／四・三・三・三／四・三・三・二／五・三・三・三／五・三・三・三／五・三・二・四といふ位にこまかく刻むことを要求してゐたと思ふ。この複雑な調律は、弱強三脚律を中心とし、これに變調を加へた原詩の調子を寫し出さうとして、かなり成功したものと見てよいのではなからうか。

單純素朴な民謠小曲體については、さして問題がない。然し、佛蘭西高踏派の莊麗體を寫すには、どうすればよいか。六脚十二綴の高雅な佛蘭西詩を日本語のリズムに移すには、どうすればよいか。いふまでもなく、ここでは莊重にして均整のとれた、典雅にして清新な瑰麗體を、創出せねばならぬ。彼はさまざまに考へた末、つひに(1)七五・七五、(2)五七・五七、合せて二十四音を一行とする律格を案出した。この律格は、すでに先進の中に用ゐたひとがないとは言はれぬ。すでに藤村は、その『一葉舟』の「鷲の歌」の中に、晩翠はその『曉鐘』の「萬里長城の歌」や「吉國樟堂を弔ふ」等の中に、これを用ゐて、かなりの功ををさめた。が、一般に言つて、上田敏以前の日本新詩壇で、此律格を愛用したものは、あまりなかつたと言つてよい。果然、彼の選擇は功を奏した。此律格は、彼の手によつて、殆ど空前の成功を見たのである。藤村のいきは柔かすぎ、晩翠のいきは剛すぎて、ともに此長氣息の詩律に適合しなかつたに反し、高踏派の莊麗體を移した彼の詩情はここに絕好の表現を見出したのである。

此(1)七五・七五、二十四音調で終始一貫したものは、ルコント・ドゥ・リイル全部と、エレディヤの「珊瑚礁」と、ボオドレエルの「信天翁」「薄暮の曲」「人と海」と、都合七章である。例へば、『古代詩集』中の次の一節を見よ。

唯熟したる麦の田は黄金海と連なりて、
かぎりも波の揺蕩に、眠るも鈍と嘲みがほ、
聖なる地の安らけき児等の姿を見よやとて、
畏れ憚るけしき無く、日の觴を嚥み干しぬ。

また、邂逅に吐息なす心の熱の穂に出でて、
囁声のそこはかと、鬚長穎の胸のうへ、
覚めたる波の揺動や、うねりも貴におほどかに、
起きてまた伏す行末は沙たち迷ふ雲のはて。

Seuls, les grands blés mûris, tels qu' une mer dorée,

上田敏の『海潮音』（島田）

Se déroulent au loin, dédaigneux du sommeil;
Pacifiques enfants de la terre sacrée,
Ils épuisent sans peur la coupe du soleil.

Parfois, comme un soupir de leur âme brûlante,
Du sein des épis lourds qui murmurent entre eux,
Une ondulation majestueuse et lente
S'éveille, et va mourir à l'horizon poudreux.

或ひはまた『戰勝標』中の次の一節を見よ。

鱗の光のきらめきに白琺瑯を曇らせて、
枝より枝を横ざまに、何を尋ぬる一大魚、
光透入る水かげに、慵げなりや、もとほりぬ。

忽ち紅火飄へる思の色の鰭ふるひ、
藍を湛へし靜寂のかげ、ほのぐらき青海波、
水搖りうごく搖曳は黃金、眞珠、青玉の色。

De sa splendide écaille éteignant les émaux,
Un grand poisson navigue à travers les rameaux;
Dans l'ombre transparente indolemment il rôde;

Et, brusquement, d'un coup de sa nageoire en feu
Il fait, par le cristal morne, immobile et bleu,
Courir un frisson d'or, de nacre et d'émeraude.

是等の譯詩に接するものは、卒然として高踏派の導師の深沈雄大な辭章、或ひはその正系の巨擘の比類なき繪畫美の句法を、直下に會得しうるであらう。古來、譯業にしてかくまでも原典のこころとかたちとを生かしえたものは少い。これら

上田敏の『海潮音』（島田）

の詩章になると、序に述べた譯者の抱負は十全に實現されて、些の遺憾もないといへる。これに反して、『惡の華』の詩人の作品は、譯者の天禀の原作に浸透しえなかつたためか、いたづらに調子がなめらかに、輕く走りすぎて、あの冷徹にしてしかも熱氣を帶びたしらべがつひに捉へられてゐない。

次に(2)五七、五七、二十四音調は、エレディヤの「床」と、プリュドンの「夢」と、ボオドレェルの「破鐘」と、都合三章であるが、いづれもとりどりに原作の神韻に迫つて、多く成功と見てよい。

ほのぼのとあけゆく光、疑ひて眼ひらけば、
雄雄しかる田つくり男、梯立に口笛鳴らし、
繪具の蹋木もとどろ小山田に種ぞ蒔きたる。
世の幸を今はた識りぬ、人の住むこの現世に、
誰かまた思ひあがりて、同胞を凌ぎえせむや。
其日より吾はなべての世の人を愛しそめけり。

J'ouvris les yeux, doutant si l'aube était réelle ;
De hardis compagnons sifflaient sur leur échelle,
Les métiers bourdonnaient, les champs étaient semés.

Je connus mon bonheur, et qu'au monde où nous sommes
Nul ne peut se vanter de se passer des hommes ;
Et depuis ce jour-là je les ai tous aimés.

なほかかる二十四音調の變調（ヴァリアシオン）として、彼はまた、(3)五・七・五／七・五・七、即ち十七音十九音交錯調なるものを創始した。これはエレディヤの「出征」にのみ用ゐたが、原詩の氣息を生（い）かすのに、二十四音調ではどうしても長すぎるのでさてこそかういふ特異な律格を案出したのである。此律格は原詩の鬼工を殆んど奪つて、一世を啞然たらしめたと言つてよい。

高山（たかやま）の鳥栖巣（とぐらす）だちし兄鷹（せう）のごと、

上田敏の『海潮音』（島田）

身こそたゆまね、憂愁に思は倦じ、
モゲルがた、パロスの港、船出して、
雄詰ぶ夢ぞ逞ましき、あはれ、丈夫。

チパンゴに在りと傳ふる鑛山の
紫摩黄金やわが物と遠く、求むる
船の帆も撓わりにけりな、時津風
西の世界の不思議なる遠荒磯に。

ゆふべゆふべは壯大の旦を夢み、
しらぬ火や、熱帶海のかぢまくら
こがね幻通ふらむ。またある時は、
白妙の帆船の舳さき、たたずみて、
振放みれば、雲の果、見知らぬ空や、

蒼海の底よりのぼる、けふも新星。

Comme un vol de gerfauts hors du charnier natal,
Fatigués de porter leurs misères hautaines,
De Palos de Moguer, routiers et capitaines
Partaient, ivres d'un rêve héroïque et brutal.

Ils allaient conquérir le fabuleux métal
Que Cipango mûrit dans ses mines lointaines,
Et les vents alizés inclinaient leurs antennes
Aux bords mystérieux du monde Occidental.

Chaque soir, espérant des lendemains épiques,
L'azur phosphorescent de la mer des Tropiques
Enchantait leur sommeil d'un mirage doré;

Ou, penchés à l'avant des blanches caravelles,
Ils regardaient monter en un ciel ignoré
Du fond de l'Océan des étoiles nouvelles.

そのためか、有明は間もなく「豹の血」の聯彈八章の中に、此律格をその藥籠中のものとして、彼の跡を追ひ、白秋もまた「邪宗門秘曲」の新體の中に兩先進の開いた道を歩んで、此律格を日本詩壇の一正型に高めることが出來た。此二大詩匠の陰影に豐かな複雜精緻な詩體の或者も、實はかくのごとく、その源を『海潮音』に仰ぎ、特に「出征」を換骨して獲來つた者が多いのである。

ユウゴオとコペエとの物語詩二章は、原調がそれぞれ十二熟音律(アレクサンドラン)であるが、その詩感の性質に應じて、「良心」は、大體五・七・五・十七音一行を骨格として、時にこれに破調を加へる新體を創め、「禮拜」は物語の中心を七・五の聯續調でつなぎ、その中間に破調を加へて、なめらかなしらべを突兀たる調聲で破り、七・五の長編がとかく陷りがちな單調を救はうとした。

革衣（かはごろも）纏へる兒等（こら）を引具（ひきぐ）して
髮おどろ色蒼ざめて、降る雨を、
エホバよりカインは離（さか）り迷ひいで、
夕闇の落つるがままに愁然（しうねん）と、
大原（おほはら）の山の麓（ふもと）にたどりつきぬ。

Lorsque avec ses enfants vêtus de peaux de bêtes,
Échevelé, livide au milieu des tempêtes,
Caïn se fut enfui de devant Jéhovah,
Comme le soir tombait, l'homme sombre arriva
Au bas d'une montagne en une grande plaine.

街（まち）既（すで）に落ちて、家を圍（かこ）むに、

上田敏の『海潮音』（島田）

閉ぢたる戸毎に不順の色見え、
鐵火、窓より降りしきれば、
「憎つくき僧徒の振舞」と
かたみに低く罵りつ。
明方よりの合戰に
眼は硝煙に血走りて、
舌には苦がき紙筒を
嚙み切る口の黒くとも、
奮闘の氣はいや益しに、
勢猛に追ひ迫り、
黑衣長袍ふち廣き帽を狙擊す。

La ville prise, on fit le siège des maisons,
Qui, bien closes, avec des airs de trahisons,
Faisaient pleuvoir les coups de feu par les fenêtres.

On se disait tout bas; "C'est la faute des prêtres."
Et quand on en voyait s'enfuir dans le lointain,
Bien qu'on eût combattu dès le petit matin,
Avec les yeux brûlés de poussière et la bouche
Amère du baiser sombre de la cartouche,
On fusillait gaîment et soudain plus dispos
Tous ces longs manteaux noirs et tous ces grands chapeaux.

此譯者の意圖は十分に同感されるが、結果の可否については、多少の異論があらう。強ひていへば、前者の方が一貫した詩技を感ぜしめるけれど、それも要するに程度問題で、勞多きわりにそれだけの效果が擧つてゐるかどうか疑問だと思ふ。ただし前者が節奏に多少の「跨（またぎ）」を用ゐ、且つ、それが多く奏功してゐることは、認めざるをえない。

これに反して、象徴派の幽婉體は、いかなる律格に移すべきか。彼はこれに對して種種な詩律を適用した。まづ彼等のうち、ヱルレエヌの「よくみるゆめ」、ヱルハアレンの「法の夕」と「時鐘」、ロオデンバッハの「黄昏」等を、原調に應じて、(1)七五、七五、二十四音調に盛つたのは、贊成である。これらのものは、普通象徴派に數へ上げられる彼らのものにしても、いはば高踏派時代の作品なのであるから、原調の律格とも自然に暗合するわけである。しひて難をいへば、「よくみるゆめ」のあの民謠調のふしまはしが、譯文ではあまりに堂堂としすぎて來たうらみがあり、ヱルハアレンの二章はともに調子がすべりすぎ、ことに「時鐘」の折かへしにその弊が甚だしいが、ロオデンバッハの「黄昏」は、その調子を實によく生かしえた。例へば、次のやはらかな暗い色調を見よ。

夕暮がたの蕭やかさ、燈火無き室の蕭やかさ。
かはたれ刻は蕭やかに、物靜かなる死の如く、
朧朧の物影のやをら浸み入り廣ごるに、
まづ天井の薄明光は消えて日も暮れぬ。

Douceur du soir ! Douceur de la chambre sans lampe !
Le crépuscule est doux comme une bonne mort
Et l'ombre lentement qui s'insinue et rampe
Se déroule en pensée au plafond. Tout s'endort.

さすがに此譯詩が出た時、眼のあるひとは、皆驚いたらしい。小山内薫と推せられる「鸚鵡公」は「此作者の他の作をもつと多く見たかつた」（「帝國文學」明治三十九年一月號。一六四頁）と望み、蒲原有明にも、北原白秋にも、その、直接間接の餘響は夥しく殘つてゐるが、今に尙その神韻は蒼古の形をとどめて少くも古くなつてゐない。モレアスの「賦」もまた此詩律に移されたが、

長雨空の喪過ぎて、さすや忽ち薄日影、
冠の花葉ふりおとす栗の林の枝の上に、
水のおもてに、遲花の花壇の上に、わが眼にも、
照り添ふ匂なつかしき秋の日脚の白みたる。

日よ何の意ぞ、夏花のこぼれて散るも惜からじ、
はた禁めえじ、落葉の風のまにまに吹き交ふも、
水や曇れ、空も鈍びよ、ただ悲のわれに在らば、
想はこれに養はれ、心はために勇をえむ。

Rompant soudain le deuil de ces jours pluvieux,
Sur les grands marronniers qui perdent leur couronne,
Sur l'eau, sur le tardif parterre et dans mes yeux
Tu verses ta douceur, pâle soleil d'Automne.

Soreil, que nous veux-tu ? Laisse tomber la fleur,
Que la feuille pourrisse et que le vent l'emporte !
Laisse l'eau s'assombrir, laisse-moi ma douleur
Qui nourrit ma pensée et me fait l'âme forte.

といふなど、さすがに原調を移す妙技に、ひとをして感嘆せしめる。

同じく六脚十二熟音律ではあつても、マラルメの「嗟嘆」は、前數者にくらべると、はるかに幽婉で思ひ深げな氣息が全曲を貫いて、二十四音調では少し呼吸が長すぎる。そのために彼はこれから二音を減じた(2)五・五・五・七、二十二音調を創始した。

靜かなるわが妹、君見れば、想すずろく。
朽葉色に晩秋の夢深き君が額に、
天人の瞳なす空色の君がまなこに、
憧るるわが脚は、苔古りし花苑の奥、
淡白き吹上の水のごと、空へ走りぬ。
その空は時雨月、淸らなる色に曇りて、
時節のきはみなき鬱憂は池に映ろひ、
落葉の薄黄なる憂悶を風の散らせば、
いざよひの池水に、いと冷やき綾は亂れて、ながながし梔子(くちなし)の光さす入日たゆたふ。

Mon âme vers ton front où rêve, ô calme soeur,
Un automne jonché de taches de rousseur
Et vers le ciel errant de ton oeil angélique
Monte, comme dans un jardin mélancolique,
Fidèle, un blanc jet d'eau soupire vers l'Azur !
— Vers l'Azur attendri d'Octobre pâle et pur
Qui mire aux grands bassins sa langueur infinie
Et laisse, sur l'eau morte où la fauve agonie
Des feuilles erre au vent et creuse un froid sillon,
Se traîner le soleil jaune d'un long rayon.

この律格は五音を三つ重ねて七音で結んだところ、原調に實によく適したと思はれる。恐らく此集中を通じて最もよく成功せるものの一つではあるまいか。

彼はまた、ヱルレェヌの「落葉」のやうな、四綴の短氣息——そこはかとなき落葉の散るあはただしさに、飄零の生をしのばせる、(3)五音一行の短氣息體を創めて、五音律の用法に成功した。

秋の日の
ギオロンの
ためいきの
身にしみて
ひたぶるに
うら悲し。

鐘のおとに
胸ふたぎ
色かへて
涙ぐむ

上田敏の『海潮音』(島田)　二五九

過ぎし日の
おもひでや。

げにわれは
うらぶれて
ここかしこ
さだめなく
とび散らふ
落葉かな。

Les sanglots longs
Des violons
De l'automne
Blessent mon coeur
D'une langueur

Monotone.

Tout suffocant
Et blême, quand
Sonne l' heure,
Je me souviens
Des jours anciens
Et je pleure.

Et je m'en vais
Au vent mauvais
Qui m'emporte
Deçà, delà,
Pareil à la
Feuille morte.

レニエや、グリフィンや、サマンの自由詩形(ヹル・リイブル)に對しては、(4)五音七音を骨子として、これを縱横に交錯させた一種特異な長短錯綜調を創(はじ)めたのである。これは蛇體のうねうねした一種の風格に富む詩律で、或點まで象徵派の自由詩形にふさはしいとも思はれるが、評者自身の耳には、原調に對して少し間(ま)がのびて、大味にすぎるやうに感ぜられる。ことにレニエの詩調などは、もつと緊密・豐麗なのではないか。

延(の)びあくびせよ、傍(かたはら)に「命」は倦みぬ、
——朝明(あさけ)より夕をかけて熟睡(うまい)する
　その萬たげさ、勞(つか)らしさ。
　ねむり眼(め)のうまし「命(いのち)」や。
起きいでよ、呼ばはりて、過ぎ行く夢は、
大影(おほかげ)の奥にかくれつ、
今にして躊躇(ためらひ)なさば、
ゆく末に何の導(しらべ)ぞ。
呼ばはりて、過ぎ行く夢は

去りぬ神秘(くしび)に。

Etire-toi, la Vit est lasse à ton côté
— Qu'elle dorme de l'aube au soir,
Belle, lasse,
Qu'elle dorme —
Toi, lève-toi; le rêve appelle et passe
Dans l'ombre énorme,
Et, si tu tardes à croire,
Je ne sais quel guide il te pourra rester
— Le rêve appelle et passe,
Vers la divinité.

更にこれを自由にして、(5)三・四・五・六・七の各音數を縦横に驅使した自由詩形も生れた。これこそ佛蘭西自由詩の呼吸を日本的にひびかせえた最初のもので、ヹルハアレンの「畏怖」と「火宅」とが、その適例である。

嗚呼、爛壞せる黄金の毒に中りし大都會、
石は叫び烟舞ひのぼり、
驕慢の圓蓋よ、塔よ、直立の石柱よ、
虚空は震ひ、勞役のたぎち沸くを、
好むや汝、この大畏怖を、叫喚を

あはれ旅人、
悲みて夢うつら離りて行くか、濁世を
つつむ火焔の帶の停車場。
中空の山けたたまし跳り過ぐる火輪の響。
なが胸を焦す早鐘、陰陰と、どよもす音も、

このタ都會に打ちぬ。　炎上の焔、赤赤く
千萬の火粉の光、うちつけに面を照らし、
聲黑きわめき、さけびは、妄執の心の矢聲。
滿身すべて瀆聖の言葉に捩れ、
意志あへなくも狂瀾にのまれをはんぬ。
實に自らを衿りつつ、將、咀ひぬる、あはれ人の世。

Oh ! ces villes, par l'or putride envenimées !
Clameurs de pierre et vols et gestes de fumées,
Dômes et tours d'orgueil et colonnes debout,
Dans l'espace qui vibre et le travail qui bout,
En aimas-tu l'effroi et les affres profondes
O toi, le voyageur
Qui t'en allais triste et songeur,
Par les gares de feu qui ceinturent le monde ?

Cahots et bonds de trains par au-dessus des monts !

L'intime et sourd tocsin qui enfiévrait ton âme
Battait aussi dans ces villes, le soir ; leur flamme
Rouge et myriadaire illuminait ton front,
Leur aboi noir, le cri, le han de ton coeur même ;
Ton être entier était tordu en leur blasphème,
Ta volonté jetée en proie à leur torrent
Et vous vous maudissiez tous en vous adorant.

同じく自由詩形でも、ヹルレェヌの「譬喩」は、後のクロオデルが所謂ヹルセエを思はせる。呼吸に應じてリズムが伸縮するのである。

願はくは吾に與へよ、力と沈勇とを。

いつまでも永く狗子のやうに從ひでむ。
生贄の羊その母のあと從ひつつ、
何の苦もなくて、牧草を食み、身に生ひたる
羊毛のほかに、その刻來ぬれば、命をだに
惜まずして、主に奉る如くわれもなさむ。

Mais donnez-moi la force et l'audace sereine
De vous être à toujours fidèle comme un chien.

De vous être l'agneau destiné qui suit bien
Sa mère et ne sait faire au pâtre aucune peine,
Sentant qu'il doit sa vie encore, après sa laine,
Au maître, quand il veut utiliser ce bien.

ダンテ系統の諸體のうち、『新生』の第一章、ロゼッティの「戀の玉座」や「春の貢」、ブラウニングの「岩陰に」は、(1)七五を二つ重ねた二十四音調、「小曲」は(2)五七を二つ重ねた二十四音調で、ともに堂堂たる氣息を見せたが、一番適合したのは、やはり原詩が弱强五音脚の「春の貢」であらう。

草うるはしき岸の上に、いと美るはしき君が面、
われは横へ、その髪を二つにわけてひろぐれば、
うら若草のはつ花も、はな白みてや、黄金なす
みぐしの間のここかしこ、面映げにも覗くらむ。

On this sweet bank your head thrice sweet and dear
I lay, and spread your hair on either side,
And see the newborn woodflowers bashful-eyed
Look through the golden tresses here and there.

ダンヌンチオの「聲曲」、グラアフの「解悟」、ブラウニングの「至上善」は、それぞれ小異あれど、結局、此系統の變調である。原調にくらべて、「至上善」などは形の美しさがととのひすぎる程と思はれる。恐らくブラウニングでは、五・七／五、五・七／五、十二音、五音交錯調の「出現」と、同じく五音をたくみに使ひこなした「春の朝」とが、成功した試譯と感ぜられるが、弱弱強・弱強二脚・四脚を交錯させた原詩を寫し出せる「瞻望」の佳調も、畢竟此一類である。（附註參照）

怕るるか死を。——喉塞ぎ、
　おもわに狹霧、
深雪降り、木枯荒れて、著るくなりぬ、
　すゑの近さも。
夜の稜威、暴風の襲來、恐ろしき
　敵の屯に、
現身の「大畏怖」立てり。しかすがに
　猛き人は行かざらめやも。

上田敏の『海潮音』（島田）

それ、旅は果て、峯は盡きて、
　障礙は破れぬ、
唯、すゑの譽の酬えむとせば、
　なほひと戰。

Fear death? —— to feel the fog in my throat,
　The mist in my face,
When the snows begin, and the blasts denote
　I am nearing the place,
The power of the night, the press of the storm,
　The post of the foe;
Where he stands, the Arch Fear in a visible form,
　Yet the strong man must go:
For the journey is done and the summit attained,
　And the barriers fall,

Tho' a battle's to fight ere the guerdon be gained,
The reward of it all.

但し「春の朝」は、原詩の律格からいへば、始終二音脚より成つて、「少女の朝のさわやかな感興が直接に與へられるのに、譯詩が五音節を重ねた行から稍客觀的な敍述となり、少しく直接さが失はれてゐる」（土居光知著『文學序說』）といふ評は、蓋し金的を射たものであらう。

ダンヌンチオの「燕の歌」は、ほぼ七五の正調を一貫し、「篠懸」は、その骨子に五七調を交錯し、「海光」は、五七の正調に破調を多く混じて、ひき緊つた複雑なしらべを生みなしてゐる。

これを要するに、彼は此集に於て、(1)七五正調、(2)五七正調、(3)七五、七五、二十四音調、(4)五七、五七、二十四音調、(5)五・五・五・七、二十二音調、(6)十七音、十九音、交錯調、(7)五・七・五、十七音調、(8)五・五・七、十七音調、(9)十二音、五音、交錯調、(10)一行五音調等の定形律から、(11)五・七音を中心として二・三・四・六等の破調を交へた複雑な律格や、(12)純然たる自由詩形に至るまで、殆んど日本語の詩形として想像しうるかぎりの諸形態を試作し盡した。このうち、定形律は、原調への交適次第で、成否あることはすでに略述した。定形律にもとづく複雜な破調は、多く成功してゐない。これに反して、自由詩形は、少くとも獨立した譯詩として見た時、いづれも玩味するにたへたるもののみである。此問題は、然し、極めてデリカな個性的解釋に待つことが多く、彼自身おのれの立場を次の如く宣してゐる。「歐洲語の弱强五脚律一行は、日本の七五七一行ぐらゐと、同じやうに響く場合もあり。そを定むるは、譯詩家の耳にして、そを聞分くるは讀者の耳なり」(全集卷五。五二一頁)。

B

次に語彙の問題を見るに、彼は前集『みをつくし』に於ては、なるべく「漢字漢語を避けて日本語（やまとことば）を用（全集巻五。五七三頁）ゐようとしたらしいが、『海潮音』では、語勢語感の強剛を要する點から、漢字漢語の金屬的な切切音をも採り入れたことが少くない。勿論、やはらかな感じを出すために、全章日本語（やまとことば）系の假名文字を用ゐて、一語の音勢にまで配慮したことは「わすれなぐさ」などが證明する。とにかく、漢語系なり日本語（やまとことば）系なり適所に適語を配して、原文の聲調の起伏、餘韻の搖曳を現はし、舊態の樣式から離れた清新味を生かさうとしたことが、『海潮音』中の語彙選擇の根本原理であつて、此原理を實現するために採つた手段は、(一)古言の復活と(二)新語の創成とであつた。

彼が古典より復活して再び現代に流通せしめようとした古言古句は、極めて多い。今その出處によつて分類すれば、これはほぼ次の三類にわかちうるであらう。(I)日本古文學より出でたるもの。(II)漢譯佛典より出でたるもの。(III)基督敎法その他南蠻關係より出でたるもの。

そのうち(I)の日本古文學より出でたものの數は最も多い。そのうちでも、上代・平安の雅語は大多數を占める。(1)「まくばひほがひ」「床」「かがなべて日には三十日（みそか）、夜は三十夜（みそよ）」「良心」等は『古事記』から、「浦安の」「銘文」「栲綱（たくづな）の白腕（しろただむき）」「延びあくびせよ」「さ

上田敏の『海潮音』（島田）

二七三

さらがた錦の」(「床」)等は紀記の歌謠から、(2)「新麥の豐の足穗」(「賦」)は『祝詞』から、(3)「朱の骨保船」(「賦」)、「嫋竹のあえかの」(「花冠」)、「奧津潮騷」(「信天翁」)、「邂逅」(「眞晝」)、「さ丹づらふ」(「珊瑚礁」)、「天降」(「眞晝」)、「うらどふ」(「花冠」)等は主として『萬葉集』から、(4)「去年とやいはむ今年とや年の境も見えわかぬ」(「春の貢」)、「風の通路」(「春の貢」)、「あふさきるさの徘徊に」(「大饑饉」)等は『古今和歌集』から、(5)「三瀨川」(「小曲」)は、いろいろな出典があらうが、主として『拾遺和歌集』かららしく、(6)「清掻」(「薄暮の曲」)、「おほらか」(「象」)、「おほどか」(「眞晝」)、「追風」(「薄暮の曲」)、「青海波」(「珊瑚礁」)、「あえか」(「燕の歌」外數個處)、「貴に」(「小曲」)、「伏眼」(「良心」)、「﨟たげ」(「延びあくびせよ」)、「艷だつ」(「薄暮の曲」)、「ゆし按ず」(「賦」)等の諸語は、主として『源氏物語』『榮華物語』等から來てゐるが、(7)「達人」(「梟」)などといふ語も、『左傳』から直接來たのではなく、『徒然草』から採り用ゐられたものと思ふ。而して『上田敏全集』を通讀してみると、これらの出典は蓋し彼の愛讀書であつたことが證明されるであらう。　彼の接觸・愛誦した國文學書は、高等中學校時代(落合直文と小中村義象、敎授たり)、大學時代(黑川眞賴、敎授たり)を通じて、『日本紀』『古事記』『風土記』『祝詞』から『萬葉集』『古今和歌集』『新古今和歌集』等に及んだ。　特に萬葉の長歌は、これを愛誦して、「萬葉の前に長歌なく、萬葉の後に長歌なし。げに人丸・額田女王の如きはカアライルの所謂深く觀たるものか。加茂翁が「その長歌の勢は雲風にのりて御空行く龍の如く詞は八百潮の湧くが如し」といひけむやう實にもあらんとぞ覺ゆる」（全集卷八。五三七頁）と言つてゐるが、『新古今和歌集』は、その所謂秀歌を書きつけておいたものを殘してゐるので（全集卷八。五二七頁）、明治二十四年十八歳の青年の鑑賞力としては極めて高雅優婉なものを備へてゐたことが明らかになつてゐるのである。これに對して中古の物語では、「先づとりいづるわがくにの文には、紫のにほひもゆかしき源氏のものがたり、湖の月にちなめる抄なりけり」（全集卷八。三六九頁）で、五十四帖の此物語は、終生を通じてその愛讀書であつた。「なほも續いてとり出づる榮華狹衣のものがたり」（同上）から、『伊勢物語』『枕草子』『徒然草』等、皆その一度は愛誦措かざりしもので、降つて近世のものには、松壽軒が文、蕉門の文集『琴後の集』『桂園一枝』等が數へられる。(8)「ぬめらか」（「法の夕」）などは、恐らく俳諧の用語から脫化して來てゐるのではないかと思ふ。此外、(9)謠曲の用語、句法と考へられるものも散見する（「あら、萬眼の魚鱗や」（「大饑餓」）、「やらはれの、伏眼の旅は果もなし、眠なく休もえせで、はろばろと後の世のアシュルの國、海のほとり、荒磯にこそはつきにけれ」（「良心」等）。文學以外にも、なほ(10)「しよんがいな」とか「とうとうたらり」とかいふやうな俗謠語、音樂語より借り用ゐられたものもいくつかあつた。「大寺の香の烟はほそくとも、空にのぼりてあまぐもとなる、あまぐもとなる」といふ香取神社の獅子舞歌をとり出して來てゐるやうに、かかる俗謠・民謠方面の用語もかなり集中に散見するやうである。　加ふるに、(11)「めげぬ」とか「氣がつよい」とか「大寒小寒」とかいふ口語の俗語も、また『海潮音』に若干の語彙を供給する源泉となつた。

(II) 漢譯佛典より採り入れたものは、「炎上」「無間」「眞晝」「修羅」「人と海」、「殺生業」「大饑餓」、「妄執」「色相界」「梟」「定業」「銘文」「煩惱界」「大饑餓」、「梵音」「破鐘」、「閻浮提金」「法の夕」、「四大」「瞻望」、「劫」「小曲」、「冥府」「良心」、「寂莫」「海光」外數個所、「正法」「大饑餓」、「花冠」、「光明道」「眞晝」、「羅刹」「瞻望」、「靈華」「花冠」、「無量海」「寂光土」、「大饑餓」、「歸命頂禮」「精舍」「禮拜」等みなそれで、『海潮音』といふ標題そのものが『法華經普門品』より出てゐることは、ひとのすでに知るところであらう。　では、彼は何時かかる佛典を修める機會をえたのかといふに、全集第六卷の卷首に挿入された「伊曾保物語の研究につき序説(プラン?)の項目を掲げしもの」といふ寫眞を見るがよい。　そこには「印度譬喩譚集、闍陀伽集——佛典考證……五部抄(パンチャタントラ)嘉訓(ヒトパデサ)　五部抄原本飜譯——印度譬喩譚の變遷傳播……日本に於ける影響、今昔物語中の梵文學」といふ一節がある。此研究序説の内容は、今日傳はつてゐないが、明治四十三年十一月二十七日京都圖書館で催された史學研究會第三回總會での講演(後、明治四十五年四月に上梓した)『伊曾保物語考』によつて、ほゞこれを推測することが出來る。これによると、闍陀伽(本生經)阿波陀那(譬喩經)その他のものを、その頃漢譯大藏經(縮刷)などで、一わたり渉つてゐたらしい。その頃とは明治三十五年一月(?)來のことである。比較民俗學研究の副收穫たる佛典の渉獵が、彼の語彙を擴げて、後の譯業に利用されようとは、當時の彼のまるで豫想しなかつたことであらう。『今昔物語』を精査したのも此研究の必要上からであつたが、『海潮音』の序に引かれた有名な神託や物張の尼の逸話なども恐らく此時の副産物であつたと思はれる。

(III)の基督教法より出でたるものといふのは、「波羅葦増雲」(「故國」)のことで、これには「文祿慶長年間、葡萄牙語より轉じて一時、わが日本語化したる基督教法に所謂天國の意なり」(全集卷一。二二七頁)と自ら註してゐる。「聖體盒」(「薄暮の曲」)もこれに屬するが、「唐獅子」(「象」)「南蠻鐵」(「大饑餓」)等も、これらに關係する言葉といへよう。かかる南蠻關係の諸語は、明治三十五六年以降、日本に於ける公教の傳播史を探りつつあつた際に採集したもので、慶長元年版『コンテムプトゥス・ムンディ』、文祿二年天

草學林版『エソポのファブラス』等がその主要なる材源であつたらしい。（附註參照）

以上のごとき古言の復活に對して、新語の創成は、比較的數多くない。「銅の雲」（「象」）「象の邦」（「象」）「無聲境」（「大饑饉」）「ギオロンのためいき」（「落葉」）「黑皺皮」（「象」）「長水」（「象」）、「黃金海」（「眞晝」）「炫燿鄕」（「大饑饉」）「靈妙音」（「のびあくびせよ」）などがその主要なものであらうか。

かかる古言の復活と新語の創成とは、その自由自在の神技にほとほと驚嘆するばかりであるが、しひて難をいへば、古言には時代的聯想がしうねく纏はつてゐるため、讀詩に際して、あらぬ方に興趣を强く牽引しすぎはしないか。それがために原詩の西洋的芳香が屢屢かき消され勝に見えることあるのは殘念である。殊に古臭にみちた掛言葉・枕言葉の使用、「かぎりも波のたゆたひに」「ほだしも波の鴨鳥」、「わがゆく末もしらま弓」等から「鳴神の都のさやぎ」、「村肝の心のきず」、「うちひさす都のまち」「あばらやのあはれの胸」などといふ使ひざまが、少なからず此弊を助長してゐることは否定出來ないと思ふ。もつとも皆が皆迄古言古句の聯想が强すぎるといふのではない。實に手に入つた用語と微笑まれる個所も散見する。否さういふ例は、到るところで拾ひ出して來られるのである。が、少くとも『牧羊神』に較べると、此時代のものにはまだいろいろと批議すべき點が殘つてゐて、後年のやうに渾然たる調和を得てゐないと思はれるのは、まことに殘念である。

C

しかもこれらの語彙・律格及びここに細說の餘裕なき句法・調律等は、出來上つた結果だけから見ると、實にらくらくと仕上げられたやうに見えるけれど、實は泣血の苦心に成る精錬の結晶で、「妥當でない一字を訂正するためにわざわざ雜誌の印刷所へ車を寄」（與謝野寬「故上田敏博士」「三田文學」大正五年九月號。一三五頁）せたり

上田敏の『海潮音』（島田）　二七九

した程であつたといふ。今その推敲の模様を見るに、初出年次の今日最も早きことのわかつてをるブラウニングの「春の朝」の破題のごとき、はじめ「萬年草」に出た時は「歳は春」と直譯されてゐたのである。ロゼッティの「小曲」第十三行も「戀の供奉」と「に」を脱し「戀の玉座」第十行も「ぬけいでて、夢も通はぬとほつぐに、無言の局、おく深くしろし給はむ」となつてゐたが、「出現」のごとき、第二聯第四行以下が「あはれ星。／うつし世は、命に耻を／めぐらせど、こぼれいづる神のゑがほは／君のおも」と大變化があり、「至上善」の第二行も「かね山の富」と印行され、獨逸小曲中「わかれ」も「ふたりを『時』のさきしより」といふ風になつてゐた。また「帝國文學」に出た「良心」は、第七行「地に伏して今、いのねむと語りけり」、第四十二行「砦もる城、築かなむ」、第四十九行「星影に征矢を放ちぬ」、第五十一、二行「冥府にかよふ塔影は野に暗をなげ」、第六十行「否、そこに今なほ在り」、第六十六行「うちかくる其おもに」といふ風に、現行の譯文に對して、小異があつた。それから「青年界」に出たシエイクスピヤは「燕も來ぬに水仙花、やよひの風に香を送り、ジュノオの神のまぶたより、ギィナス神のいきよりも、なほらうたくはありながら、菫の色のおぼつかな。光る日の神あふぎえで、とつきもせぬに散りはつる、色青ざめし櫻草、これはをとめの習かや。それにひきかへ、九輪草、編笠さゆり、氣がつよい。百合もくさぐさ類ありて、鳶尾草もよけれども、悲しやここに摘み難し」とあり、クリスティナ・ロゼッティに、第二行「露の朝のさうびいふ」、第三行以下「われは眞に美なれども／なべてわが美は／とげに生ふ」、第六行「せめては紅きはしを見よ」、第八以下「驗ある露は／盃に盛りささげたり」、第十行「この時百合のいひけらく」、第十四行「ずみれいかすかにささやぎぬ」といふ風になつてゐた。これらはみな明治三十五年十二月以後、三十六年五月までの發表で、いづれも最初期のものであるから、單行する時に修訂するのは、著者として當然な義務であるが、實は檢證してみると、最後期のものも同じことで、現に「篠懸」の結句「なれがにほひの濡髮に」は、もと「明星」に出た時は「にほへるなれがぬれ髮に」とあり、「わすれなぐさ」の結句のごときも「はたことごとくわすれゆく」が「なみことごとくわすれゆく」「故國」の破題「小鳥でさへも巣は戀し」が「小鳥にさへも巣はあるを」となつてゐた。ことに「賦」の如きは「そよそよ風の手枕にはや日數經しけふの日や」が「けふの日は」「噫、歡樂よ、今さらになじかは、せめて爭はむ」が「せめて言あぐる」、「はた禁めえじ、落葉の風のまにまに吹き交ふも」が「吹き散るを」、「否寧われはおほわだの波うちぎはに夢みむ」が「おほわだの波うつ岸に夢みむ」、「けふは照日の映映と靑葉高麥生ひ茂る」が「靑葉の麥の生ひ茂る」、「和ぎたる海を白帆あげて、朱の曾保船走るごと」が「帆の白き朱の曾保船」となつてゐたといふ風に、單行する時は全章に亘つて小修訂が加へられたのである。これらの諸篇は明治三十八年八月・九月の「明星」に載つたのであり、その單行書は三十八年十月十日印刷の奥附になつてゐるから、此最後の二三個月の間も、彼は機會あるごとに詩稿を錬ることを怠らなかつたものと推せられる。まことにかの「日の歌は象牙にけづり、夜の歌は黒檀に彫つた」とあるのは、移して以て彼自身の彫技の上にも加へることが出來よう。

V

「明星」の明治三十八年八月號には、次の如き廣告が掲げられた――「九月一日出版。

上田敏著。詩集『海潮音』。定價金壹圓。歐洲詩壇最近の思想と聲調とを紹介し、之を新體の國詩に移植したるもの、かの莊麗にして婉美なる詞華に、奇想幽思を歌ひ出でたる象徵派詩人の作最も多し。彼邦の評界今なほ之に就て詳細なる論議に乏しく、吾國の藝苑素より未だ之を傳唱すること無し。清新の聲に樂まむとする人よ、來りてこの集に聽け。發行所。東京市本鄕區駒込東片町二六。本鄕書院」。これより先、明治三十八年六月廿七日印刷、七月四日發行の奥附ある蒲原有明の『春鳥集』は同じ書店の出版であつたが、その附載廣告にも、「上田敏著『詩集』。近刊。四六判總黑クロース。金文字入頗美本」とあつて、「明星」のと同文の豫告がある。これによつてみると、此譯詩集の題名は、少くとも三十八年の六月中にはまだ決定されなかつたので、恐らく七月中に『海潮音』とさだめられたのではないかと思ふ。然し、九月一日には豫定どほりの發梓を見ず、九月號の「明星」には前のと全く同文の廣告が出、十月一日出版と訂正されてゐる。が、實際は、その奥附に「明治三十八年十月十日印刷。明治三十八年十月十三日發行」とあるとほり、その月の中旬となつてから市場に賣出されたのである。

裝幀を受持つた畫人は、當時新詩社の作風と呼應して好評あつた藤島武二で、四六版總クロース、濃い藍色表紙に圖案と題名とを金で浮かし、背に「海潮音　上田敏」の六字を入れてあるが、これは譯者自身の筆蹟と思はれる。用紙はラフ紙で、活字は全部四號。當時としては極めて清新な裝幀であつた。此四號の大字形は、少くとも單行の詩集としては、異數な處置であつたが、薄田泣菫の『白羊宮』(明治三十九年五月刊)、蒲原有明の『有明集』(明治四十一年一月刊)と、ひきつづいて當代詩壇の巨匠が此形式を模したため、爾來詩集印行上の一樣式と許されるやうになつた。これは日本詩歌のやうに單に聽覺に訴へる以外に、文字の視覺形式にも左右されること多きものにあつては、讀者の注意を十分に字面に惹き引ける上に、實効が少くないと信じられる。

かくのごとくして出現した『海潮音』は、いかなる反響を日本の詩文壇に呼んだか。

すでにロゼッティ、ブラウニングの類が「萬年草」に載つた頃から、彼の譯詩は注目の的となり、當時新進の俊髦蒲原有明や、文學愛好家小山内薫のごときは、その熱心な愛讀者であつたと語つてゐるが、何といつても著しい反響を呼んだのは、明治三十八年に這入つてからで、ことにその譯業が一冊に集められて單行した後、同時代者に

及ぼしたその影響は、いろいろな意味で精査に價ひする。（附註參照）

A

今これを世評に徴するに、「明星」の巳歳第拾壹號は、「出版月評」のうちに『海潮音』の出現を報じ、「最近の詩壇に一つの炬火は投げられた。（○印原文）それは私共の待ち設けて居た上田敏氏の『海潮音』が、此度瀟洒たる體裁で出版せられたのを云ふのである。私共は今十分の尊敬と歡喜とを以て各各耽讀して居る（丶印原文）」と述べてゐる。『海潮音』の出現が彼の顧問格たる「新詩社」の同人に及ぼした波動は、此短文によつて、ほぼ彷彿することが出來る。此文の筆者は平野萬里であつた。

「新詩社」に對立する位置にあつた「文庫」の社中では、その明治三十九年一月號に『海潮音』評を掲げ、彼の（（博學と炯眼を賞し、文壇の恩人ではあるが、「この人の與へる刺戟を取捨するだけの見識を」持てと警告し、出來不出來はあるが、「あまりに古ぶりなる詞の使用などは、要するに今日物好きの仕事」であると評し、「單に詩を愛する者の讀み物」としての價値である））（「明治大正詩史」卷下。二〇九頁の文に據る）と述べたさうである。評者は此原文に接してゐないので、その筆者が誰であつたか、またその語氣によつて社中の動向がいかなるものであつたかを確認しがたいが、此拔書によつて推察すると、比較的公平な評語を多く消極的な意圖に於て發したのであらうと思はれる。此點に於て、此短評は「明星」の略評と裏表の關係にあつたといへよう。

詩壇以外では、讀賣新聞や每日新聞に短評が出たが、ことに後者の愛濤漁郎は、『海潮音』を讀んで、「何等の面白味を感ぜず」と言つたさうである。これに對して彼は『鏡影錄』（一）に於て、「感ぜずとも善し。唯、何等文藝と沒交涉の事に就いて漫罵を逞うしたりと聞けるが、そは唯自家心事の高下を告白せるものに過ぎず。曩に島村抱月氏の一喝に屈したる人と同人ならむ。十數年前の文壇は幼穉なりきと雖、人皆多少藝術の愛と趣味とを以て事に從ひたる爲、漁郎の如き評家に蓬著すること罕なりき。斯る人は相手にするに足らず『唯見て過ぎよ』（全集卷五。五二一頁）と應酬した。

「太陽」の大町桂月は、『海潮音』卷首の敬勒の文字「遙に此書を滿州なる森鷗外氏に獻ず」とあるのを取上げて、滿州と書いたのは無識、森鷗外氏と書いたのは傲慢不遜（ヲウツ）だと評した。これに對して、彼は「滿洲一に滿州に作る。『大清一統志』に見ゆと記憶す。……又森鷗外氏の學殖文才は、余が少年の時より密かに敬慕する所にして、近年知を辱うするに至り、更にまた其人格の高雅なるに推服す。氏と呼ぶも、先生と稱するも、何の關する所ぞ。余は年來一家の見よりして、文藝の上にては、年齡才學の高下を問はず、齊しく氏を以て人を呼ぶこと、宛も吾が衆議院が君を用ゐる如し」（全集卷五。五二八―五二九頁）と答へ、登張竹風が、讀賣新聞上で、桂月の『海潮音』の内容を評しえず、僅に敬勒の文字を議するを「心細し」と述べた言葉を引いて、「然り、眞に心細きには相違無けれど、余は桂月氏に新文藝の批判を迫ること頗る酷なるを思ひて、敢て追窮せず。唯實は桂月氏の如き人の、新文藝に對する所感の正直なる告白を、今少し精細に聞かむことを願ふのみ」（同上）と囑した。

當時の世評の中で、その批評の最も見るに足るものは、「帝國文學」(明治三十九年一月號)の鸚鵡公が「詩壇漫言」(二十)「海潮音」の題下に所感を述べた五頁ばかりの贊評である。これに對しては、彼も、「筆者が一一作者の自序に贊意を表して、且は註釋を附記したるは鄭重を極めたり」(全集卷五。五二九頁)と謝したが、「されど、作者が譯述の理想としたるロゼッチの伊太利亞古詩譯の用意とは如何なるものなるかを說きながら、果して作家が此用意を實行せしか否かを批判する能はず、原詩を味ふ能はざる爲なりとは、あまりに謙遜にして、爲に、批評の根柢を缺くに至りしは惜む可し」(同上)と評した。鸚鵡公の批難は(一)「佛蘭西の壯んな奔放な作を、餘りに品好くして了つた弊」がある。所謂「和らげ」過ぎた傾がある。此主因は、西洋近代詩を譯すに、「日本の古い語を用ひ過ぎたからではないか」。「唐獅子」とか「紫摩黃金」とか「梯立」とかいふのが其一例である。それから(二)調子を餘りに莊重にしようと企てて、「却つて軍歌調になつた處がありはしまいか」。「心安かれ、鱶ざめよ、明日や食らはむ、人間を。」又さは云へど、汝が身も、明日や食はれむ、人間に」のごときが其一例である。「禮拜」にも大分さういふ處があるといふ意味のことであつた。これに對して彼は、「作者は奔放なる詩を選ばざりき」と答へてゐるが、これはその通りで、奔放な原詩は『海潮音』

中に見出し難いと思ふ。「又古語は奔放の趣を傳ふる能はざるものか、疑ふ可し」と反問してゐるのも、彼の自信をうかがはせて興深い。

個個の作品について、鸚鵡公は、「燕の歌」を「誠に美しく譯してある」といひ、ルコント・ドゥリイルでは「譯も代物も」「象」が一番好い。然し「象の邦」などといふ言葉は、「例の美し過ぎて、「ざう」と云ふ大きな感じを削ぎはしまいか」と憂ひ、エレディヤは「珊瑚礁」がよい、「床」は題詠めいて嬉しからず。プリュドンの「夢」は「優しい歌」、ボオドレエルでは「信天翁」が最もすぐれ、「薄暮の曲」は「日本語には終に移し難いもの」、「破鐘」は「悲痛」、「人と海」は「題詠めいて面白くない」、「梟」は前半が名譯と稱し、ヴェルレエヌでは「譬喩」の結局が「痛切」、「落葉」は「快き悲哀の感」を與へた、「譯が好い」ためであらうといひ、「良心」結末の二行は物足らず、「禮拜」は傑作、「戰爭文學は斯くありたい」と讃美した。獨逸詩人では、アァレント、ブッセ、クロアサンといふ順に「氣に入り」、他はいづれも「不感服」。ブラウニングでは「瞻望」「出現」「至上善」みな「此譯者の筆に、向かぬもの」と推し、「岩蔭に」も始めの一節が原作程の妙味を傳へぬが、「春の朝」は最も好く譯してある、「之には何人も筆を加へる事は出來まい。」シェイクスピヤの「花くらべ」の結句は「シャレタもの」、ロゼッティの「七五を重ねて一行にした形は餘り成功してをらぬ。」象徴派ではヹルハアレンの「水かひば」が傑作「畏怖」「火宅」は餘り成功してゐない。「時鐘」は「題詠めいて氣に入らぬ。」ロオデンバッハは、マラルメとともに、「他の作をもつと多く見たかつた」といはせたが、レニエ、グリフィン、サマンは「多大の感興を喚び起す底の者でない。」が、オオバネルは「何れも感嘆」、ことに「故國」がよい。グラアフ、ダンヌンチオ等は評なしと結んだのである。

此評に對しては、鏡影子とともに、評者は「根本知識を逸し」てゐるため、「氏一個人の趣味に適する部分のみを激賞し、他は原詩又は譯述に對して、獨斷の是非を下すの已むを得ざるに至」(全集卷五。五二二頁)つたと云はなければなるまい。但し斷片的に鋭い評語を洩してゐることは認めてもよいと思ふ。兎に角、此評者はルコント・ドゥ・リイルの詩を目して、「敍事又は敍景をした後で、別に自家の感想を述べる處、餘程パルナッシャンの風があると思ふ」といふやうなことを臆面もなく述べ立てる知識の所有者である。　鏡影子がこれを、「そは勿論の事なり。故尾崎紅葉氏の作に硯友社派の風あり、ロセッチの畫にラファエル前派の趣ありといふが如し。ルコント・ドゥ・リイルはパルナッシャン詩社の祖なり」(全集卷五。五二二頁)と揶揄したのは當然であるが、これが當時としては最高の教養をもつてゐた一流の文學青年なのである。　鷗公にして然りとすれば、他に彼以上に精評をものしうべき知見と鑑賞力とをもつてゐたひとがなかつたとしても、怪しむに足りない。他の學藝の徒にしても、英文學出身のものは佛蘭西新詩に就て知識と興味となく、獨佛文學出身のものには當時まだ此方面に立入つた人なく、況んや國文學者には、これは全く不知案内の新世界であつたらう。かかる狀勢に面し、かかる批評に接した時、彼が痛感した心持は、次のごとき冷語に要約されてゐる。曰く、「批判の人は、創作の人よりも、學殖を要すること多きにも拘はらず、傍證の美を味ひ、文字の意を解すること能はずして、或る者は舊樣の趣味に兎がれ、或る者は徒らに漫罵を事として、自家の無識を蓋はむとす、嗤ふべきかな」(全集卷五。五一三頁)と。

かういふ世評を並べてみると、『海潮音』は、その眞價を正解批判しえた評論には、少くともその出現當時には、接しなかつたことが明らかにならう。『海潮音』を味解吭味しえた人人は、これらの批評家(といふ名をかりに許せるとすれば)ではなく、かへつて學識さのみ豐かならず、知識廣くなくとも、西歐の新文藝に對して燃ゆるが如き敬慕と、日本語による創作の愛とを惠まれてゐた新詩人の一群と、これに加ふるに敏感誠實な少數の讀書人(かかる讀書人の一例として、羽鳥千尋の手紙を想起したい)だけとであつた。『海潮音』の影響感化は、はじめ、これらの知的貴族の間にのみ行き亘り、然る後に漸を追うて一般讀書階級に傳播したものと見ねばならぬ。今これを流布の賣行に徴するに、初版は何部刷つたか明らかでないが、かりに八百部とすると、これが賣切れて再版が出たのは、明治四十一年三月十日(奥附)で、卽ち、初版の日より數へて三十個月後のことである。かういふ數字に徴すると、此書は決して飛ぶがごとくに賣れたものの中には數へることが出來ない。第三版、第四版が出た時は今あきらかにし難いが、第五版は大正七年十一月二十日の日附になつてゐる。が、兎に角三十箇月後にしろ再版が出たのは、詩壇に於ては大成功と目すべきなのであつて、藤村・晩翠、後に白秋・露風の或集を除いては、明治の詩壇で再版以上を重ねたものは數へるほどしかあるまいと思ふ。ことに此集と前後して出でた『白羊宮』や『有明集』は、日本新詩壇の最高標準を示すものに拘はらず、つひに版を重ねるに至つてゐないのである。これを思へば、三十八年前後に續出した價値高き諸詩集のうち、此書は讀者層その他の形而下の成功をもかちえたものの中に數へなければならないであらう。

B

さらば、當代の俊敏多感な新詩人等が此譯詩集の中に見出し、自己の創作に對する貴き糧とした(かて)ものは、何であつたか。これを逆にいふと、『海潮音』が先進・後進に及ぼした影響感化は、いかなる性質のものであつたか。

『海潮音』は、西洋近代詩の持味をはじめてはつきりと日本新詩壇に教へた。用語、語法、節奏、句切等のこまかい點に至るまで、清新な西詩の内容を傳へた。詩想の構成、發想に至る幽微な機因までを、詳らかに實證した。『海潮音』出現の意義はまづかかるところに求めなければならない。勿論かかる譯業の優秀な先縱としては、S・S・の社中の『於母影』を擧げる必要がある。『於母影』が『海潮音』の有力な先驅として、日本の新詩人に西詩を受納味解せしめる地盤を築いたことは、疑ふ餘地がない。ただ『於母影』が傳へた內容は、主として千八百二三十年代に榮えた英獨墺の情熱派の作品であつた。ゲエテやバイロンやレェナウやハイネや千八百二十年風のシェイクスピヤなどがそれである。彼等はわが邦人にはじめて浪漫的な世界苦を致へ、青春の情熱と憂愁とを味はしめ、日本詩壇を覺醒して、北村透谷、島崎藤村以下の新詩人を生む有力な母胎となつたけれど、二十世紀初頭の日本詩壇の求めてゐたものが、何といつても、もつと輓近體の香氣あるものであつたことは爭へない。此點に於て、佛蘭西高踏派以後の新體を致へた『海潮音』こそ、西洋近代詩の醍醐味を日本詩壇に滿喫せしめた最初の書物であると稱して毫も差支ないと思ふ。俊敏な日本青年は此詩集に接して、はじめて世界最新の詩潮に開眼せられ、日本詩壇の最尖端を西歐詩文の大道にまで聯絡することが出來たのである。

然しながら、『海潮音』が日本の青年詩人に及ぼした感化は、ひとり當時の最新藝術たる佛蘭西象徵派の幽婉體のみによるのではない。詩派的分類によれば、その先代たる高踏派や、ギクトォリャ朝の英吉利大詩人、伊太利、プロヴンスの新詩人から、獨逸民謠體の諸詩人にまで及び、これらがいづれも何等かの影響を及ぼしてはゐるのであるが、それらの流派の如何にかかはらず、此譯詩集の中に一貫して流れ、後進に大いなる感化を與へたと思はれるものを(1)趣味・思潮のごとき内容的方面から、(2)官能的分子を通じて、(3)表現手法のやうな形式的方面に至るまで、一とほり探ねてみると、まづ第一、思潮的に氣づくものは、西洋文學の骨髓たる清純な戀愛の讚歌である。これは北歐民族の女人崇拜の原始感情が、中世基督教の聖母崇拜や中世騎士道の精神をも加へ、更にまた文藝復興期に至つて希臘女神像の藝術美をも加味して生れた、西洋的なる「愛」の思想に基づいてゐる。かのプロヴンスの戀歌にほのめき、ダンテに確立し、十九世紀の情熱派の歌に至つて更に熱烈の情を加へた、西洋的な「愛」の思想から派生した女人の禮讚や、戀愛の讚歌などは、集中に力強く歌はれてゐる。ダンテ・アリギエリが「心も空に」といひ、ロゼッティが「春の貢」といひ、「戀の玉座」といひ、ブラウニングが「出現」といひ、「至上善」といひ、皆此系統に屬する。

されど卯月の日の光、けふぞ谷間に照りわたる。
仰ぎて眼閉ぢ給へ、いざくちづけむ君が面。
水枝小枝にみちわたる「春」をまなびて、わが戀よ、
溫かき喉、熱き口、ふれさせたまへ、けふこそは、

契もかたきみやづかへ戀の日なれや。冷かに
つめたき人は永久のやらはれ人と貶し憎まむ。

But April's sun strikes down the glades to-day;
So shut your eyes upturned, and feel my kiss
Creep, as the Spring now thrills through every spray,
Up your warm throat to your warm lips; for this
Is even the hour of Love's sworn suitservice,
With whom cold hearts are counted castaway.

とあるごとき、何といふ熱烈大膽な表現であらう。此詩句に接した多感な日本青年の胸はいかに烈しく躍つたことであらう。或ひはまた「よくみるゆめ」に魂の半身を偲び、

無言を辿る戀なかの深き二人の眼差も

花毛氈の唐草に絡みて繞る夢心地

L'amant entend songer l'amante qui s'est tue,

Et leurs yeux sont ensemble aux dessins du tapis.

を歌ふ「黄昏」や、「朽葉色に晩秋の夢深き」ひとの額に、「天人の瞳なす空色の」ひとの眼にあこがるる「嗟嘆」や、「たれもつらくはあたらぬを、なぜに心の悲める」といふ「秋」や、「わかれ」の苦しさまでを敎へられた後、さて、

蜜蜂の嚢にみてる一歳の香も、花も、
寶玉の底に光れる鑛山の富も、不思議も、
阿古屋貝映し藏せるわだつみの陰も、光も、
香、花、陰、光、富、不思議、及ぶべしやは、
　玉よりも輝く眞、
　珠よりも澄みたる信義、

上田敏の『海潮音』(島田)

天地にこよなき眞澄みわたる一の信義は、
をとめごの淸きくちづけ。

All the breath and the bloom of the years in the bag of one bee;
All the wonder and wealth of the mine in the heart of one gem;
In the core of one pearl all the shade and the shine of the sea;
Breath and bloom, shade and shine,——wonder, wealth, and——how far above them——
Truth, that's brighter than gem,
Trust, that's purer than pearl,——
Brightest truth, purest trust in the universe —— all were for me
In the kiss of one girl.

と、一句に「至上善」の本質を歌つて、極東の青年に新倫理を啓示し、或ひはまた

うつし世の命を耻の

めぐらせど、
こぼれいづる神のゑまひか、
君がおも

World —— how it walled about
Life with disgrace
Till God's own smile came out.
That was thy face!

と叫んで、つひに「愛」を神の一啓現とさへ見るに至つてゐる。西洋的「愛」を歌つたこれらの詩句に接し、かかる想念を敎へられた時、ひとはいかに驚いたであらう。勿論、今迄にもかかる思潮を傳へようと努めた人はある。特に基督敎關係の人人の間には、「愛」の思想はいろいろなかたちで說き明されて來た。然しながら、此『海潮音』ぐらゐ、根原的な理解を以て、鮮やかに此西洋的情念をひびかせたものは、これまで一つもなかつたと言つてよい。此思潮が、明治三十年代中期以後に盛んとなつた

「星菫趣味」と複雜な因果關係を結びながら、新詩壇の一部に深い根を下したことはつひに否定し難い。此點に於て、彼と親友たりし鐵幹の傘下にあつた諸青年詩人に對する感化影響はいふまでもないが、恐らく『白羊宮』の泣菫の戀愛詩――例へば、

今朝あけぼのの浦にして
われこそ見つれ、面(おも)ほでり、
濃青(こあを)の瞳子(ひとみ)、ひたひたの
み空と海の接吻(くちつけ)を。

君や青空、われや海、
ああ醉心地、擁(だき)しめに
胸ぞわななく、さこそかの
か廣き海も顫ひしか

といふ「くちづけ」のごとき――が、その以前のそれにくらべてはるかに西洋趣味を加へてゐることなど、殆んど『海潮音』の影響を度外視しては、說明に窮するのではないかと思ふ。さうして此思潮は、またいつか單なる抒情詩壇を超えて、一般思想界にも流れ入り、日本青年の女性觀・戀愛觀に大きな變化を及ぼすやうになつた、特に學藝方面に於ける彼の直系の後進、厨川白村の業績を通じて。

第二に著しいものは、異國情調の思潮である。眼前の光景、熟知する生活を離れ、見しらぬ新らしい星の下の想像の國を慕ふ人性の永遠なるあくがれである。すでに二葉亭の『あひびき』や、鷗外の『卽興詩人』が、或ひは露西亞の白樺の香氣をもたらし、或ひは伊太利の碧空の美しさを示して、多少異國的なものを匂はせもしたが、『海潮音』ほど西歐の異國情調（エクゾチスム）の本質を示したものは今迄に一つもなかつた。ここには十八世紀末から發生して、十九世紀末に絕頂に達したもの狂ほしき一種の西洋的新感情が渦を卷いて流れてゐる。ユウゴォ以下、ルコント・ドゥ・リイルや、エレディヤや、ボオドレェルの詩章の背後には、容易にさういふものを認（みと）めることが出來るであらう。例へば「象」の大景――

沙漠は丹の色にして、波漫漫たるわだつみの
音しづまりて、日に燬けて、熟睡の床に伏す如く、
不動のうねり、おほらかに、ゆくらゆくらに傳はらむ、
人住むあたり銅の雲、たち籠むる眼路のすゑ。

命も音も絶えて無し。　餌に飽きたる唐獅子も、
百里の遠き洞窟の奥にや今は眠るらむ。
また岩清水迸る長沙の央、青葉かげ、
豹も來て飲む椰子林は、麒麟が常の水かひ場。

Le sable rouge est comme une mer sans limite,
Et qui flambe, muette, affaissée en son lit.
Une ondulation immobile remplit
L'horizon aux vapeurs de cuivre où l'homme habite.

Nulle vie et nul bruit. Tous les lions repus
Dorment au fond de l'antre éloigné de cent lieues,
Et la girafe boit dans les fontaines bleues,
Là-bas, sous les dattiers des panthères connus.

といふごとき、從來のいかなる日本詩文にも描かれなかつた雄偉の壯觀で、その語句の一一は、沙漠の熱氣を帶びて、此詩の讀者の面(おもて)に吹きかかり、いつか遠い異國の奇(あや)しき情景の中に身を置く思あらしめずにはおかない。かくのごとき怪異の情調は前代未聞の新領域であつた。ことに亞比西尼亞(アビシニヤ)の海底を描寫せる

　　珊瑚の森にほの紅(あか)く、
ぬれにぞぬれし深海(ふかうみ)の谷隈(たにくま)の奥に透入(すきい)れば、
輝きにほふ蟲のから、命(いのち)にみつる珠(たま)の華(はな)。
沃度(ヨウド)に、鹽にさ丹(に)づらふ海の寶のもろもろは、

濡髪長き海藻や、珊瑚、海膽、苔までも、
臙脂紫あかあかと、華奢のきはみの繪模様に、
薄色ねびしみどり石、蝕む底ぞ被ひたる。

La forêt des coraux abyssins
Qui mêle, aux profondeurs des ses tièdes bassins,
La bête épanouie et la vivante flore.

Et tout ce que le sel ou l'iode colore,
Mousse, algue chevelure, anémones, oursins,
Couvre de pourpre sombre, en somptueux dessins,
Le fond vermiculé du pâle madrépore.

秀句に至つては、一代を驚倒させた新藝術である。かかる異國情調の美が、新代の青年を魅了し去つたことは、容易に理解されるであらう。すでに與謝野鐵幹のご

とき大家も「ふるさとの大赤道を遠く出で、目ざすは荒き北の海、まだ見ぬ境」の『海の怪』を歌つた、

巨濤の山湧きあがり、鈍の鯨も、
海驢も、さはに甲斐なき魚族も、
皆みぐるしき後手に慌めき逃る。
日は落ちて、漸に夜となり暗がれば、
この未曾有の珍客の路の案内に、
億千の夜天の星は燭を點く。
前には黒し、海にして羅馬に似たる
古都―― 千島の沖のTASKAROLA。

の如き、明らかに『海潮音』に誘はれた唱聲であるが、此思潮に殆んど耽溺するまでの觀あつたのは、特に北原白秋と木下杢太郎との兩人であつた。前者の『邪宗門』と、後者の『天草組』とが、此系統に直屬する。ことに、

目見青きドミニカびとは陀羅尼誦し夢にも語る、
禁制の宗門神を、あるはまた、血に染む聖礫、
芥子粒を林檎の如く見すといふ欺罔の器、
波羅葦僧の空をも覗く伸び縮む奇なる眼鏡を。

屋はまた石もて造り、大理石の白き血潮は、
ぎやまんの壺に盛られて夜となれば火點るとふ。
かの美しき越歷機の夢は天鵞絨の薰にまじり、
珍らなる月の世界の鳥獸映像すと聞けり。

と歌つた「邪宗門秘體」の作者は、藍より出でて藍よりも濃き逸才であつた。『天草組』の詩人が、後にその幽韻たぐひなき異國情調を單に抒情詩のみにとどめず、藝文のあらゆる領域に發揮して、日本文學にかぐはしき新果を贈つたことは、言ふまでもない。さうして、かかる傾向が特に後日學藝の兩界にわたつた「南蠻熱」の一遠因と

なつてゐることについては、改めて説く必要もあるまい。

第三に著しく聞こゆるものは、十九世紀末になつて濃厚に現はれた近代都會人が苦悶の聲である。「靈の蝕」に惱む所謂デカダンスの悲哀である。これは集中でボオドレェルにほのめき、ヱルレエヌ、ヱルハアレン、レニエ等に著しく映つてゐる。

例へば、「銘文」で、——

赤楊の落葉の森の小路よ、
道行く人は木葉なす、
蒼ざめがほのおも、
ぬかりみ迷ひ、群れゆけど、
かたみに避けて、よそみがち。
泥濘の、したたりの森の小路よ、
憂愁を風は葉並に囁きぬ、
しろがねの、月代の、霜さゆる隱沼は、
たそがれに、この道のはてに澱みて、

上田敏の『海潮音』（島田）　三〇七

げにここは「鬱憂」の
鬼が栖む國。

Route des bouleaux clairs qui s'effeuillent et tremblent
Pâles comme la honte de tes passants pâles
Qui s'égarent en tes fanges tenaces,
Et vont ensemble,
Et se détournent pour ne pas se voir face à face;
Route de boue et d'eau qui suinte,
Le vent à tes feuilles chuchote sa plainte,
Les grands marais d'argent, de lunes et de givre
Stagnent au crépuscule au bout de tes chemins
Et l'Ennui à qui veut te suivre
Lui prend la main.

といふのを讀めば、天色卒然として曇り、周圍みな幽火の明滅する鬼氣を感ぜずにはゐられない。 これは「安逸の、醜辱の、驕慢の、森の小路」である。 われらの蝕まれたる靈の苦悶の姿である。 わが邦の詩文に、かくのごとき世紀末的憂愁の聲を傳へたものは、これまでに一つもなかつた。 考へやうによつては、少くとも當時の日本詩壇が自然の歩みをつづけるには、まだ接するに多少早すぎたかとも疑はるる思潮なのである。 が、一度此『海潮音』によつて此新聲を知つた以上、ひとは再び昔日の素朴と思無邪との牧歌調に立ち戻ることは出來ない。 此集を境界線にして、詩壇の空は、みるみる中に、たそがれ始めた。『春鳥集』は、すでに此憂欝幽暗の美を多少ほのめかしてゐたが、『有明集』に至つては、自覺して此冥界の底に下りたのである。事實、新詩壇の中では、

時ぞともなく暗うなる生の扃――
こはいかに、四方のさまもけすさまじ、
こはまた如何に我胸の罪の泉を
何ものか頸さしのべひた吸ひぬ。

上田敏の『海潮音』（島田）

善しと匂へる花瓣は徒に凋みて、
惡しき果は熟えて墮ちたり、おのづから
わが掌底に、生溫きその香をかげば、
唇のいや堪うまじき渴きかな

といふ「靈の日の蝕」や、

何處より風は落つ、身も戰かれ、
我しらず面かへし空を仰げば、
常に飢ゑ、饜きがたき心の惱み、
物の慾、重たげにひきまとひぬる

「不安」を浮彫にした『有明集』の詩人が、最も深い此思潮の體得者であつたらう。泣菫も、『白羊宮』以後には、二、三この新「海潮」に伴奏しようと試みたけれど、その素質的な同感を缺いてゐたため、つひにその試作は失敗に歸した。『有明集』の作者の親しき詩友であつた岩野泡鳴も、また、切嗟して、此新境地をひらき、自は唯一人此方面の先達を以て任じたけれど、その樂天的な本性は志向を裏切つて、つひに見るべき佳作を多く生むことが出來なかつた。『邪宗門』の詩人も『廢園』の歌手も、ともに一度は此道を進んで、漸く各自のあかるい新天地へ拔け出したのである。

第四に認らるるものは、藝術を宗敎や道義の目的から解放して、それ自體の目的を追求せんとするに止まらず、取材そのものにも道德的分子や宗敎的分子やを除かんとする傾向である。卽ち、十九世紀の中葉より發して世紀末に極まつた唯美主義の思潮である。これはその主張を明らかに各詩章の主題や取扱ひ方に現はしてゐると思ふ(ブラウニング、グラアフ等は暫らく除く)。例へば、濃艷華麗なダンヌンチオの「燕の歌」――

彌生ついたち、はつ燕、
海のあなたの靜けき國の
便もてきぬ、うれしき文を。

上田敏の『海潮音』(島田)

春のはつ花、にほひを尋(と)むる
ああ、よろこびのつばくらめ。
黑と白との染分縞は
春の心の舞姿。

彌生來(き)にけり、如月(きさらぎ)は
風もろともにけふ去りぬ。
栗鼠の毛衣(けごろも)、脫ぎすてて、
綾子(りんず)羽(は)ぶたへ、今樣(いまやう)に
春の川瀨をかちわたり、
しなだるる枝の森わけて、
舞ひつ、歌ひつ、足速(あしはや)の
戀慕(れんぼ)の人ぞむれ遊ぶ。
岡に摘む花、菫(すみれ)ぐさ、
草は香りぬ、君ゆゑに。

素足の「春」の君ゆゑに。

けふは野山も新妻の姿に通ひ、
わだつみの波は輝く阿古屋珠。
あれ、藪陰の黒鶫、
あれ、なか空に揚雲雀。
つれなき風は吹きすぎて、
舊巣啣へて飛び去りぬ。
ああ、南國のぬれつばめ、
尾羽は矢羽根よ、鳴く音は弦を
「春」のひくおと「春」の手の。

ああ、よろこびの美鳥よ、
黒と白との水干に、
舞の足どり敎へよと、

上田敏の『海潮音』（島田）

しばし招かむ、つばくらめ。
たぐひもあらぬ麗人(れいじん)の
イソルダ姫の物語、
飾り畫(えが)けるこの殿に
しばしはあれよ、つばくらめ。
かづけの花環(はなわ)、ここにあり、
ひとやにはあらぬ花籠を
給ふあえかの姫君は、
フランチェスカの前ならで、
まことは「春」のめがみ大神(おほがみ)。

のごとき、最もよく此主張を具體化してゐるので、さてこそ卷頭に据ゑられたものと思ふ。この一章はただに『海潮音』一卷の特色を闡明してゐるに止(とど)まらず、あはせて此頃の上田敏が藝術理想を最も端的に物語つてゐると考へられる。『海潮音』が此趣味を殆んど確立するほどの成功を收めたことは、同時に日本詩壇をして一時全く政治的、社會的興味を失はしめ、ひたすら個人的唯美主義の埒内に抂屈せしめる有力な原因となつた。日本新詩壇は、それまで必ずしもかかる狭隘な領域にのみ閉ぢこもつてゐたのではない。新詩創成の目的が、そもそも「新日本の大潮流に棲息する國民が依て以て情志を發舒せん」(『新體詩抄』總序)とするにあつたのであるから、或ひは社會學の原理を歌ひ、或ひはトランスヴァアル自由國のために嘆き、或ひは下層庶民のためにその不平の氣を吐き、或ひはまた農人の勞苦を歌つて勞働の福音を傳へるなど、日本の詩壇は、その主題と取扱方とに於て、極めて進歩的な精神に貫かれてゐた。少くとも花鳥風月に跼蹐する和歌や、平談俗語の月次に墮してゐた俳諧にくらべて、その對象なり、その表現なりは、はるかに廣濶自由なことを誇りにしてゐたのである。それが、ほぼ『海潮音』の公刊された前後から漸く唯美主義的な境地と素材とに統一され、所謂「象徴主義時代」を現出したについては、多くの理由が數へられるが、『海潮音』の思潮と傾向をもその有力な一原因として擧げなければなるまいと思ふ。

評者の見るところによると、『海潮音』が日本の新詩人に教へた趣味・思潮は、大體以上のごときものであつた。更にこれを官能的方面から見ると、ここには西洋近代詩のあらゆる特色が網羅されてゐる。素朴な感情の波のうねりに乘る民謠小曲體や、幽婉な氣分情調を薫らせる香奩體や、鋭い神經の尖端を思はす感覺體から、世紀末的な諸官能の交錯體に至るまで、近代詩のもつ鋭敏な感覺の交響樂は縱橫に奏せられてゐる。躍り上りたいやうな、眩めくやうな、叫び出したいやうな、惱ましいやうな、眞に西洋近代の文學のみが傳へうる物狂ほしき慾情が、ここには實に十全な姿で捉へられてゐる。かくの如く諸諸の官能を解放した文學は、未だかつて日本に傳へられたことがなかつた。强ひてこの先驅を求めれば、鷗外の『卽興詩人』の一部に多少これに近い傾向が窺はれてゐたけれど、あの程度の官能描寫は、百年前の情熱派のそれにすぎない。これに反して、『海潮音』に發露してゐるものは、眞に晩近體の藝術の惱ましき香氣である。この感覺と氣分とを解放し、紙上に亂舞せしめた新詩文が、かかる官能の敎養と訓練とを今迄十分に受けたことなき明治末期の日本詩人に、何を敎へたかは、問はずして明らかであらう。ただ此新體の美に魅了された當代の靑春子弟の歡喜と驚嘆との程度は、遙かに世代を後にして成長した現代のわれわれには、恐らく十分に再體驗することが困難なのではあるまいかと思はれる。

最後に、これを表現手法のやうな形式的方面から見ると、ここには實に甚大な影響感化の痕が眺められる。まづ當代の大家に及ぼした影響を手法の點から考へると、高踏派の莊麗な直敍體は、特に與謝野寛の詩風に餘響をとどめてゐる。かの『槲の葉』に收められた「海の怪」のごとき、「森」のごとき、皆それである。殊に後者は「駿河なる富士の麓の大裾野」の景を描いて、

ここにして、今感ずるは、いにしへの
菩提樹下なる、正覺の聖のこころ。
八岐の路の何れも行くによし、
わが行く方はやがて皆うら安の國。

と結んだが、これは明らかにル・コント・ドゥ・リイルの作風に薫化せられたものと信せられる。

これに對して薄田泣菫は「ああ大和にしあらましかば」のうち、

「平群のおほ野、高草の
黄金の海とゆらゆる日」

といふ、たしかにルコント・ドゥ・リイルの「眞晝」に胚胎した描寫を見せたが「日ざかり」も同じ。彼は主として『白羊宮』の中に、比喩的觀念象徴の手法を學んで、ヹルハァレン、レニエの作品を模した。「わがゆく海」「笛の音」のごときは、いふまでもなく『海潮音』中「冷艶素香の美」比類なしと稱されたあの翰林院學士の筆路を模したもので、

色音は絶えつ、――醉ひざまの心あがりに、
さざめき散りし飜れ葉は、
糸絡みせし舞の羽の、つと舞ひさして、
噤みぬ、下に落ち敷きぬ。
生命の路に、雌鳥羽に、はた雄鳥羽に、
唇觸れあひて相寢ぬる
伏葉の亂れ、魂合へる美し睦びに、

月は夜すがら見ぞ惚(ほ)けぬ。

といふなど、直ちにそれと知られ、また「鳰(にほ)の浄め」のごとき、一讀して「鷺の歌」を粉本とせること明らかである。「妖魔自我」また同斷であらう。

蒲原有明もまた一二高踏派の直敍體(「浄妙華」等)の手法をとり入れたが、特に『有明集』に於てその妙技を體得、發揮したのは、情趣的觀念象徴を主とする幽玄體であつた。ことにその「豹の血」八章のごとき、「不安」のごとき、「絶望」のごとき、「癡夢」のごとき、此巨匠の最高峰を代表するもので、これらの美詩になると殆んど何人の影響感化の域をもぬけ出で、渾然たる獨創の妙を發揮した制作と目すべきである。

陰濕(いんしつ)の「嘆(なげけ)」の窓をしも、かく
うち塞ぎ眞白にひたと塗(ぬ)り籠め、
そが上に垂(た)れぬる氈(かも)の紋織(あやをり)、——
朱碧(あけみどり)まじらひ匂ふ眩(まは)ゆさ。

これを見る見惚けに心惑ひて、
誰を、噫、請ずる一室なるらむ、
われとわが願を、望を、さては
客人を思ひも出でず、この宵。

唯念ず、しづかにはた圓やかに
白蠟を黄金の臺に點して、
その焰いく重の輪をしめぐらし
燈えすわる夜すがら、われは寢ねじと。

徒然の慰さに愛の一曲
奏でむとためらふ思ひのひまを、
忍び寄る影あり、誰そや、——畏怖に
わが脈の漏刻くだちゆくなり。

長き夜を盲の「嘆」かすかに
今もなほ花文の氈をゆすりて、
呼息づかひ喘げば、盛りし燭の
火影さへ、益なや、しめり靡きぬ。

癡れにたる夢なり、こころづくしの
この一室、あだなる「悔」の蝙蝠
氣疎げにはためく羽音をりをり
音なふや、噫などおびゆる魂ぞ。

此詩のごとき、日本新詩壇あつて以來の第一人者と目すべき巨匠が彫心鏤骨の極みになる佳品であるが、さすがにその背後に『海潮音』の餘響を感ぜずにはゐられない。が、有明は當時すでに渾成せる詩技をもつ第一流の名匠であつた。從つて、その『海潮音』よりうけた影響といへども、露骨な模倣といふべきものは少く、むしろ熟慮の末に換骨しえた同化といふべきものが主であつた。鐵幹・泣菫にあつてもほぼ同斷である。これは手法以外に律格・語彙の點についても、ほぼ同じことがいへよう。從つて『海潮音』の直接な餘響を探らんとする場合には、むしろ上揭の諸大家にくらべて、數歩後進であつた人人の作品を點檢するのが至當である。その結果、評者の明らかにしえたものを略說すると、石川啄木には、泣菫・有明の詩風とともに、『海潮音』調も多少の痕跡を止めてゐるが、さして留意するほどのこともなく、三木露風には、『廢園』に二三語句の影響（「風によせて歌へる」等）を探れるが、『白き手の獵人』以後顯著となつたその象徵手法は、一部分『海潮音』に培はれてゐるとはいへ、むしろ直系は『珊瑚集』から系を引いてゐる。彼は西洋近代詩の表現手法を東洋化・日本化して、古俳人の藝道と渾融せしめんとして、泣血の苦心を注いだが、『海潮音』との關係はむしろ第二義的と見るべきである。これに反してスバル系の諸星、特に木下杢太郞・北原白秋の二家には、『海潮音』の影響は斷然明らかである。前者は『天草組』以下『繪踏』、『南蠻寺門前』等に、「故國」系統の淸新な異國情調（エクソチスム）を漲らせ、『綠金暮春調』には、新渡の佛蘭西印象派の手法を取入れて、燦爛たる色調を紙上に輝かしつつ、「嗟嘆」系統の情調詩を完成し、更にまた江戶俗謠の趣味を復活せしめた『食後の歌』の竹枝には、「海のあなた」系統の『松の葉』經由の民謠詩を模造して、その秀抜な詩技を到るところに惜しげなく撒き散らして行つた。此俊敏多感な詩匠の業績を、今日、あらためてあとづけてみるとき、その典範のうちに、『海潮音』を逸することは、決して許されないであらう。が、此詩人にあつては、ホオフマンスタアル等獨逸新詩人からの直接の薫化と、歌澤・新内等江戸俗曲の及ぼした餘染とが、それと平行してゐて、『海潮音』の影響を辿るには、細心の留意を必要とする。

　これに反して、上田敏の譯詩集の感化・影響・餘薫の跡の生のままで追尋しうるのは、北原白秋の諸集である。特に、その痕跡の最も濃厚に指摘されるものに、處女詩集『邪宗門』を擧げたい。白秋が此集に於て最も力を注いだものは、「情緒の諧樂と感覺の印象」(『邪宗門』例言)とを主とする象徴詩であつたが、これが主として『海潮音』(及びその直後のマアテルリンクの情調象徴詩)によつて開眼されたことは、言を俟たない。今、特に『海潮音』から影響されたと思はれるものを列擧すると、その(A)表現手法の上では、まづ(1)情調象徴(白秋の所謂「内部生活の幽かなる振動のリズムを感じ、その儘の調律に奏でいでんとする音樂的象徴」系統のそれを擧ぐべきである。『邪宗門』では、「室内庭園」、「陰影の瞳」、「謀叛」等が、その代表作である。特に

ひと日、わが精舎(しやうじや)の庭に、
晩秋(おそあき)の静かなる落日(いりひ)のなかに、
あはれ、また、薄黄(うすぎ)なる噴水(ふきあげ)の吐息(といき)のなかに、
いとほのに、ギオロンの、その絲(いと)の、
その夢の、哀愁(かなしみ)の、いとほのにうれひ泣く

第三作がマラルメやヱルレエヌの混血兒として『海潮音』の直系を引くが、『第二邪宗門』の「暮愁」(『白秋全集』第一卷。三八八頁)の第一聯(暮れぬらし。何時(いつ)しか壁も灰色に一室(ひとま)はけぶり)その他も、ロオデンバッハから暗示されたものに『白羊宮』の「望郷の歌」などが濃い影を投げてゐる。更にまた

……あふげばほのめくゆめの白楊(ほぴゆら)、
愁の水(み)の面(も)を櫂はすべる。
吐息のをののき、君が眼(め)ざし

やはらに縺れてたゆたふとき、
光のひとすぢ——顫ふ白楊、
文月の香爐に濡れてけぶる。

さてしもゆるけくにほふ夢路
したたりしたたる櫂のしづく、
薄らに沁みゆく月のでしほ、
ほのかにわれらが小舟ぞゆく。

ほのめく接吻、からむ頸、
いづれか戀慕の吐息ならぬ。
夢見てよりそふわれら、白楊、
水上透かしてこころ顫ふ。

といふ「月の出」のごとき、いふまでもなく、サマンの「伴奏」に示唆されたものであらう。

「地平」は、たしかにレニエの「銘文」からヒントを得たものらしく、

　　あな哀れ、昨の日も銅のなやみかかりき。
　　あな哀れ、明日もまた鈍き血の濁かからむ。

といふなど、露骨に上田敏調を模してゐる。然しながら『邪宗門』は、必ずしも情調象徴系統のもののみではなく、(2)觀念象徴風のものも多少は混入してゐる。特にその『第二邪宗門』の「紅火」などは、大體音樂象徴詩の系統に屬するが、それでも

　　火は葡萄染の深帳、花毛氈や、銀の籠、
　　また維のころも、綠髮、わかき瞳に炎上の
　　匂香熱く、『時』の呼吸、瞬き燻る『追懷』よ、
　　『戀』は華嚴の寂莫に蒸し照る空氣うち煽る。
　　時經ぬ唇は『樂欲』の渴に焦れ、心の臟
　　喘げば、紅火『煩惱』の血彩薰ずる眩暈よ。

とあるごとき、主として、ロゼッティの「戀の玉座」に感動して生れた、觀念系統の匂をとどめてゐるのである。 更にまた(3)獨逸小曲やオオバネル系の民謠調もひびいてゐることは、「空に眞紅な」、「あかき木の實」、「なわすれぐさ」、「わかき日の夢」などが、これを證明する。

暗きこころのあさあけに、
あかき木の實ぞほの見ゆる。
しかはあれども、晝はまた
君といふ日にわすれしか。
暗きこころのゆふぐれに、
あかき木の實ぞほの見ゆる。

など、集中でも屈指の名作であるが、この所謂「和蘭わたりのびいどろの深き古色」も、その源を溯れば、結局ブッセやアァレントの山中湖から流れ出てゐることが直感され

よう。(1)ダンヌンチオの華麗な直敍體もおびただしき餘燕をとどめてゐるが、『第二邪宗門』の「南國」のうち、

……薔薇（いばら）みち、踏めば濡羽（ぬれは）のつばくらめ、
飛ぶよ外（と）の面（も）の花麥に。
あれ、駒鳥のさへづりよ。

といふなど、「燕の歌」より借用した映像と詩句と氣息との多きに驚くばかりである。ゴルハアレンの「法の夕」もまた「靈場詣」の美辭などに、その痕跡を印してゐる（『白秋全集』第一卷。四六一頁以下）。

次にその詩の(B)取材（シュジェエ）の上では、『邪宗門』におびただしく散見するかの噴水（ふきあげ）——

暮れなやみ、暮れなやみ、噴水（ふきあげ）の水はしたたる（「室内庭園」）

そこともわかぬ森かげの鬱憂（メランコリヤ）の薄闇（うすやみ）に、

ほのかにのこる噴水（ふきあげ）の青きひとすぢ（「陰影の瞳」）

……………しぶく噴水（ふきあげ）
そことなう節（ふし）ゆるうゆるなべに、
いつしかとほのめきぬ、月の光も（「夢の奥」）

といふのは、たしかにマラルメの幽韻詩中の噴水から強く印象づけられて、此異國情調的な取材を盛んに用ゐたものと推されるのである。洋風庭園の未だ十分に發達せぬ當時としては、噴水は、青春子弟に多大な感銘と聯想とをそそる取材であつたらうと思ふ。更に、かの集中におびただしき(2)落日の頃を背景にするセッティングも、主としてボオドレェル、マラルメ等佛蘭西象徴派によつて敎へられたシュヂェエではなかつたか。

ひと日、わが想（おもひ）の室（むろ）の日もゆふべ（「序樂」）

入日のしばし、空はいま雲の震慄のあかあかと、
鋭にわかく、はた苦く、狂ひただるる樂の色(「納曾利」)

あはれ、日は血を吐く悶あかあかと(「黒船」)

夕日はなやかに、
こほろぎ啼く(「風のあと」)

等、等、その引例のわづらはしきに惱むほどである。

第三に、(C)その律格の上で、(1)五七・五七、二十四音調(「邪宗門秘曲」)、(2)五・五・五・七、二十二音調(「顏の印象」)、(3)十七音、十九音交錯調(「濁江の空」)等は、たしかに『海潮音』より學びえたものと思ふが、(4)五・五・五、十五音の「天草雅歌」の佳調も、また、ほぼ同じ源から換骨したものではあるまいかと想像される。

いでや子ら、日は高し、風たちて

棕櫚の葉のうち戰ぎ冷ゆるまで、
ほのかなる蠟の火に羽をそろへ
鳩のごと歌はまし、汝が母も。
好き日なり、媼たち、さらばまづ、
禱らまし、讚美歌の十五番……

もつとも『邪宗門』には、此ほか『有明集』『白羊宮』等の詩形的影響も交錯してゐるので、一一その源泉を追尋することになると、更に一段と愼重に溯源してゆかなければならない。

第四に、これを(D)語彙の上から交渉させると、ここには列擧するも煩はしき迄の豐富・密接な關係が見出される。いま全集版『邪宗門』に就て、『海潮音』から將來された語句を順次に拾つてゆくと、——「波羅葦僧」(「邪宗門秘曲」)、「嗟嘆」(「曇日」)、「ギオロン」(「秋のをはり」)、「あなあはれ、あなあはれ」(「接吻の時」)、「貴に」(「夢の奥」)、「清掻」(「耽溺」)、「白楊」(「暮春」)、「銅の雲」(「地平」)、「寂莫」(「蛾」)、「足穗」(「角を吹け」)、「白琺瑯」(「汝にささぐ」)、「あえか」(「青き花」)、「寂光土」(「凋落」)等皆それで、此ほかにもなほ丹念に探つてゆけば、發見される因緣關係は、愈愈その數を加へるのみであらう。

白秋は『邪宗門』以後その直系たる及びヲ削リ、を公けにし、その間トス　の新體を創めたが、いづれも『海潮音』（竝びにその以後に續出した上田敏の譯詩）の餘韻を濃くただよはせてゐる。　外遊後の上田敏が詩文の方面に於て、特に北原白秋と永井荷風との兩人に留意、これを推輓するに急であつたのは、一つには此二家が彼の影響薰化の下に成長し、彼の庶幾しつつしかも實現しえなかつた藝術境を開拓表現せる　ことに基いてゐたと見ねばならぬ。

白秋以後の新星にも、尙、追尋しゆけば、『海潮音』の影響をさまざまの點に於て探り出すことが出來るであらう。　然しここには紙面の關係で、これ以上細説することは後日を期することにしなければならない。

われらはただ此小論を終はるにあたつて、こと明治後期の日本新詩壇に關する限り、『海潮音』の占むべき位置は平安朝の文學に於ける『白氏文集』のそれに酷似してゐるといふ評語（與謝野寛『牧羊神』の後に）を、些の躊躇もなく、そのままに受け入れうるといふことを力説しておきたいと思ふ。（終）

後記。 文中に引用した諸家については、みな敬稱を省いた。かくのごとき文學史的考察に於ては、寛恕せらるべきことを信じたからである。（昭和九年一月二十五日）

附註。校正中氣づいた點をここに略記する。

本文一五頁。――「明星」と彼との關係について、時人のゴシップの例を拔く。「帝國文學」明治三十八年第十號は、石川啄木の主幹として盛岡に於て發行せる文學雜誌「小天地」を批評して曰く、「啄木主幹の詩『佛頭光』は目も覺める樣な大きな活字で印刷してあります。誰れかの言つた樣に上田柳村氏が明星の特待生であるとするならば、啄木さんは小天地の特待生であるのでせう。」

本文二〇頁。――『全集』の編者は、「禮拜」を初出年月不明の部に編入してゐるが、「帝國文學」の鷗生（小山内薫ならむ）は、これについて左記のごとく述べてゐる。「コペエの『禮拜』は早く雜誌『中學世界』にて著者の散文譯（？）に接せし時、其傑品なるを知んぬ。校訂の上、此集に收められたるまた嬉し。」（「帝國文學」明治三十八年第十一號一一五頁）。ただそれが「中學世界」の第何年第何號であるか、その校訂の樣子など、その雜誌に當つてゐないので、何ともいへないのは殘念である。

本文二六頁。――上田敏が佛蘭西詩文に急激に接近、これを玩味しうるやうになつたのは、一つには早く渡佛して「第二帝政の榮華に接した」父祖の遺傳の力も與つて力あつたと見なければならない。

本文二七頁。――オオバネルの名は、『最近海外文學』の「マティウ及びパラスホス」と題する短文の補遺の中に、初出する。此短文は「帝國文學」明治二十八年五月に載つたが、補遺は、三十四年十二月に單行する時、加へたものである。此補遺の中で、彼は「新プロヴンス文學の研究者は Böhmer ―― Die provenzalische Poesie der Gegenwart, 1870. M. v. Szeliski ―― Die Literatur der Neuprovenzalen ("Gegenwart, 1876, Nr. 35 fg.)を參照すべし」(全集卷三。七〇六頁)と述べてゐる。彼自身これらの諸論文を參考したかどうか、今それを確かめる資料に缺けてゐるが、オオバネルは全部明治三十八年九月號の「明星」に譯出されたのであるし、いろいろな點から考へてみて、その作品に接したのは、どうも明治三十八年中のことかと想像される。すると彼の手にした原集または佛譯はどんなものか。今ランソンの書志によつて考へるに、フェリイブル詩社の盛時に續出した、Cabrié の佛譯『南佛民謠集』(一八四四)、Arbaud の纂集『プロヴンス民謠集』(一八六四)〔二卷本〕乃至 De Closset や De Laveleye の『プロヴンス語及びプロヴンス文學史』(一八四六)等に、彼が接した形跡はない。むしろ Praviel, De Brousse 共編『フェリイブル詞華集』などに一番可能性が多いわけであるが、これは一九〇九年初版であるから、『海潮音』當時の彼がこれを參考する筈はない。出版年次その他から考へて、或ひは Lintilhac（ランチャック）の『フェリイブル詩社』(一八九五年)などが彼の材源であつたのではなからうか。尚、これは他日詳述する機會を待つ。

本文八七頁。―― エレルの『フランチェスカ』佛譯の出たのは一九一三年である(『ランソン近世佛文學書志』一一七一頁參照)。

本文九八頁。―― もつとも横瀨夜雨の「お才」は、すでに明治三十一年六月五日發行の「文庫」(第九卷第六號)に載つてゐる。

本文一三一頁。―― ブラウニングの譯詩一般については、日夏耿之介著『明治文學襍考』(三五六頁以下)に精到な解說があるから、參照せられたい。

本文二四〇頁。―― 上田敏の語彙のうち、同代諸詩人の言葉がいかに『海潮音』にひびいてゐるか ―― これは興味ある問題である。評者は此點をまだ精査してゐないが、恐らくあまり顯著な聯關は見出せまいと思ふ。ただひとつ氣づいたのは、『亂れ髮』の用語が採り用ゐられてゐることである。――「臙脂紫（えんじむらさき）」(「珊瑚礁」)。

上田敏は漢文學プロパアのものにはあまり接してゐなかつたらう。現に『全集』を通讀しても、その方面の記事は多く探り出し難い。ただ「青燈一穗」に「昔衞靈公將之晉至濮水之上稅車而放馬設舍以宿夜分而聞皷新聲者而說之使人間左右盡報弗聞」といふ韓非子の「十過好音」を擧げて、余情をふくめる姿を激賞し（明治二十四年十月）、「拈華庵漫筆」に郭振が「陌頭楊柳枝已被春風吹妾心正斷絕君懷那得知」の和譯を示してゐる（明治二十五年四月）程度に過ぎない。

本文一四七頁。――蒲原有明の言葉は、昭和六年七月、評者が靜岡の隱棲に此詩人を訪れた時、その親しく聽聞した一節である。小山內薰の言葉は「帝國文學」（明治三十八年第十一號一一五頁）參照のこと。（四月六日夜）

書紀に見えてゐる「之」字について

福田良輔

序　言

古事記の文章が處々に國文脈を混へ、その中に我が國上代の國語のいろいろの姿を寓してゐるのに、書紀の方は和臭を帶びた漢文とはいへ、支那の古書に出典ある美辭麗句で潤色された純粹の漢文體で書かれてゐるために、いたづらに漢意が加はり、上代人の思想を歪め、國風を無視した表現、記述に陷つてゐるとして難じられることは、眞淵、宣長以後今日では一般化して了つた結論である。が、しかし、この結論が一般化して了つただけ、それだけ却つてこの方面の研究は等閑視されて、あまり開拓されてゐないやうである。古事記と書紀との記載法の異なることはいふまでもないが、如何なる點が如何に相違し、類似し、また一致してゐるか。これらの相違を生じた古事記の記錄者と書紀の編纂者達との言語意識や用字意識の相違はどうであるか。これらの點に於いて、他の奈良朝時代の文獻、卽ち、祝詞、宣命、萬葉集、正倉院古文書やその他の文獻と全體的に如何なる關係を有するか。そして、そこには言語意識や用字意識の導くままに表現された記載法なり文字使用法にはおのづから體系的なもの、統一あるものが見出されるに違ひない。しかし、例外も生じよう。その例外は如何なる場合に、如何なる理由に基づいて起つたか。それらの例外は全體的關係に於いて如何に說明さるべきものであるか。さらに一歩進んで誤字、誤寫の問題にも入り得ると思ふ。したがつて、當然古寫本の系統、各古寫本の價値の問題にも言及することが出來よう。從來の學者によつて誤寫と說明されてゐるものの中に、全體的な聯關に於いて仔細に觀察すれば、やはり當代の用字意識から說明されるものもあらう。また、今俄かに定め難く解決を今後の努力に俟たねばならないと思はれるものもあらう。また一方、その編纂の態度や成立に就いても考察を下すことが出來よう。また、そこに上代人の思想やその變化の現はれを見出すことも必ずしも、不可能ではあるまい。

この小稿に於いて、書紀の中に用ゐられた四千に近い之字の用字例に就いて、その用字意識を探り、以上述べた如き事項の一部になりとも觸れて見たいのであるが、貧しいながらも何かそこに一つの提案ともいふべきものを提出することが出來れば、わたくしには望外の喜びである。引用する他の奈良朝時代の文獻も、すべてを涉獵し盡したものではないから、未完成のものであり、決定的な結論には到達し得られない。したがつて、提案を出しても、それは不安定のものであり、提案の可能性は認められても、必然性を主張するには、なほ幾多の資料の不足を筆者自ら感じてゐるのである。　加ふるに、筆者淺學にして漢學の素養を缺ぎ、また寡聞淺見にして、徒らに先人の糟粕を嘗めてゐることもあつて、讀み辛い點も多々あることゝ思はれる。　なほまた、行文中諸先哲の御高説に言及した場合、不用意にも禮を失してゐるかも知れない。　併せてひとへに博雅の御寛恕をお願ひしたい。

　近來、萬葉集やその他の上代の文獻の用字法に關する研究が盛んに行はれ、ことに橋本進吉教授の「假名遣奥山路」の説を再檢討された「上代の文獻に存する特殊の假名遣と當時の語法」が「國語と國文學」の第八拾九號に發表されて以來、字音假名に關する諸家の説が頻りに發表せられて、この方面に關する研究が一段と進歩したことは、慶ばしいことであるが、これに反し、漢文的用字例ともいふべき、表意的用字例の研究が割合に閑却されてゐるのは、いささか淋しい次第である。　そして、この方面に關する、上代文獻に現はれてゐる用字例を通じての全體的考察、體系的研究にまで及んだものは殆どないやうである。　わたくしが漢學の素養を缺ぐのを省みず、書紀を中心として、奈良朝文獻の重なるものに見える之字の用法を一應全體的に考察を試みたいと思ふに至つた重なる動因もここにあるのである。　その結果、從來訓み方に疑問あるもの、誤字、誤寫の說あるもの、また誤讀されてゐたものなどを、再吟味して、いささかなりとも解決し、是正し得られることの可能を信ずるのである。

しかして、書紀を中心として、上代の之字の用字法を考察するに當り、特に注意すべきことは、まづ同じく之字の用法といつても、非常に多種多樣であつて、これらの用例を幾つかの用法上の法則を見出して、分類することは多くの困難を伴ふ。記載の意識に根據を置いて、用字例を考察し、分類するといつても、記載者の心理を容易に把握し得られない場合があり、また、複雜ないくつかの心理が併存してゐるやうに思はれて、その主動的心理がいづれとも決定し難い場合も少くない。かつ、わたくしが假設した用字法の分類項目にも、なほ不備を感ずる點も含まれてゐるが、さらに暇を得て之字の用字意識を究め盡すことが出來た上で、補正したいと希つてゐる。かく、いくつかに分類された用法にしても、甲の用法は、奈良朝文獻全體に見える一般的用法であり、乙の用法は特定の文獻に於いては一般的用法であるが、文獻の全體を通じては、特殊的用法であり、丙の用法は、全體に於いても、特定の文獻に於いても特殊的用法であり、丁の用法は特定の文獻では特殊的用法であるが、全體的には一般的用法であるのである。また、一つの用法が特定の文獻にのみ現はれて、その他の多くの文獻には見られないこともあるし、大多數の文獻中に見られる用法が特定の文獻には全然見られないこともある。これと同樣な現象は同一の文獻中に於いても局部的に見られるのである。用字例を考察し、分類する場合には、絶えず部分と全體との聯關的觀點から考察されなければならぬ。

さらに、書紀の用字法、用字意識を考察するには、次の如き事情を顧慮しなければならぬ。まづ、書紀編纂に史料として用ゐられた記錄の文章である。史料として採り入れたものの中には、文體や記載法を異にするものがあつたことは想像するに難くない（津田左右吉博士著「日本上代史研究」第一編、第五章「書記の論述の經過、其の史料としての意義と價値」）。即ち、これらの可なりの數に上つた異なつた史料は、時代を異にし、その記載法もあるものは、純漢文的に、あるものは準漢文的に、あるものは、より國語的に記載せられてゐたであらう。すでに、かういふ記載法の相違がある上に、百濟をはじめ朝鮮の史料が參照、引用され、また一方、漢籍よりは支那の成文、成句がそのまま借用され、換骨脫胎されて用ゐられてゐるのである。しかも、これらの記錄に從事した人々は多くは歸化人及びその子孫で（岡田正之博士著「近江奈良朝の漢文學」二八頁、津田左右吉博士著「日本上代史研究」第一編第五章中、）、同じ歸化人でも、語族系統をわが國語と同じくして、吏讀の如きわが國の萬葉假字に類する記載法を發明した朝鮮人の記載法と支那系の漢文を物する漢人の歸化人の記載法の間には、なほ幾分の相違があつたと思はれる。しかして、書紀の編述を考へるに長年月の間に幾人もの手によつて編纂されたものであるから、編纂中に於ける時代の推移や編者の差異による用字法の相違も想像するに難くない。以上を考へただけでも、書紀の用字法には種々の異なつた分子が雜然として混在し、作用し合つてゐることは容易に看取せられる。それで「日本書紀通證」や「書紀集解」などによつて、支那の典籍から借用せられた成文、成語の中に現はれてゐる之字の用例、引用されてゐる朝鮮の文獻中の之字の用例をその他の用例と區別して、用字例や用字法の統計を算出するといふことは、一應必要のやうに考へられるが、書紀そのものの有する複雜な性質、事情に妨げられて、精確な統計を得ることは困難だし、また、書紀の記載法は大體漢文に據つてゐるから、內外典の相違によつて用字法の統計を區別するといふことは、用字法の考察を目的とする統計に於いては、さほど重要とは思はれない。だから、外典に出典ある用字法は、それが特殊な問題を提出する場合に限つて說明すればよいのである。

書紀の內容は、種々の支那思想に彩られ、支那の傳說、說話、朝鮮の傳説、説話や史料に潤色され（津田左右吉博士著「神代史の研究」、「古事記及日本書紀の研究」、「日本上代史研究」の三書）、日本人の思想、情調や歴史的事實さへも歪められてゐる。しかも一方では、知識社會に於いても、實生活を支配するものは、やはり在來の日本人の風俗、習慣、思想、情調であるのが、書記編述時代の一般的狀態である。そして、修史者もかかる知識階級の一員であり、その修史の態度も、この相背馳する知識と實生活との兩者の間に彷徨し、動搖し、或はむしろそれを二つながら包容しようとしたために、書紀の記載が思想上矛盾と撞着と混亂とに滿ちたやうな狀態を呈してゐるのが、書紀の大きな特色と價値ともいふべきものである（津田博士「日本上代史研究」二七二—二八一頁參照）。かういふ事實は、うつして記載法、用字法の上にも容易に見出される現象である。であるから、用字意識を考察する上に於いて、出典を顧慮することは必要であるが、すでに用字意識の相違に基づいて、いくつかの項目に整理、分類せられた用字例を、さらにその出典の相違によつて、これを區別して統計を算出することは、用字法の考察に於いては、あまり必要とは認められない。

次に、用字意識を說明するに當つて、顧慮されなければならぬことは、修辭的觀點に立脚する考察である。當時の漢文學は官學に於ける唯一にして全一の學問である。養老令の學令に「凡經・周易・尙書・周禮・儀禮・禮記・毛詩・春秋左氏傳各爲一經。孝經・論語學者兼習之」とあつて、當時の官學の學生はこれらを必讀したのである。書紀の編者達はこれらの學生中の英才であつたに相違ない。これらの英才が教科書以外に管子・墨子・荀子・韓非子・史記・文選・その他の漢詩文・佛典を渉獵してゐたことは「通證」を參照するまでもなく、聖德太子の憲法十七條の成文語句の檢討によつても理會される(岡田正之博士著「近江奈良朝の漢文學」中の「憲法十七條に就て」の條)。書紀はかゝる英才によつて、かく書かれた漢文である。しかして、漢文法は修辭學より起つたといへるならば、書紀の句法、字法を修辭的觀點に立脚して考察することなくしては、用字意識の完全なる説明はなし得られないであらう。書紀ばかりでなく、漢字を借用し、少しでも漢文の句法を用ゐてゐる奈良朝文獻に於ける用字研究は、漢文の修辭的觀點からの考察を閑却しては、到達し得られない。ことに之字の如く語助としての職能を有する場合には、かゝる考察は一層重要性を帶びて來るのである。かゝる場合、修辭の心理的説明は用字意識の説明となり得るのである。從來の用字法の説明にはかゝる觀點からの説明が缺けてゐるやうである。吉澤義則先生が「國語・國文」第參卷第壹號所載「萬葉集に於ける文字の文學的用法に就て」に於いて、從來の用字研究が主として語學的に試みられてゐるので、これを文學的に考察し、説明したもののない弊を指摘されて、一般用字研究者の注意を喚起されたことは、時宜に適した、肯綮を得た御卓見であつて、かゝる文學的、修辭的觀點からの用字法研究が閑却されてゐては、完全なる體系的用字法の研究には到達し得られない。

また文章の形式的方面の差異、即ち、文體の差異も用字法考察の一觀點となり得る。例へば懷風藻は全篇純漢文で記載されてゐるが、その序文、作者傳、詩の間には文體の差異が見られる。また詩にしても五言のものもあり、七言のものがある。かゝる文章の形式方面の差異をも顧慮して、用字法の考察はなさるべきである。なほ上代の各種の文獻に於ける記載法の相違が用字法考察の最も重要なる觀點であることはいふまでもない。

吾々が漢文を製作する場合、その背後に國語を漢語に飜譯するといふ煩はしい作業を伴ふものである。書紀の漢文もこの作業を經て製作されてゐる點に於いて、支那人製作の純漢文と著しい相違がある。書紀の編纂者達は、如何なる國語に如何なる漢語を充當したか。書紀の古訓と漢籍佛典に訓された古訓とが、その成立過程、方向に於いて全く趣を異にするのはこの點である。平安朝の漢籍佛典の訓讀は解釋であり、同時に日本語に漢文を、飜譯することであつた（吉澤義則博士著、「國語說鈴」所收「假名交り文の起源」三〇三頁）。しかるに、書紀の訓讀は、漢語を通して、それが充當された國語の探究にあるので、一面言語還元の作業を意味するものである。しかし、萬葉集はその用字研究によつて、完全に言語に還元さるべき可能性を有するが、書紀にはさういふ可能性は期待し得られない。書紀の記載法は達意を主とし、觀念を標識しようとしたもので、言語の音を記載しようとする態度は部分的には見られるが、全體的には見られない。だが、一つの國語を漢語で記載する場合、それに充當せらるべき漢語は不安定のものながら、ほぼ定つてゐたものと思はれる。我々はかゝる漢語と國語との關係を他の奈良朝の文獻や古訓を通して探究することに於いて、書紀の訓讀に着手すべきである。勿論、支那文化謳歌の當代の知識階級の人々は、書紀に現はれてゐるやうな漢語を可なり多く國語として日常談話の中に用ゐてゐたことは、今日我々の用ゐてゐる國語の中に、意外に多くの漢語が存在してゐることによつても容易に推察され得る（昭和八年三月の「改造」所載、山田孝雄博士の「漢文漢語の影響によりて生じたる國語の諸相」）。であるから、書紀を訓まれる限りはことごとく上代の國語で訓まうとする態度は當を得たものとはいへない。

以上に於いて、わたくしは主として書紀に見える之字の用字法を考察することに對する採るべき態度に就いて、その大略を述べた。それは用字法研究の根幹をなす用字意識探究の重なる態度に就いてであつた。卽ち、全體と特殊との間の聯關的説明、書紀の成立、內容を檢討し、編者や史料の相違による記載法の差異の考察、修辭的觀點からの考察、當代の他の文獻との聯關的考察をなす場合、文體や記載法の差異、書紀の訓讀の有する特殊的意義などに立脚して之字の用字意識を探究し、これに基づいて、用字例をいくつかに體系的に整理分類することとであつた。勿論、そこには言語意識の探究といふことを自ら伴ふものである。以上の態度だけでは恐らく充分とはいへないだらう。不備の點は一歩一歩補つて行きたいものである。

おことわり

用例の調査を行つた範圍は、書紀の他に、古事記、萬葉集、出雲風土記、常陸風土記、播磨風土記、肥前風土記、豐後風土記、祝詞、宣命、推古朝遺文、正倉院古文書、懷風藻等である。これに用ゐた本は、日本書紀は、「經濟雜誌社」大正四年刊行の國史大系六國史中の日本書紀に專ら據ることとし、萬葉集は專ら正宗敦夫氏の萬葉集總索引の餘慶を蒙つた。風土記類は古典全集本に據り、疑問の箇所は他の本を參照した。「祝詞」「宣命」は御巫淸男氏の「祝詞宣命新釋」に、「祝詞考」「歷朝詔詞解」を參照した。「推古朝遺文」は大矢透博士の「假名源流考」。「古京遺文」と「懷風藻」は古典全集本を用ゐ、前者は狩谷棭齋のものの他に、山田孝雄博士、香取眞秀氏共編の「續古京遺文」「古金石逸文」のなか、奈良朝に屬するもののを採つた。　正倉院文書はいふまでもなく、「大日本古文書」所收のものである。

調査の方法は、萬葉集は專ら「萬葉集總索引」を使用し、それ以外の文獻は、カードを作成して用例を蒐集した。　しかし、書紀以外の用例は再調査を遂げてゐないので、調査漏れのものも多分にあると思はれるし、また中には訓み方に未解決のものもあるので、單に引用するだけに止どめ、その用例の統計や用法の上から分類した用例の統計的算出は、書紀以外は示さないこととし、用法の有無だけを示すことにした。

なほ、書紀の用字例は、明らかに後世の竄入と思はれるもの、文の重複以外の例は、一書は勿論、人代の諸卷に於けるいろいろの註記の文中の用例も算入した。　一說に竄入とするものもなほ疑問の餘地あるものは、これを算入した。

一

まづ書紀に現はれた之字の用法を通覽し、然る後に用字意識を考察して見たいと思ふ。　が、字音假字「之」は考慮の範圍以外に置く。　即ち、漢文的用法ともいふべき之字の用法の場合に限りたい。

書紀に於ける之字の用法は古事記、萬葉集、正倉院古文書、その他の奈良朝文獻の中に見出される用法より複雑多様である。用例の數も最も多い。書紀の之字の用法がかく複雑多様であることに、書紀そのものが長篇であること、編纂者が一人でないことどの編纂者も當代では漢文に通曉した第一人者であつたこと、その編纂の態度が古事記などとは幾分違つて純漢文風の敍述を採り入れたことなどが重なる原因に數へられよう。しかし、さうはいつても、奈良朝時代の之字の用法のすべての例が書紀に見出されるものではない。また、書紀の中でも巻々によつて用法に差異があり、用例の數に多少がある。往々、書紀と古事記の間にはその記載法の上に著しい懸隔があるやうに思はれてゐる。それは一面たしかにさうに違ひないが、兩者共に漢文の形式に國語の記載法を交へてゐる點に於いては同じである。書紀は古事記に比して漢語やその故事成句を引用して潤色に意を用ゐ、或は漢文中の一節を拉し來たつてそのまま用ゐ、或は少變し、或は換骨脱胎して挿入してゐることが非常に多いために、記載法に著しい差異を感ずるのであるが、もしかういふ點を除き、またはかゝる手段の行はれてゐないところに就いて、その文の構成如何を古事記と比較して見ると、書紀が古事記に比して漢文の構成法をより多く採り入れてゐることは爭へない事實にしても、一般に考へられてゐる程の差異は見出されないやうである。ことに神代の卷ではさうである。したがつて之字の用法に於いても兩者の間に著しい差異といふものは見出されない。

書紀に現はれた之字の用法は大略次のやうに區別することが出來よう。

第一の用法は之字が體言と體言とを接續して、下の體言に對し連體格なることを示し、國語の訓み方では「の」「が」または「つ」などに訓まれる用法で、代名詞は勿論、體言に準ずる語の場合も含むのである。なほ上の名詞、代名詞の下に、「以上」「等」などの名詞に準ずる語が加はつてゐる場合、之字の後の體言の代りに、「共」「故」「殊」などのやうな名詞性の副詞ともいふべきものが來る場合も用法上の差異は殆ど起らないから一しよに含めることにする。よつてこの第一の用法は便宜上小分して次の如く區別することが出來よう。

(A)

(a)
丹生之川(卷三)
竹島之門(卷二十五)

畝傍之橿原(卷三)

(b) 近江之・平浦(卷二十六)

(c) 大戸之・導尊(卷一)
木花之・開耶姫(卷二)
熊之・凝(卷七)

(d) 倭國之・物實(卷五)
黑媛之・家(卷十二)
孔舍衞之・戰(卷三)

(e) 八坂瓊之・曲玉(卷一)
金銀之・國(卷七)
處處之・泉部(卷十三)

(f) 山川之・險(卷七)
反之・虛實(卷二十五)

(g) 湌泉之・竈(卷一)
顯神明之・憑談(卷一)
現人之・神(卷十)

(h)
底磐之根（卷三）
萬死之地（卷十七）

(i)
天之神之孫（卷二）
滄海之原（卷二）

(j)
晝夜之殊（卷二）
私曲之故（卷十二）

(k)
小智以上之墓（卷二十五）
瞎夫采女等之手綴（卷二十九）

(l)
所生兒之六世孫（卷二）
此古之遺式也（卷三）
太山守命之對言（卷十）
明日之夜（卷十二）
國之遠近（卷十四）
車駕之數（卷十四）
先靈之徵表（卷二十）

(B)

新墾之十握稲之穗(卷十五)
二日一夜之間(卷十四)
百儲之進止威儀(卷二十九)

吾之幸鉤(卷二)
我之一身(卷二十四)
己之私地(卷十一)
妾之姉(卷十三)
爾之赤心(卷一)
汝之力(卷十七)
誰之子女耶(卷二)
誰之過歟(卷十九)
其處之御綱葉(卷十一)
其處之魚(卷八)
其何處之花矣(卷十二)

故其處之魚、至于六月、常傾浮如醉、其是之緣也（卷八）

高麗王、征伐我國。當此之時、若綴旒。（卷十四）

此之一言、竊比於往哲之善言矣（卷二十七）

以上は名詞と代名詞とによつて(A)(B)に區別し、その各〻に就いてのいろいろの場合の用例を大體示したのである。

この第一の用法は書紀は勿論、他の奈良朝時代の文獻に於いても、他の用法に比べると斷然多い用法で、他のいづれの文獻にもこの用法だけは見受けられるものである。用法が最も單純であるから、古くから現はれ、奈良朝でも古いものになるほど、この用法と他の用法との比率の差は甚だしくなつて來るのである。金石文全體を通じて、ことに推古朝の金石文にはこの用法が著しく多いのである。

まづ(A)の方から述べることにして、前に揭げた例に就いて一言し、それから他の文獻中に見えるこの用法と書紀のそれとを比較考察し、さらに書紀の用例中で問題になる個々の例に就いて述べて見たいと思ふ。

(a)(b)(c)はいづれも固有名詞で、(a)は上が名にして下が質なる關係を示し、(b)は上下共に地名であるが、下の地名は上の地名の域に抱括されてゐる。(c)の三例は神名、人名であるが、神名、人名の意義はなかなか明らかでないから、したがつてその中に用ゐられた之字の用法もなかなか理會し難い。次の(d)は固有名詞が上に來て、下の名詞を修飾してゐるもので、はじめの例が國名、次が人名、最後は地名である。(e)例は上が普通の名詞といふだけで、(d)例と變りない。(f)例は(e)例と變りないやうに思はれるが、(e)例では上の「八坂瓊」「金銀」「處處」がそれぞれ下の「曲玉」「國」「泉部」を修飾限定してゐるのであるが、(f)例では下の「險」「虛實」と上の「山川」「反」とは對立的關係に立つてゐる。(g)の例は國語の意をとつてこれを漢譯したもので、國訓にしたがつて訓む場合には、書紀の編者が註してゐるやうに訓むべきものであるから、この種の例の之字は「の」とも「が」ともまた「つ」とも訓まれない。

次の(h)の例の之字は「現人之神」「底磐之根」「萬死之地」をすべて國語で訓む場合、これを訓むべきかどうか、訓むとしたら如何に訓むべきかが問題である。「現人之神」などでは「アキツカミ」とよんで之字を「ツ」に充てたと思はれるが「現人神」と書いても「アキツカミ」と訓まれてゐる。「萬死之地」はこれを古訓の如くに「シスベキ」と訓んで之字を訓まなかつたかも知れぬ。また或は「シスベキノ」とやはり之字を訓んだかも知れぬ。(i)の例のはじめの「天之神」は普通「アマツカミ」と訓むべきであらうが、後の

「滄海之原」を古訓のやうに「アヲウナバラ」と訓んでよいものか、今俄かに定め難い。(j)は下に名詞性の副詞の來た例を示し、(k)は「以上」「等」のやうな語が添加されてゐる場合を例示したに過ぎない。

(l)は書紀中に屢々用ゐられてゐる用例で、以上(a)から(k)までに掲げなかつたやうなものを試みに雜然と羅列したものである。

書紀の卷を順次に追うて、その間、問題になるべきものに就いて考察を試みる。引用の本文は大正四年經濟雜誌社出版の國史大系本六國史中の日本書紀による。頁數を附する場合は同書の頁數である。

まづ第一卷に

思欲以吾身元處合汝身之元處

とあつて國史大系本の書紀の頭註に「之、丹鶴本玉屋本无、當衍」とある。上に「吾身元處」とあつて、「吾身」と「元處」との間に之字のある本がないことから察すると、「汝身之元處」の之字は一應衍字のやうに考へられるが、必ずしもさうばかりは考へられない。書紀では上下の語が同一の文字で書かれてゐる場合に、上の語と下の語との間に之字を入れる場合もあり、然らざる例もある。このことに就いては後に改めて說きたいと思ふから、ここでは單に例を掲げるに止める。天武紀には「壬申年之功」と書いてゐる例と、之字を書いて「壬申年功」と書いてゐる例が夥しく見えてゐる。或は編者の相違とも思はれるが、「壬申年之功」「壬申年功」とあるところは同一人によつて書かれてゐるやうである。または誤字とも考へられるが、誤字に歸するには兩者の書法の例があまりに多い。「詔之曰」と「詔曰」との相違は前例とはその用法の趣を異にしてゐるものがあるやうである。かういふ之字の書法は何も書紀ばかりに限らない。大體奈良朝文獻を通じて一般的に見られる傾向である。

湌泉之竈此云譽母都俳遇比（卷一）

顯神明之憑談此云歌牟鵝可梨（卷一）

の例は動詞、形容詞、副詞、助動詞などを體言に續ける第二の用法と思はれる「絕妻之誓此云許等度」「端出之繩此云斯梨倶梅儺波」などと同じく、國語の意をとつて漢譯したもので、對譯字書としての職能を有するものであり、當代人が國語を漢譯するにあたり、如何なる態度で臨んだかが察しられる。この場合之字に相當する語は國語の中には見出されない。平安朝に於ける漢文の訓讀と同じく、全く解釋的な翻譯である。かういふ例が殆ど書紀の中でも神代卷に現はれてゐるといふことは、神代紀に於ける他の之字の用法が人代になつてからの古事記の之字の用法より、古事記の上巻のそれに隨分接近してゐることと考へ合せて、書紀の編者も神代の巻では古意古語の保存にことに留意したことを裏書するものと見られる。

亦名神吾田津姫。亦名木花之開耶姫(巻二、本文の註)

の之字も書紀に見える他の「木華開耶姫」「木花開耶姫」「木花開耶姫命」といふ書例が一書にあることより推すと、衍字のやうに思はれるが、古事記にはいづれも木花之佐久夜毗賣とあつて之字があり、書紀の神名、人名の書法を通覽するに神名、人名中、同一名を記す場合に之字を入れた場合もあり、然らざる場合もあり、同じ「アマツカミ」を記すにも「天神」とも書き「天之神」とも書いてゐるやうな書風中から推すと、之字は衍字とばかりいへない。むしろ「之字」のある方が省略しない書式で、之字が省略されてゐる書紀の他の例でも、古事記のやうに「コノハナノサクヤヒメ」と訓むべきものと思はれる。

高皇產靈尊兒火之戸幡姫兒千千姫命(巻二)

の之字も私記には無いが衍字と見るは當らない。そして高皇產靈尊兒なども、他の「高皇產靈尊之息」「高皇產靈尊之女」やこれに類する例から見てもあつて然るべきところであるが、かゝる場合に無い例も少くない。無いにせよ「ノ」を添へて訓むべきであること勿論である。千千姫命も姫と命との間に之字がある方がよいが、かかる之字の省略は一般化されてゐるから自由であつたやうに思はれる。

海神自言。今者天之神之孫辱臨吾處。（卷二）

の「天之神之孫」は普通は「天之神」の之字は省かれる例が多いのである。津田左右吉博士は「書紀の書き方及び訓み方について(二)」（史學雜誌、第四十四編第四號）の中で、書紀の「天神之子」、「天神子」「天孫」は何れも「アマツカミノミコ」の語を寫したもので、「天神之孫」もやはり「アマツカミノミコ」と訓むべきであるは類推されてゐる。してみれば、ここの「天之神之孫」を古訓に「アメノカミノミマ」と訓んであるのが「アマツカミノミコ」と訓むべきであることといふまでもないが、「アマツカミノミコ」といふ一つのことを表記するのに、「天孫」、「天神子」、「天神之子」、「天神之孫」、「天之神之孫」と實に五通りの表記法を用ゐ、天神子では一つも之字を用ゐず、或場合は「天神之子」では一つ用ゐ、「天之神之孫」に至つては二つも用ゐ、その省略、添加は放縱と見られるまでに自由である。しかしながら、かういふ自由な表記法を或場合に書紀の編者達が採つてゐる事實は、文の前後に於ける句法上の修辭といふことが、之字の如き助辭的、虛辭的性質を一面に有する字にあつては、その省略、添加の重要な原因と考へられる場合が多いのではなからうか。異本に於ける文字異同の問題も、この點から決せらるべきものも少くなからう。

踉蹡之鉤此云須須能美賦（卷二）

と一書にあるが、之字を衍字として退けることは、漢文では四字の句が最も喜ばれることからも、考慮すべきである。古事記に「須々鉤」とあつても、また訓の「須須能美賦」の「能」字がかりに衍字としても、「端出之繩此云斯梨倶梅儺波」などの漢語と國訓との關係事情から推すと之字までを衍字とすることは當らない。

乃有金色靈鵄。飛來止于皇弓之弭（卷三）

の之字はない本とある本があるが、ある本に據つて强ひて補ふ必要はない。

秋八月壬午朔立日酢葉媛命。以皇后弟之三女爲妃。（卷六）

の「弟」字を集解は三女の下にわざわざ移してゐるが、牽强である。「皇后弟之三女」はまた「皇后之弟之三女」とも書紀の編者によつて書かれる可能性のあるものであることを閑却してはならない。

故弓矢及横刀納諸神之社。（卷六）

の之字はない本があるが、有無いづれでもよい。崇神紀に「定天社國社」とあるものに對應するものが、古事記に「定奉天神地祇之社」とあることからも推及される。

時召₂山部阿弭古之祖小左₁。令₂進₁冷水₁。(卷七)

この之字を集解は傍訓の攙入としてゐるやうであるが、かゝる場合、書紀に於いても、他の古事記をはじめ、諸書に於いても、之字のある方が普通である。

聞₂天皇之車駕₁。豫拔₂取五百枝賢木₁(卷八)

この之字はない本が多いのであり、かゝる場合に之字を書かない例もあるから、ある本に據つてこれを補つても意義がない。ない場合には「ノ」を補つて訓むべきである。なほいひ漏らしたが、

𨕙以₂天之瓊矛₁指下而探之。是獲₂滄溟₁。(卷一)

とある之字も通釋のやうに削ることは如何であらう。一書にはいづれも「天瓊戈」「天瓊矛」のいづれかであつて、之字がないから之字は衍字とも考へられるが、これは書紀の本文の註には「木花之開耶姬」とある例などとは趣を異にしてゐて、漢文の修辭法である四六の法式に見られる、いろいろの字法から說明すべきものではあるまいか。單に本文と一書との關係、書紀の編者の相違、編纂態度の不統一ばかりに

その理由は求められない。であるから、異本に於ける之字の異同、出入は、この點を考慮して新に出發しなければならぬ。しかし、かく之字が添加、省略されることは、之字の語助辭であることに因ることはいふまでもない。で、添加、省略が主として修辭上に基づくか、單に個人や場所の相違によるに過ぎないかを考ふべきである。しかし、かういふ之字の省略は奈良朝文獻を通して一般に見られる事實である。

古事記の下卷にある

此天皇。娶葛城之曾都毗古之女。石之日賣命

太后石之日賣命之御名代
其太后石之日賣命
於是大后石日賣命

木梨之輕太子
木梨輕王

などに於いても前者を正しとして、之字のない方を誤寫として、他本によつて之字を補ふことは、古事記の編者の用字意識を考慮しない態度といはなければならぬ。

副其姉石長比賣。令持百取机代之物奉出。（上卷）

亦絁疊八重。數其上。生其上而。具百取代物爲御饗(上卷)

不忍於悒而。令持百取之机代物。參出貢獻(雄略天皇記)

天皇御年玖拾參歲。(中卷、孝昭天皇記)

天皇御年壹佰貳拾參歲(中卷、孝安天皇記)

此天皇之御年捌拾參歲(下卷、仁德天皇記)

天皇之御年陸拾肆歲(下卷、履中天皇記)

などの自由な用法から見て、古事記に於いても、之字のない同一例が少ないからといつて誤脫として他例を以て補ふことも、また之字のない同一例が有る方より多いからといつて、これを削ることも宜しくない。之字のみならず、他の「者」、「所」、「矣」、「而」、「也」などの字に就いても、かゝる編者の用字意識から、新にその當否を考へて見る必要があらう。

風土記などにも

國宰久米大夫之時(常陸)

國宰川原宿禰黑麻呂時(常陸)

有百姓之家(出雲)

〜有百姓家（出雲）
〜志貴嶋宮御宇天皇之御世（播磨）
〜大長谷天皇御世（播磨）

のやうに之字を省く場合もあり、また書き加へる場合もあるから、無い例を以つて直ちに誤寫、誤脱に歸することは當らない。しかしながら、かゝる省略法が用ゐられるのは、これを省略しても、當代人には理會出來る場合にのみ省略されることが普通であつて、省略しては誤解を生ずるやうな場合には、これを省略しなかつたであらう。しかしながら、金錢貸借の證文の如きものの中にも、之字の省略が夥しいのを見ると、この用法の之字の省略といふことは如何に一般化されてゐたかがわかる。

〜以四月三日納六百九十五文
　五百文本
　一百九十五文三月之利（大日本古文書、正倉院文書、第六卷、四二頁）
〜以七月十七日納九百廿三文五百文本
　四百廿三文六月又十五日利（同書、同卷、四二四頁）

後者には「日」と「利」との間に之字が略されてゐる。かういふ例は、なほ同文書中に例外といふには餘りに多く見えるのである。いふまでもなく、かういふ場合は之字が省略されてゐても、訓む場合には之字のあるのと同樣に「ノ」を入れて當時の人も訓んだものと思はれる。それで、この種の之字の用法で同一事物、または同類の事物を記錄する場合に、一方の例には之字があり、他方の例には之字がない場合がある。ない場合でも、勿論例外はあるが、ある方の例にしたがつて、之字のあるものとして、原則としては訓むべきである。本居翁はいはれてゐる。

體言に屬たるは必讀べし、天之某國之某の類、淡路之穗之狹別など、如此さまの能てふ辭、讀添べき處には、丁寧に之字を書添て、古語を明らかにせり、後世に誤て、能を略てよむたぐひ、此記に依つて正すべし(古事記傳一之卷五十八オ)

翁の詞は、大略當を得たものといふべきである。しかしながら「讀添べき處には、丁寧に之字を書添て、古語を明らかにせり、云々」といはれたのは、古事記の序文に述べてゐる記載法を過信されたものであらうが、わたくしが參考までにあげた右の少數の例によつても、いさゝか過ぎたるは及ばざる弊を見出すことが出來る。卽ち、同一事物を記載するにも、また同樣な記載法を用ゐてゐる場合でも、之字を省略し、或は添加してゐる例は古事記全卷の諸處に見出される事實である。またたとへ之字があつても例外的に訓まなかつたと思はれるものがあるやうである。ことに書紀の場合は國語に訓ずる場合、かういふ例が、古事記より純漢文に近いだけ多くはないかと思はれる。

さて「石日賣命」は「イハノヒメノミコト」、「木梨輕王」は「キナシノカルノミコ」、「百取机代之物」、「百取机代物」、「百取之机代物」はいづれも「モモトリノツクヱノシロノモノ」とこのまゝで訓むのが當代の用字意識に適つた正常の訓み方であらう。また、「黒麻呂時」は「クロマロノトキ」、「百姓家」は「オホミタカラノイへ」といづれもこのまゝで「ノ」を添へて訓むべきである。誤字誤脱に歸するのはよろしくない。

(B)

代名詞の下に之字がつき、更にその下に體言が附いた例に就いては、餘り述べることがない。この例は書紀全體を通じて(A)の餘りに多數なのに比して非常に少ない。ただ、すでに掲げた「其是之緣也」、「此之時」、「此之一言」の「是之」、「此之」はいづれも「コノ」と訓むべきことは、安藤正次先生が、「國語·國文」第參卷第貳號所載「古事記行文の一研究」中に於いて述べられてゐることであるが、これらの之字の用法は、漢文の句法から來たものか、國語の助詞「ノ」をあらはすに之字を用ゐた當代の一般的之字の用法から生じたものかに就いて考へて見たい。それに就いて書紀以外の文獻に見える用例を拾つてみることにする。

古事記

此之阿遲鉏日子根神（上卷、上）
此之大中津比賣命（中卷、景行）
是之御世（中卷、崇神）
是之御歌（下卷、仁德）
此之鏡（上卷、下）
此之御世（中卷、崇神、景行、仲哀、應神、仁德、繼體）
此之二柱無御子也（下卷、仁德）
此之三歌（下卷、雄略）
此之中小長谷若雀命（下卷、仁賢）
此之天國押波流岐廣庭命（下卷、繼體）
此之中沼名倉太玉敷命（下卷、欽明）

此之子多遲摩斐泥（中卷、應神）
此之子多遲摩比那良岐（中卷、應神）
此之子多遲摩毛理（中卷、應神）
其之謀（中卷、垂仁）
其之稻城（中卷、垂仁）
夫之奴（下卷、仁德）

萬葉集

是時宮前在二樹木。此之二樹斑鳩此米二鳥大集（卷一、左註に引用せる文）

正倉院古文書

此之料（第十卷、一二八頁）
是之結願（第八卷、五一〇頁）

播磨風土記

此之野

宣命

此之仰賜比援賜夫食國天下之政（淳仁天皇卽位之宣命、天平寶字二年八月朔日）

心浄天久之仕奉武良、此之實能肸臣方仁在武（天平寶字八年九月二十日）

此之負賜、援賜食國天下之政（寶龜元年十月朔日）

故此之狀悟天、（寶龜四年正月二日）

故此之狀悟天、（天應元年四月四日）

此之仰賜比援賜夫食國天下之政（天應元年四月十五日）

懐風藻

當此之際。宸翰垂文。賢臣獻頌。（序文）

まづ、これらの用例を考察する前に一應先人の説をたづねて見よう。

田中頼庸氏は校訂本古事記に於いて、古事記中の「此之」をいづれも「コレノ」と訓まれ、なほ「我之」を「ワレノ」と訓まれてゐるが、「我之」を「ワガ」と訓むことは、萬葉集の用例によつてもごく普通の訓み方であり「此之」を「コレノ」と訓まれたのはいささか之字に拘泥し過ぎた訓み方で、古事記の編者はさほど深い意味で之字を添へたものではあるまい。「此」字だけでよい場合に之字をさらに添へたものであるから、何か相當の理由があり、訓み方も「此」一字の場合とは變へて訓まなければならないもののやうに考へられるが、わたくしにいはすれば、之字の非常に自由な用法が、つひにかういふ用法を生じたものと思はれる。これらの用法を、三矢重松博士が「古事記に於ける特殊なる訓法の研究」中に、事實としてあらはれてゐることを結果的に見て、「贅用らしき者あり」といはれてゐるのは誤りではない。安藤正次先生がこの種の用法を發生的に見られて、

古事記のこの種の用法は、漢文の特殊の句法から來たと見るよりは、之を助詞のをあらはすものとして用ゐる他の慣例から、これをコノ・ソノののにも推及ぼしたものと考へる方が適當であらう。（前出「古事記行文の一研究」）

と述べられてゐるのも、傾聽すべきお說である。わたくしは啓發される兩先生のお說を基礎として、卑見を述べて行きたいと思ふ。

書紀にはすでに例示した如きものの他に、この種の用法が見られないのではないが、古事記に比すると、全文の量に於いて古事記の比でなく、長いのに反し、その用例は却つて遙かに少いやうである。この點から考へると、書紀より和臭を餘計に帶びてゐる古事記にこの用法が多いといふことは、安藤先生の立論の根據を助けるものである。事實、古事記より量に於いて大なる文獻は、他になりあるにかゝはらず、古事記ほど、この種の用例のあらはれてゐる文獻は他にないのである。勿

論、宣命には六例あるが、第二の例は宣長が「此」字を衍字としたもので、かつ、用例はすべて淳仁天皇以後のものである。　古事記に次いで、國文で書かれた宣命の中にこの種の用例が多いといふことは、或程度まではこの「此之」の之字が國語の助詞の「ノ」と密接な關係があることを推定させるに足りるものがある。　他の文獻にあらはれた、この種の用法が漢文の句法から來てゐることが事實にしても、宣命の作者には漢文に於ける「此之」の用字法は殆んど沒却されて、國語の助詞「ノ」をあらはす之字として用ゐたといふのが、作者の用字意識であつたと思はれる。　しかしながら、考へさせられることは、萬葉時代の一流の日本の漢詩人の詩を集めて編んだ懷風藻の絢爛たる漢文の序中に、「當此之際」といふが如き用例を見出すことである。　もし「此之」の用法が全然漢文の影響をうけないで、之字を助詞「ノ」をあらはす當時の國語の記載法から生じたものとすれば、懷風藻の序文の中にかゝる用法を見出すことは、實に珍奇な特例といふべきものである。　三省するに、懷風藻中の「此之」は漢文の特殊の句法より、宣命中の「此之」は之字を國語の助詞「ノ」をあらはすことにより、各、その發生の原因を別にして、結果を同じうしたるものか、或は漢文の知識豊かな當代人は、漢文の「此之」が、國語「コノ」を漢字で書きあらはした「此之」と略一致する内容を有してゐるから、これらのことを意識しながら「此之」の用法を用ゐたものとも思はれる。少くとも、はじめ「此之」を用ゐてゐた人々にはさういふ意識があつたのではあるまいか。そして、懷風藻や宣命以外のこの種の用法は、それが使用されてゐる文體から見るに、無意識にせよ、使用者にはかういふ心の傾向が働いてゐたものであらう。

卽ち、書紀や古事記の文體は編者が意識的に、また或場合は無意識的に、國語の敍述法を交へて記載してゐるが、結局、全體の文の結構は漢文の形式であるやうに、「此之」の之字の用法にも國語の語法が意識的に、また無意識にも作用してゐるが、そこにはやはり漢文の句法が統一的に作用してゐるものと思はれる。換言すれば、記紀の文體を和漢混淆の文といふことが出來れば、「此之」なる用法は和漢混淆の用字意識のもとに生じたといふべきである。なほ、書紀の如き純漢文的のものでは之字の添加が主として、四六の字法に因ることは、(B)に例示した「是之緣」「此之時」「此之一言」の前後の文の字法に徵しても明らかである。

さて、「此之」「是之」を如何に訓むかといふことに就いて、一つの問題があるやうであるが「此之子」以外の例はいづれも「コノ」と訓んで差し支へないやうである。「此之子」は宣長翁も「コレガコ」と訓んでをられるやうに、前後の文の意味から、どうしても「コノコ」とは訓まれないやうである。やはり「コレガコ」と訓むべきである。宣長翁は、「此之鏡」の訓を、「許禮能鏡」と訓まれ、證として、萬葉の「許禮能水島」、「許禮乃波流母志」をあげられ、この訓法を古言の一格とされてゐるが、これも「コノカガミ」と訓んでよいと思はれる。第一稱の「あ」と「あれ」第二稱の「な」と「なれ」、第三稱の「こ」と「これ」、「そ」と「それ」、「か」と「かれ」、「た」と「たれ」、卽ち「れ」の附いたものとの用法上の差別、發生上の前後關係、用例の多少、安藤先生のいはれる如き「コノ」と「コレノ」との用法上の差異(卽ち、上例の「許禮能」、「許禮乃」は「水島」、「波流母志」が卽ち「これ」であることを示してゐる)などを考へ合せると、却つて、「コノカガミ」と訓んだ方が神勅に相應しい古格ではないかと思はれる。「夫之奴」は「ソレノヤツコ」と訓むべきものであらう。

「此之中」はやはり古事記の同趣のことを記してゐる文脈中に於いて「此中」と之字のない例が見えるし、他例と考へ合せて「コノナカ」と訓むべきで、一面この種の用字意識を察知することが出來る。書紀には「其之」とある例を見出さなかつたが、これは、「此之」が特別な場合に「コレガ」と訓まれたやうなことはなく、いづれも「ソノ」と訓まれたと見られる。

「其處之御綱葉」(卷十)、其處之魚(卷八)の「其處之」を書紀の古訓はいづれも「ソコノ」と訓み、宣長なども古事記の「其地之那豆岐田」「其地之菘菜」などの「其地之」をやはり「ソコノ」と訓んでゐられるが「ソコナル」とも訓んで差し支へないもののやうである。宣長はかかる場合の之字を「ナル」とも訓まれてゐる。例へば「其腰之玉」(古事記、中卷應仁記)を「ソノコシナルタマ」と訓まれてゐる。萬葉集にはこの種の之字の用例は殆んどないが、次の例は之字を「ナル」と訓んだものと思はれる。

梅の花吾は散らさじあをによし平城之人來管見之根(卷十)

この之字を略解は「在」字の誤かといつてゐるが、諸本いづれも、之となつてゐる。萬葉では平城は「ナラ」と訓まれるが普通で、ことにこの歌では「ナラ」の枕詞「アヲニヨシ」があるから、平城はどうしても「ナラ」と訓むより他はない。しかも「平城之人」は第四句であるから「ナラナルヒトノ」と訓むべきである。即ち、之字はこの際「ナル」と訓まるべきである。之字が「ナル」と訓まるべき場合に用ゐられた例があるから「其處之」、「其地之」は「ソコノ」とも「ソコナル」とも訓まれるものであらう。

二

第二の用法は、動詞、形容詞、副詞、助動詞などを體言に續ける場合に、體言の上に之字を置く用法である。國語に訓ずる場合は、用言または活用連語の連體形に訓まれる。この用法は第一の用法ほどではないが、奈良朝時代の之字の用法中では決して少くない用例を見るのである。しかも、この用法は推古朝の遺文のなかにも割合に多く見られ、第一の用法と共に他の之字の用法よりは、はやくより理會せられ、使用されたもののやうである。そして、この種の用法は國語の語法と或場合には一致または類似するものがあるから、その用字意識の考察は興味ある問題であると共に、一面非常に困難を伴ふものである。この種の用法には上に來る語や下の、體言に差異のあることはいふまでもない。今この用法の重なる例を掲げて見る。

伏地之蟲(卷十七)
是謂泉門塞之大神也(卷一)
幾內山野元所禁之限(卷二十九)
潮溢之瓊、潮涸之瓊(卷二)
浮渚在之平地(卷二)

靈異之兒（卷一）
儵忽之間（卷三）
蔞然之藻（卷十七）
父子無敬之狀（卷十六）
地遠人稀之處（卷二十五）
如風之聲（卷十二）
平亂之後（卷二十一）
其玉所得之由（卷十一）
唯今皇后懷妊之子（卷九）
磐手到吉備國授苻之日（卷二十八）
其且終之間（卷一）
將巡行紀伊之故（卷三十）
上京之時不得多從百姓於己（卷二十五）
天下兩分之祥也（卷二十八）

さて右の例に就いて說明する。

「伏地之蟲」「是謂泉門塞之大神也」「幾內山野元所禁之限」「潮溢之瓊」「潮涸之瓊」「浮渚在之平地」は時の觀念に支配せられないで、いづれも現在に訓むべきものである。そして上の用言は下の體言の狀態、性質を敍述してゐるもので靜止的な敍述である。「伏地之」は「ハフ」、「塞之」は「サヤリマス」、「所禁之」は「イサメル」、「潮溢之」、「潮涸之」は「シホミツ」、「シホヒル」などと訓むべきものであらう。「浮渚在之平地」はまた「浮渚在平地」と之字が省略されて書かれ、圖書寮本の古訓にはいづれも「ウキニマリタヒラ」と訓み、新訂增補國史大系の甲本の弘仁私記には「立於浮渚在」と訓が附され、如何に訓むか明らかでないが、「浮渚在之平地」「浮渚在平地」は之字の有無に關せず、いづれも「浮渚ニ在ル平地」といふことを記錄してゐることは察しられる。この之字は時間に關係せず、「平地」と「浮渚在」とを輕く連結したものと思はれる。したがつて、かゝる之字は省略して「浮渚在平地」と書かれても差し支へないところのものである。なほ古訓に「ウキニマリタヒラ」とある二字は爾とも書かれてゐるので、「ウキシマリタヒラ」と訓むべきであらう。試みに奈良朝時代の一般的語法から推して私訓を附すれば「浮渚在之平地」は「ウキシマナルタヒラ」とも訓んで然るべきものであらう。

「靈異之兒」「倏忽之間」「斐然之藻」では、之字の上の形容詞または副詞を之字によつて下の體言に結びつけて、これを修飾してゐる。「靈異之」は「クシビナル」、「クシビニアヤシキ」、「倏忽之」は、「間」字を合せて「ニハカニ」、「タチマチニ」、「斐然之」は「フミツクル」「ウタツクル」などと訓まれるものであらう。しかし、「靈異之」の「靈異」を文字通りに二つに分ちて「クシビニアヤシキ」と訓んだか、「クシビナル」または「アヤシキ」と國語の一語に訓んだか、解し難いことである。また「倏忽之間」の如く、上が時間に關係ある副詞で、下が「間」「時」などの如き時間を示す形式體言なる場合は大體下の形式體言は訓まなかつたもののやうである。

「父子無敬之狀」「地遠人稀之處」「如風之聲」の「無敬之」、「稀之」、「如風之」はそれぞれ「キヤナキ」、「マレナル」または「スクナキ」、「カゼノゴトキ」などと訓まるべきもので、訓み方にはさしたることはないが、「無」、「稀」、「如」の如き詞に續く之字の用例として示したまでである。

「平亂之後」は「ヤハシシノチ」とも訓まれるが、當代の語法では普通「ヤハシテノチ」などと訓まるべきものである。「其玉所得之由」は「エタリシユヱ」と訓むべきであらう。いふまでもなくこの二例の之字は上の語を下の形式名詞に單に連ねるために用ゐられたもので、決して之字に過去の意があるのではない。もし、この之字そのものに本來さういふ意味が備はつてゐるならば、後にいふやうな未來をいひあらはしてゐる場合には用ゐられるといふことはない筈である。

また、體言と體言とを結びつけて上の體言を下の體言の修飾語とする場合は、特別な慣用による場合の他は之字がなくては意味をなさないのである。しかるに用言はそのまま體言の修飾語となることが出來るから、之字がなくてもよいのである。この點からいつても之字には原則としては、過去の意味はないのである。しかしながら、過去の意をあらはさうとして、之字を用ゐた場合が、奈良朝時代の文獻にないとはいへない。さういふ場合、之字に過去の意を意識的に强く籠めて用ゐたとはいへないが、習慣的に漠然と用ゐてゐたもののやうである。そして、かういふ傾向は過去をあらはす助動詞「き」の連體形「し」の假字として之字が用ゐられるやうになつたことも一つの原因であると思はれる。

次例の「唯今皇后懷妊之子」の「懷妊之」、「磐手到吉備國授苻之日」の「授苻之」は、それぞれ「ハラメル」または「ハラマセル」、「サヅクル」と前後の敍述の關係から現在に訓むべきで、之字に泥む必要はない。

「其且終之間」の「且終之」は「カミサリマサントスル」、「將巡行紀伊之故」は「イデマサムトスル」などと訓むべきであらう。

また、「上京之時不レ得二多從二百姓於己一」の「上京之」は「(マヰ)ノボラム、」「天下兩分之祥也」の「分之」は「ワカレム」と未來に前後の關係から訓むべきである。

即ち、之字があつても、前後の敍述の關係から、過去、現在、未來とその場合に應じて適宜に訓むべきで、之字は單に上の語句を下の體言につづける職能を有してゐるに過ぎない。しかし、先にも說いた如く、用言の語または句は、之字がなくとも、下の體言を修飾し得るのであるから、之字の介入は一見無用のもののやうであるが、これによつて、上下の連結は更にその緊密の度を加へるものである。のみならず、この用法に於ける之字の添加、省略も、第一の用法に於けると同じく、一面造句の場合の修辭上の理由により左右されるのであり、このことは、この用法に於ける之字の異同出入を檢するに當つても、亦當然考慮さるべきことである。

之字は、漢音、呉音ともに「シ」である。古事記にはないやうであるが、日本書紀その他の當代の文獻には動詞として用ゐられ「ユク」と訓まれる例が少數ながらある。萬葉集では過去の助動詞「き」の活用「し」に之字を最も多く假字として用ひてゐるやうである。形容詞の活用語尾「しく・し・しき」の「シ」をあらはすにも之字が最も多く用ゐられてゐるやうである。　形式動詞「す」の連用形、左行動詞の活用の「シ」「ごとし」の「シ」にも之字の用例は他と比較して多い。　助動詞「べし」の假字書は「倍之」、「倍子」、「倍志」、「倍思」「倍斯」などあるが、「倍之」と書いたものが最も多い。　助動詞「まし」の假字書にも、「麻之」、「麻死」、「麻志」、「麻思」、「麻師」、「麻斯」「萬旨」「萬斯」、「摩斯」などあるが、「麻之」と書いた用例の數は、他の全部の假字書の用例の數に匹敵するのである。「らし」にもいろいろな假字書の種類があるが、「良之」と書いたものが最も多く「羅之」、「有之」、「在之」と書かれた用例を合せて、「シ」に之字を用ゐてゐない他の假字書の全部の用例の數に匹敵するのである。　感動の助詞「し」をあらはすにも之字が斷然他の假字の用例を壓する。

宣命などでは、助動詞「き」の連體形「し」の「シ」、形容詞の活用語尾の「しく・し・しき」の「シ」形式動詞「す」の連用形「し」の「シ」、サ行動詞の連用形の「し」の「シ」　「ごとし」の「シ」、助動詞「べし」、「らし」、「まし」の「シ」、感動助詞「し」の「シ」などの假字に他の假字を壓して用ゐられてゐる。

助動詞「き」の連體形「シ」に事實をたしかにいひ定める力のあることは、「き」が過去の助動詞であるからいふまでもない。　形容詞の活用語尾にあらはれる「シ」には「二語の間を連結する性能を有し、又かくと指定する性能を有すること」を武田祐吉博士はいつてをられる。（金澤博士還暦記念「東洋語學の研究」所載「形容詞の論」）　形式動詞「す」の連用形「し」も「つ」の連用形

「て」に連つて「して」となる場合は、強調的な色彩を帶びて來る。「ごとし」、「べし」、「らし」、「まし」の「し」の語源の問題はさて措いて、事實の上にあらはれたところでは、これらの「し」に、何かものをかくといひ定める力、ひいては強調する職能が備はつてゐるやうである。また、感動の助詞「し」に、これを伴ふ語に、指定し、決定して、強調する力を持たせる性能があることは、いふまでもない。

右のやうな場合の「シ」の假字に之字が用ゐられてゐるといふことは、一つの問題になる。記紀では右にいつたやうな「し」をあらはすために、特に之字を用ゐたといふ傾向は見られない。たとへば、古事記の「久羅下那多陁用弊流之時」「哭伊知流之事故」の之字などは、漢文に於ける之字の用法の知識から生じた記載法と見るべきである。即ち、「唯今皇后懷妊之子」(書紀)「如葦牙因萠騰之物」(古事記)の之字の如き漢文の句法上の知識を移して試みたもので、訓ずる場合に訓むべきではない。ただ上の語句が下の體言につづいてゐることを一層明白に示すために之字を用ゐたのであつて、賛用といへば賛用、唐の文化に憧れてゐる當代人の風流といへば風流である。さて、語句を體言につづける場合に之字を用ゐるといふ知識は、助動詞「き」の連體形「し」、之字に「シ」の音のあることなどと、しらずしらずの間に心理的に結びつき、相扶け合つて「き」の連體形「し」の假字には之字をあてることが當代人の用字意識に合致したために、大いに使用されたものと思はれる。なほ、これを助けたことは、漢文の之字の用法に於いても、主語の下、用言または活用連語の終止形の下などに之字をつけて、主語または述語を、しかといひ定め强調するやうな機能があることである。萬葉集に主語の下につく感動の助詞などに之字を絶對的に多く用ゐてゐるのも、單に之字が他の「シ」の假字に比して字劃が簡單といふ便宜上からのみ出たものとは思はれない。萬葉人が「カシコシ」を「恐之」と書する場合には、和漢混淆の用字意識が彼等の心理を支配してゐたに相違ない。

以上はこの拙稿の記述に於いて先後するのであるが、第二の用法である之字の用法が、國語を記す場合の當代人の用字意識に如何に影響して行つたかを考察したのである。しかし、書紀のこの種の用法の之字は漢文の句法のそれであるから、之字の訓み方は國語を記載する場合に用ゐた當代人の之字の用字意識に泥むことなく、原則として漢文としての、之字の用法を文の敍述の前後の關係から察知し、さらに書紀に於ける特殊な用字意識を考究して、その場合に應じた訓み方を適宜に見出さなければならない。勿論、この場合奈良朝時代の國語の豐富なる知識を背景に持たなければならぬ。

次に書紀にあらはれたこの種の用法で問題になるものを卷次を追うて考察しよう。

是謂泉門塞之大神也（卷一）

この之字がない本がある。かやうに「是」といふ指示代名詞が用ゐられた、これに類する構文の場合、書紀に於いては之を介在さしてゐるから、之字はある方の本にしたがつたがよい。

復令嬰頸之瓊著於左臂中（卷一）

「嬰頸之」を「ミクビニウナゲル」と古訓によんでゐるが、疑問がある。同じく書紀の一書に、

其頸所嬰五百筒御統之瓊（卷一）

の「其頸所嬰」は「其頸」とあるので、私記の古訓にある如く「曾乃久備爾宇奈計流」と訓むべきであるが、この場合は

阿米那流夜　淤登多那婆多能　宇那賀世流　多麻能美須麻流……（古事記、上卷）

多豆佐利宇奈我既利爲氐於母保之吉許登母加多良比（萬葉、卷十八、七夕歌）

などによつて「嬰頸」は一語に訓むべきもので、「嬰頸之」は「ウナガセル」または「ウナガケル」と訓むべきものであらう。

其素戔嗚尊所生之兒（卷一・一書）

の「所生之」は「ウメル」と訓むべきである。安藤先生は古事記中の「所生」と「所生之」との用法の差異に就いて次の如くいはれてゐる。

一方には「所生之」、一方には「所生」と書いてゐるのは、之字の諸種の用法によつて知られるやうに「所生之」の之の如きは、漢文の「治國之道」などの之に出自をもつてゐるのであるが、さらに所生と「所生之」との對立の所以について考へれば、之字は、或は終止形に添へられ、或は主語に添へられるやうに、これに伴ふ語に決定的の力を添へる性質をもつといふ文字感が、當時の人の意識に存してゐたので、特に、時の先後によつて、かういふ書き分け方も出來て來たのであらう。（前出「古事記行文の一研究」）

この結論は書紀の場合に於いてもほぼあてはまるやうであるが、いささか書紀の場合に就いて愚見を開陳したい。

なほ、右にあげた書紀の一書に、右の例の前後に次の如き例が見える。

(a) 汝若不有姦賊之心者。汝所生子必男矣。如生男者。予以爲子而令治天原也。

(c)食其十握劔化生兒。食九握劔化生兒。食八握劔化生兒。著於左手掌中便化生兒。

(c)日神所生三女神。

更に別の他の一書には(a)(b)(c)に該當する記事のところを

(a)若汝心明淨不有陵奪之意者。汝所生兒必當男矣。

(b)言訖先食所帶十握劍生兒。

(c)に該當するところは全く同じである。書紀の神代紀には「所生之兒」とあるところがさらに一箇所ある。

我所生之國唯有朝霧而薫滿之哉。

この場合は古訓の如く「ウメル」と訓むべきところである。即ち「ウメル」と訓まるべき場合には「所生之」と書してあるやうである。「所生」と書き分けられてゐるやうである。しかるに、書紀の本文では、(b)に相當するやうな記事の場合に、

吹棄氣噴之狹霧所生神號(卷一

と書した同例が同所に二箇あり、また或場合には、

始起烟末生出之兒……次避熱而居生出之兒。號火火出見命。次生出之兒。

この例と、はじめの(い)の「食其十握劒化生兒……」とを見ると、造句の上に、修辭の手法が行はれてゐることが覗はれる。卽ち、之字の省略、添加によつて、句法を整へんとするのである。また、普通の漢文と同じく、書紀に於いても三字句は避けられる傾向がある。かゝる場合には之字が添加される。

さらに「我所生之國唯有朝霧而薫滿之哉」と書いた一書の書者は、すぐその後で(b)にあたるところを

乃吹撥之氣化爲神

飢時生兒

因以生神

と記してゐる。さらに一書には

乃以左手持白銅鏡則有化生之神。

とある。神代巻冒頭の一書には

其中自有化生之神

とあり、その次の一書には

因此有化生之神

とあり、更に次の一書には

始有倶生之神

とあつて、(b)と同趣の狀態を敍するのに、「所生」「生出之」「化爲」「生」「化生之」「生之」と書してゐる。これらの訓み方の相違や語句の意味はしばらくここでは問題にしないで、之字の有無によつて、時の先後關係を示す性能があるか、どうかを考へて見るに、さういふ意味で意識的に區別して使ひ分けられてゐるやうな形跡はないやうである。個人によつてその用字意識は異なつてゐたと同時に、また之字の用ゐられた前後の文のそれぞれの句法の修辭手法の差異に應じて添加、省略せられたもののやうである。

是長狹所住之國也(卷二)

「所住之」は「スメル」と古訓の如く訓むべきであるが「是」、「其」、「我」等の代名詞が文のはじめにある場合は之字は省略せられないのが普通の書き方のやうである。古事記や他の文獻に於いても、原則的にさうである。卽ち、結果からいへば、漢文の句法に於いてもかゝる場合に之字を用ゐることは、敍述を强調し、決定的な力を與へる職能を備へてゐるやうである。

潮溢之瓊。　潮涸之瓊。（卷二、一書）

即ち、之字を添へてゐるのに、すぐ後に「潮溢瓊」「潮涸瓊」と同一の一書の中に之字を省略してゐる。この場合の之字の有無は、その前後の文の句法を見るに、明らかに造句上の修辭法から說明される。

右の如き句法に於ける修辭上の字數の問題を、之字の添加、省略の一つの理由とすることは、これをその記載法が漢文的であるものや、國語の記載法を用ゐてゐも、その中に漢文的記載法を有する文にまでも適用し得られると思ふ。

例へば古事記は國語の語法を混へた準漢文であるにしても、その文の字面を凝視、熟考するに、文を構成する各句の字數の長短を按排して、そこに修辭的效果を收めようとした編者の意圖が看取される。即ち、程度の差はあれ、書紀に於けると同じく、一句の字數は支那の古文に於ける如く、四字句を基調として、二、三、五、六、七、八、九字の句などを修辭的に配列してゐる傾向がある。萬葉集に於いても、長短歌共、一字一音の字音假字に據らずして、漢文的用法によつて、歌の各句を記載してゐるものの中には、各句を記載する字數の上に修辭上の加工がほどこされてゐると思はれるものがある。であるから、古事記の用字の不規律、記載法の不統一、例へば用言の連體形に終る語句を體言につづける場合に、之字の添加、省略が行はれるのは、以上の如き修辭的觀點からその用字意識をさらに探究すべきである。

古事記の序文を構成する各句の修辭上の字數を意識して、次の二例に接すると、本文に於ける之字の有無もさういふ修辭的用字意識から出發してゐることが看取される。

是後所生五柱男子者、(9)物實因我物所成、(7)故自吾子也、(5)先所生之三柱女子者、(9)物實因汝物所成、(7)故乃汝子也、(5)（古事記、上卷）

(故)其火盛燒時、所生之子名火照命、(8)(次)生子名火須勢理命、(8)(次)生子御名火遠理命、(8)（古事記、上卷）――括弧内のアラビヤ數字は句の字數――

後例で最後の名だけに「御」字を冠らせたのは、全く字數を整へるために他ならない。

兄釣之日(卷二・一書)

は「兄ノツリスル日」と訓むべきである。

卷四にはこの第二の用法に屬する之字は「雄拔之氣」の例ただ一つあるだけであ

る。これに就いては、いろいろ考へられるが、他の用法の之字も他卷に比べて少いところを見ると、この四卷を書いた編者は之字の用法に精通してゐなかつたこと、或は好んで用ゐなかつたことも、一つの重なる理由と思はれる。

亦以市磯長尾市爲祭倭大國魂神之主、必天下太平矣(卷五)

この之字は玉屋本、水戸本などにあつて、他の本にはない。なほ、この記事のすぐ後に、

即以大田田根子爲祭大物主大神之主。

又以長尾市爲祭倭大國魂神之主

とあつて、之字が添へられてゐるし、かゝる場合之字がないのはいささか省略に過ぎる嫌ひがあるが、他にもこれに類する例があるから決定的なことはいへない。

皇后不如所問之意趣(卷六)

の「所問之」は古訓に「トフ」と訓んであるが「コトヒツル」と訓むべきところである。

金銀多之眼炎國(卷九・一六)

「金銀多之（ナル）眼炎（マカガヤク）國」と訓んである。かう訓んでもよいが、なほ之字はこの第二の用法と見るより「久之彥波瀲武鸕鷀草葺不合尊崩於西洲之宮」(書紀・卷二)「仕奉御前參同

之侍」(古事記・神代)の之字と同じ種類の用法とも見られる。それで「多之」は「サハニ」と訓んで差し支へないところである。

自此之後(卷十)

「自此之」は「コレヨリ」と訓むは明らかである。

家家有康哉之歌(卷十二)

之字は前田家本、北野本にあるのみである。古訓には「康哉歌」を「ヤスラカナリトイフ歌」と訓んでゐる。之字の有無にかゝはらず、「康哉之歌」は「ヤスラカナル歌」など訓むべきものであらう。

今推佐伯部獲鹿之日及山野

「トリツル」と訓むべきところである。このやうに之字を添へたる連體形の用言が連語につづく例は稀である。

不幸朕崩之後當害皇太子(卷十四・一本云)

は之字があつても未來に「崩之」は訓むべきである。

闌入之罪(卷十八)

と之字があるが、すぐ前には「闌入罪」と之字を介在してゐない。これによつて、はじめに出た語には之字を添へ、その語が再び出る場合には之字を省略するといふのではなく、主として個人の用字意識や造句の修辭上の差異によることがわかる。

敬順天皇詔勅之詞（卷十九）

「詔勅」はこの場合動詞と見るべきで、したがつて「詔勅之」は「ノタマヘリシ」と訓むべきところである。

處跌萼之親泣血銜冤之寄、當蕃屛之任摩頂至踵之恩（卷十九）

この之字がない本があるが、句の字數が五、六、五、六と配列されてをり、問題の句と對立してゐる「摩頂至踵之恩」に之字があるのによつても、之字はあるべきである。

唯今臣不賢而遇當乏人之時（卷二十三）

この之字は北野本にある。句中の字數を數へる場合、必ずしもなければならぬとはいへない。この種の用法で、時をあらはす形式名詞につらなる場合、ことに「時」字につらなる場合に之字を省略した例は古事記をはじめ、風土記などにも見える。

伺大臣度橋之時。爭陳神語入微之説（卷二十四）

古訓に「ワタリシ」と訓んでゐるが、この場合は「ワタル」と訓むべき例である。

復有被役邊畔之民事了還鄕之日、忽然得疾、臥死路頭。

この之字は北野本だけにある。句中の字數を數へる場合、「復」字のやうなものは數へなくともよい。すると、ここは六、六、四、四の字數の四句を按排したものと思はれるから、之字はもとなかつたものであらう。

以上は書紀に見えるこの種の用法中注意すべきもののうち、重なるものに就いて述べたのであるが、次に奈良朝文獻に見えるこの種の用法の重なるもの、または問題となるものについて述べることにする。私の調査した奈良朝文獻のいづれにも、この種の用法は見られる。

其所御佩之十拳劔（古事記上卷）

この例の「御」字が動詞につく敬語の接頭辭ではないことは、三矢重松博士、井上通泰博士、山田孝雄博士などによつて、すでに述べられたところである。「所御佩之」は「ハカセル」と訓むのが普通であらう。さて、この第二の用法中に、この敬語の「御」字を動詞の上に有する例を少しあげて見ると

御寢之時（古事記、中卷）

先御食之時（古事記、中卷）

御獦之時（古事記、下卷）

御立爲之島を見るとき（萬葉集、卷二）

御立爲之島をも家と住む鳥も（同）

御立爲之島の荒磯を今見れば（同）

且覆、日之入去者、御立之、島爾下座而、嘆鶴鴨（同）

大上皇御在於難波宮之時（同卷十八）

是時立射目之處卽號射目前弓折之處卽號檀丘御立之處卽號御立丘（播磨風土記）

御立之處有磐石。（同）

御食於此井之時（同）

一旦不堪御食之時（同）

「御寢之時」は「イネマセル」、「御食之」は「ミヲシセシ」、「御獵之時」は「カリシタマフ」、「御在之時」は「マシマシシ」となど訓むべきであらう。山田孝雄博士は三矢博士の卓説を採用され、萬葉集卷二の「御立爲之」、「御立之」をいづれも「ミタタシノ」と訓まれてゐるが「ミタチセシ」「タチマシシ」とも訓まれ得る。同一場所に於いて、「御立爲之」「御立之」と兩樣の記載法を用ひたのは、後者の用ゐられてゐる歌の句の字數を二、五、三、五、三と修辭的に對立さして書くために「爲」字を省略したものと思はれる。結句を「嘆鶴鴨」と記載したのは、正用、假用の字訓で、言語を表はすと同時に、三字で記載して、漢文の句法の字數を修辭的に配列する一方「嘆」「鶴」「鴨」の視覺に訴へる聯想的感情を表現する意圖があると思はれる。次に萬葉集にうつる。

百傳之八十の島廻を榜ぎ來れど粟の小島は見れど飽かぬかも（萬葉、卷十）

この「百傳之」の之字は、藍紙本、類聚古集、神田本、古葉略類聚鈔などにはない字である。しかしながら、第二の之字の用法に親しんでゐた萬葉人であることを顧ふと、この之字は衍字とは見られない。却つてある方の本が、萬葉人の用字意識の一面を物語つてゐるやうに思はれる。で、之字があつても、なくても「モモツタフ」と訓むべきである。

暇無み不來之君に霍公鳥吾が斯く戀ふと行きて告げこそ（萬葉、卷八）

この「不來之」の之字を略解に坐の誤りとして「キマサヌ」と訓んでゐる。誤字說に從はない人は、「不來之」を「コザリシ」と訓んでゐる。歌一首の意味の上からはいづれに訓んでも差し支へないが、歌全體の表現の上からいへば、この之字をこの第二の用法と見て、誤字說に據らず、このままで「キマサヌ」と訓んだ方が、却つて萬葉人の用字意識に合致してゐるものといふべきであらう。

たな霧ひ雪も零らぬか梅の花不開之代爾擬(そ)へてだに見む(萬葉、卷八)

安志妣成榮之君が穿りし井の石井(いはゐ)の水は飲めど飽かぬかも(萬葉、卷七)

右の「不開之代爾」、「榮之君」はそれぞれ「サカヌガシロニ」、「サカエシキミ」と訓まれてゐるが、この種の用法と見れば、「サカヌガハリニ」、「サカユルキミ」とも訓まれよう。

牛窓の浪の潮さゐ島とよみ所依之君にあはずかもあらむ(萬葉、卷十一)

この他に、なほ卷十一に限つて、「所縁之」と之字を添加した例が二つあることは、この卷の特殊的用字法とも考へられるから、之字を假字と見て、新考などの如く、「ヨサエシ」と訓まれる他に、なほ「ヨサユル」とも訓み得るものであらう。

なほ、他の奈良朝文獻中のこの用法中の注意すべき例を次に列擧する。

右人從劫時于至今之行淨淸(正倉院古文書・卷二・三三一頁)

火下之國、可謂火國(肥前風土記)

化生之芋、未曾有見(豐後風土記)

高天原爾天降生之天皇御世乎始天(宣命第十三詔)

事問之磐根木根立知(祝詞・大殿祭)

祝詞、宣命の之字は助動詞「き」の連體形「し」をあらはす字音假字として用ゐられてゐるが、漢文に於けるこの第二の用法の記載法と一致してゐる。

三

第三の用法は主語となれる體言の下に之字が來て、更にそれにつづく述語が連體形に訓まるべき場合の之字の用法である。この場合、之字は「の」または「が」と訓むか、または訓まないかである。この用法の之字は書紀は勿論、他の奈良朝文獻の中にも見えてゐる。この用法は、第一、第二の用法に比すれば、用例の數は可なり少いのであるが、他の用法に比しては決して少い方ではない。

何憂國之不治也(卷五)

猶游魚之浮水上也(卷一)

聞天皇之幸其姉(卷十四)

多多羅等四村之所掠者毛野臣之過也。(卷十七)

無慈之甚豈別禽獸(卷二十四)

何痛之酷(卷十九)

右の用例中の之字は「ノ」と訓まるべきものである。

虜不レ知二我之有一レ陰謀一（巻三）

其人雖レ不レ知二朕之愛一以適逢獮獲上（巻十二）

これらの之字は「が」と訓むべきである。

聞悪事之言坐婦人乎（巻九）

の之字は訓まないものと思はれる。

また「の」とも「が」とも訓まれるものがあることはいふまでもない。

次に書紀に見えるこの種の用法中で、注意すべきものに就いて説くことにする。

遂將レ盪二滌身之所一レ汚乃興言曰（巻一）

この所汚を彰考館所藏本の私記の乙本に「介加良波志支毛乃乎」と訓んでゐる。

また、國史大系本の古訓には「ケガレ」と訓んである。いづれに訓むにしても、この之字が第一の體言と體言とを連ねる用法ではなくて、この第三の用法であることは明らかである。なほ、いづれかといへば私記の訓に從ひたい。

頃者人雖二多請一未レ有二若此言之麗美一者也（巻二十三）

この「若此言之麗美」を大系本には「カクイフコトノウルハシキ」とあり、乙本の私記には「加久乃古止久伊布古卜乃于留和之支」とあるが、これはいづれに從つて訓んでも差し支へないものであらう。

永壽有「如磐石之常存」(卷二)

これにはこれまでに次のやうな訓み方がある。

(イ)「以乃知奈加岐乎止々岐波可岐巴乃安末比奈良乃只」(新訂增補國史大系私記)——註 乃只、恐當據伴本作奈良萬只。

(ロ)「ミイノチナガクテカキハトキハニマタカラム」(丹鶴叢書本)

(ハ)「ミイノチナガクシテアマヒニカキハノトキハニマツタカラマシ」(國史大系本の書紀の傍訓)

(ニ)イノチナガキコトトキハカキハノアマヒナラマシ(私記の一本)

(ホ)永壽有如磐石之常存(通釋)(イノチノナガキコトトイハノトキハニマタカラム)

さてかゝる色々の訓み方があるが、この訓み方を解決する一つの鍵は、「如磐石之常存」、「如磐石之常存」のいづれに之字が用ゐられてゐるかといふ點にある。前者に從へば國語的な漢文の讀み方で、後者によれば漢文的な讀法である。書紀の編者はどちらのつもりで書いたのか、察すべくもないが、前後の文章の表現から推せばいたく漢文の用語が用ゐられてゐるから後者の如き表現を目的としてゐたらうと思はれる。古事記にはここにあたるところを「天神御子之命、雖雪零風吹、恒如石而常堅不動坐」とあるのによれば、(ホ)の通釋の訓の如く訓むべきものであらうが、用字意識の上からは、之字は「如磐石之常存」の如く、この第三の用法と解すべきである。すぐ下の「必如木華之移落」などは「移落」を一語に訓んで「カナラズコノハナノウツロフガゴトクアラム」などとも訓むべきであらう。

是非似小兒之言（卷五）

これも「小兒」を主語、「言」を用言の述語と見て「ワクゴノモノイフ」と訓むべきである。

天皇問其火之光處曰。何謂邑也。

この之字は寛文刊本にない。通譯は、仙覺抄、詞林采葉抄等の引文に之字のあるのによつて補つてゐる。「火」と「光處」を各體言と見れば、なくてもよいやうであるが、あつてしかるべきところである。「ヒカリシ」「ヒカレル」などと訓むべきである。

必由新羅人拒而滯之（卷十）

この「人」字が田中本には之字になつてゐる。どちらにしたがつても誤りではないが、むしろ之字にしたがつて、拒を動詞に活かして訓んだがよい。なほこの記事

の少し前、應神紀十四年の條に

然因新羅人之拒。皆留加羅國

とあるところから、之字を「人」字の誤りと見るやうな異本が出來たのであらう。ここは書紀の古寫本中最も古いといはれてゐる田中本が原本の面影を傳へてゐると思はれる。

此寡人之所食不甘味寢不安席。「寢不安席」悔往戒今之所勞想也。（卷十九）

「之所」を書紀集解に下文の攙入とするのは一應は諾はれることだが、必ずしもさうばかりいへない。なほ、「食不甘味寢不安席」は史記の蘇秦傳から得てゐる。

次に奈良朝文獻中の重なる用例に就いて述べる。

古事記にもこの用法は見えるが、第一、第二の用法に比すると、用例の數ははるかに少ない。古事記に於いても、或場合は「の」、或場合は「が」と訓れるのである。例へば、神代の卷の須佐之男命と天照大神の宇氣比のところの「然者汝心之清明」、中卷、神武記の「天神御子之伏地」の之字は「ノ」、また、上卷、須神と天照大神の宇氣比のところの「僕之哭伊佐知流之事」の「僕之」の之字は「ガ」と訓むべきものである。古事記には、仁徳記の「是以百姓之榮不苦役使」の「百姓之榮」の如く「オホミタカラサカエテ」と訓む場合に之字を訓まない例はあるが、之字に連なる用言または活用連語が連體格なる場合、之字を訓まない例はないやうである。下卷、雄略記の「尒因其孃子之好儛作御歌」の之字もやはり「ノ」と訓み添へたがよいと思はれる。

以此小刀刺殺天皇之寢（中卷、垂仁記）

「天皇之寢」は「天皇ノイネマセラム」と訓むべきである。

尒天皇直幸女鳥王之所坐而（下卷、仁德記）

これは、三矢博士がいはれる如く「坐所」の意として書いたもので「所坐之處」の意には解し難いところである。

萬葉集に於けるこの種の用法に就いては、佐伯梅友氏の『萬葉集の助詞二種「の」「が」及び「や」「か」について』（國語・國文の研究、第二十二號所載）または森本治吉氏の「代名詞・助詞・接頭語・接尾語」（萬葉集講座、第三卷所收）などに詳しいから、今わたくしの氣付いたことゞもを二、三申し上げるに止どめる。

渡守船わたせをと呼ぶ聲の至らねばかも梶之音不爲（卷十）

結句の「梶之音不爲」が元暦本、類聚古集には、之字と音字が轉倒してゐる。新訓はこれにしたがつて、結句を「カヂノトノセヌ」と訓み、かゝる訓み方をしてゐるのが多い。この場合、之字を名詞「梶」と「音」との接續助詞と見ないでこの種の之字の用法と見て、「イホリス」、「コエス」、「ハナカツラス」と同じ構成の「オトス」といふ用言に打消の助動詞「ず」の添はつたものと「音不爲」を見て、結句を「カヂノオトセズ」と訓んだがよい。

なほ、左註に次の如きものがある。

復恨心契之弗果（卷二）右歌之返報歌者（卷十八）

風土記類にもこの用法はいづれも見えるが、格別問題とすべきものはない。

馬廿之勘出誤一（正倉院古文書、十卷、五〇三頁）

かゝる場合に之字を介在させることが普通であるのに、次の例ではこれを省略してゐる。

博多勘出誤二墮一（正倉院古文書、十卷、五〇五頁）

この二例は同人によつて書されてゐるもので、前例では之字を添へ、後例では之字を添へてゐない。かゝる傾向は書紀は勿論、他の文獻に於いても見られるところであるが、正倉院古文書中には、この省略が他に比して頗る多い。それは正倉院古文書そのものの性質によるもので修辭から來る添加、省略ではない。この種の用法に限らず、他の用法に就いてもさうである。

なほこの種の之字の省略、添加の例を同文書中から拾ふと、

右依次官佐伯宿禰判官石川朝臣之天平勝寶五年四月二日宣(卷十二、三八九頁)

右依次官佐伯宿禰判官上毛野君天平勝寶五年五月六日宣(卷十二、三九〇頁)

右依次官佐伯宿禰天平勝寶五年五月廿八日宣(卷十二、三九〇頁)

後の二例は之字を省略してゐる。懷風藻に於いては、ことにその序文中にこの用法が多く見られる。

祝詞、宣命にはこの種の用法のやや轉化したものが見える。單に參考までに用例各一個を揭げる。

山川之廣久淸地爾(祝詞「遷却小宗神」)

天皇御子之阿禮坐牟彌繼繼爾(文武天皇御卽位宣命)

このやうな之字の用ひ狀も、やはりこの種の用法で、漢文に於けるがごとき表意的な色彩が幾分薄いでゐるに過ぎない。

四

第四の用法は、主語が體言であつて、その下に之字が用ゐられた場合である。第

三の用法とは、第三の用法は之字の下に來る用言が連體形をとるといふ點に於いて區別したまでである。一面便宜に基づいた區別である。

この用例は比較的に少ない。

臣兄兄猶之爲逆狀也(卷三)

其神寶之豈得離類乎(卷六)

汝之出行必爲人見射而死。(卷十一)

是以時人之彼此共言(卷二十二)

右の例に於ける之字は訓まれなかつたものと思はれる。

對言。臣之不知。唯臣弟吾子籠知也。(卷十一)

然死之命也(卷十三)

この之字は「ハ」と訓むべきものであらう。

汝之光臨天位以承皇祖之業(卷四)

この場合、之字は「ノ」と訓むべきであらう。

次にこの種の用法中問題になるべきものに就いて説きたい。

天穗日命是神之傑也(卷二)

好哉(平)國之獲矣(卷三)

是國色之秀者。天皇悦ㇾ之、心裏欲ㇾ覓。(卷十)

この三例に於いて、下の述語を連體形に訓むか、終止形に訓むかが問題である。これについては古訓も一定してゐないやうである。

はじめの例は、私記には「神之傑也」を「神美乃須久禮太留奈利」と訓んである。次の例は同じく私記には「安奈爾也久爾美氏津」と訓まれ、國史大系本の書紀の古訓には「アナニヱヤクニミヱツ」とあり、なほ、註に「好哉此云₂鞅奈珥恵夜₁」とある。最後の例は、新訂增補の國史大系本の私記には「加保須久禮太流比止」と訓んであり、國史大系、六國史の方の書紀にはこの他に「カホヨシ」と他の私記の訓がついてゐる。なほ神武紀の「國色之秀者」には私記の丙本に「加保須久禮毛乃」と訓んであつて、前の應神紀の場合と訓が異なつてゐる。しかるに、

善哉國之在矣(神代紀、上卷)

この訓を大系本の書紀に引かれてある訓には「ヨキカナクニノアリケルコト」と訓んでゐる。しかして、前にあげた中の例「好哉國之獲矣」とこの例を對照して見るに、いづれもいつてゐる內容は同じである。兩者の構文は勿論、使用の文字も變つ

でゐるものの異字同語である。　ただ「在」と「獲」に難色があるが「獲矣」を「美氏津」または「ミエツ」と訓んでゐるのに徴しても「在矣」と同じことを指してゐるやうである。　そして一方は連體形に訓まれ、他は終止形に訓まれてゐる。　さて、また「是國色之秀者」の見える應神紀の十五年の條に

　對日。　有王仁者。　是秀也。

「是秀也」を國史大系の書紀に引かれた古訓には「コレスグレタリ」と訓まれてゐる。

　さて、古事記中には

　活玉依毘賣其容姿端正

　二嬢子其容姿麗美

　髮長比賣其顏容麗美

　河邊有洗衣童女。　其容姿甚麗

などあつて、宣長は、前の三例は「ソレカホヨシ」と訓み、最後の例は「ソレイトカホヨシ」と訓んでゐる。　しかるに「容姿」「顏容」と下の「端正」、「麗美」などの間に於いては、漢文の句法では之字を介在させてもよいのである。

書紀にも允恭紀に

立ニ木梨輕皇子一爲ニ皇太子一。容姿佳麗。見者自感。同母妹輕大郎皇女。亦艶妙也(卷十三)

この「容姿佳麗」、「艶妙」も國訓では「カホヨシ」と訓むべきものである。その他、書紀には「容姿端正」、「容姿麗美」、「美麗」、「麗」などあるがいづれも漢語で、これを我が國語に訓む場合「カホヨシ」と訓むより他はない。「國色之秀」といふのも漢語で「カホヨシ」と訓むべきで、之字の介在は三字を避けるための技巧で、容姿端正、容姿麗美などと文の構成が根本的に異なるものではない。また或は、「國色之秀者」とある「者」字に泥んで、連體形に訓むべきものであると思はれるも、「者」字は語末助詞で、句の字數を計算する場合「是」字とともに一句中の字數に數へないもので形式名詞として用ゐられてゐるものではない。王引之の經傳釋詞にも「者猶也也」とある。なほ、このことに就いては、「奈良文化」の第二十二號に「萬葉人の用字意識から見た「者」字の一研究」の中に於いて、すでに安藤先生によつて述べられてゐるやうであるが、一言すれば、正倉院古文書中には「者猶也也」の用法を如實に見ることが出來る。體言の下に添つて語末助詞として用ゐられてゐる例は同文書中に諸所に散見する。

以上のことを考へ合せると、神武紀、應神紀に見える「是國色之秀者」は、宣長が「其容姿端正」、「其顏容麗美」、「其容姿麗美」をいづれも「ソレカホヨシ」と訓んでゐるのにしたがつて「コレカホヨシ」と訓むべきである。「國色之秀者」と記載したのは、それだけ書紀の方が古事記より漢文の用語を用ひたからである。したがつて、書紀の「善哉國之在矣」、「好哉國之獲矣」なども、後者に附してある私記の「アナニヱヤクニミエツ」の如く終止形に訓むべきで「善哉國之在矣」は「アナニヱヤクニアリケリ」などとも訓むべきであらう。

天穗日命是神之傑也

を私記や圖書寮本の訓には「カミノスクレタルナリ」と訓んでゐるが、これは通釋が、「是神之傑也」を「コレスグレタルカミナリ」、宣長は古事記傳に「スクレタリ」などとも訓んでゐるのにしたがふべきであらう。また「コノカミスグレタリ」などとも訓むべきところであらう。

時山神之輿」雲霽」氷（卷七）

この之字を集解に衍字としてゐるが、衍字ではない。この種の用例のはじめに、訓まない之字としてあげておいたものと全く同類である。

底筒男神之有也（卷九）

由是隨船浪之遠及于新羅國中（卷九）

雷電之甚也（卷二十九）

これらも之字を訓まない例である。

於是百姓之不領。而扶老携幼。運材負簣。不問日夜竭力競作（卷十一）

この之字は訓まない方の之字である。

汝之出行必爲人見射而死。（卷十一）

この之字も訓まない方の例である。なほ「出行」を古訓のやうに「アルカムトキ」と訓んでもよいが、この之字と下の「必」字との照應を考へて「汝之出行」は「イマシイデユカバ」などと訓むものであらう。

我之不天。久離篤疾。不能歩行（卷十三）

この之字がある本とない本とがある。四字句を並列さしたものと思はれるから、ある本にしたがふべきかと思ふ。通釋、通證のいへる如く左傳襄公に「我實不天」と之字の代り實字がある。

次の如き用例もこの第四の用法の中に加ふべきこともいふまでもない。

其山峯岫重疊。且美麗之甚（卷七）

有無之不知焉。（卷九）
見人影在水底釣取之不得。（卷二）
凡百寮諸人恭敬宮人。過之甚也。（卷二十九）
右の「美麗」「有無」「酌取」「過」などは體言として轉用され、その下に主語の下に屬く之字が添はつたものである。「美麗之甚」は「ウルハシキコトハナハダシ」「有無之不知焉」は「アルコトナキコトトエシラズ」などと古訓に從ひ訓むべきであらう。「酌取之不得」は圖書寮本に「クミトルコトエズ」と訓まれてゐるが、「酌取」は和臭を帶びた記載法である。「過之」を通釋には「スギテ」と訓んでゐるやうであるが、主語と見て「アヤマテ（スダ）ルコト」など訓むべきであらう。
しかしながら、轉成の名詞が主語となつてその下に之字が添はる例は、以上の用例の他には少數しか見當らないやうである。
次に書紀以外のこの種の例に就いての重なるものに就いて述べてみよう。
この用例は書紀に於いてもあまり多くないのであつたが、古事記に於いても同樣である。
自其矛末垂落鹽之累積成嶋。（神代記）

是以百姓之榮不レ苦二役使一。（下巻、仁徳記）

僕之不レ違。此葦原中國者隨レ命既獻也（神代記）

爲レ射二惡神一之矢之至者不レ中二天若日子一（神代記）

爲レ釣海人之口大之尾翼鱸訓鱸云二須受岐一佐和佐和邇此五字以レ音控依騰而（神代記）

などの例がある。はじめ二つは之字を訓まないと思はれる。その次は、之字は「ハ」と訓ずべきであらう。最後の二つは「ノ」と訓むべきであらう。

故生之極貴命之至重。（萬葉集巻五、三十五ウ）

天皇之未レ登二極位一號曰二田村皇子一（正倉院古文書、二巻六二四頁）

如レ上法之自今以後恒爲レ例之。（同古文書、三巻、四八八頁）

神納言之悲二白髪一。藤太政之詠二玄造一。（懐風藻、序文）

啓之雖レ恐懐レ心難レ止（推古朝遺文、天壽國曼荼羅繍帳銘）

用例は比較的少いが、いづれの文獻にも見える。以上の五例はその例としてあげたに過ぎない。最後の例の「啓之雖レ恐」は大矢透博士にしたがつて「マヲサムコトハカシコレドモ」と訓むべきであらう。

出雲風土記にはこの種の例は比較的多いのであつて、十指を數ふることが出來る。その中、秋鹿郡の條にある。

北方山之至河內谷而其猪之跡亡失。

の「山」字を、後藤藏四郎氏の出雲風土記考證には「上」に改めて、「北方上之(ニノボラセ)」と訓んであるが、なほ、この場合の之字はこの類の用法と見ればこのままで、「訂正出雲風土記」にあるやうに、「北方山之至河內谷而」を「キタノヤマノカフチニイタリテ」と訓むべきであらう。

さて、最後にこの種の用法と萬葉集歌の訓み方について考察する。

吾命之眞幸くあらばまたも見む志賀の大津に寄(よ)する白浪（萬葉集、卷三）

吾命之全けむかぎり忘れめやいや日に日(け)にはおもひ益すとも（萬葉集、卷四）

これらの之字は、この種の漢文に於ける用法で、主語の下について、それを決定的にいひ定めるもので「シ」または「ノ」の假字としてこの場合用ゐられたものではなからう。はじめの例の之字を「シ」と訓んで六言に訓むでも、格調上さほど整はないとも思はれないが、後の歌に於いて、之字を「ノ」と訓んで六言にすると、一首の格調は崩れて來るやうに感じられる。この用法は、同じく萬葉に見られる「春之在者」「春之去者」などの之字と同じく漢文的用字法で、之字を訓まずに「ワガイノチ」と訓むべきではあるまいか。「春之在者」の用例は集中すべて三例で巻十にのみ見える。

春之在者　妻乎求等　鸎之　木末乎傳　鳴乍本名（萬葉、卷十）

春之在者　伯勞鳥之草具吉　雖不所見　吾者見將遣　君之當乎婆（萬葉、卷十）

春之在者　酢轉成野之　霍公鳥　保等穂跡妹爾　不相來爾家里（萬葉、卷十）

はじめの例は「春之在者」の在字が去となつてゐる古寫本もあるが、いづれにせよ、之字は主語の下に添へられたもので「ハルサレバ」と訓むべきである。といふのはこの十卷の書法は、漢文的用法乃至文學的用法が多いのである。のみならず、他の卷に見えないやうな之字の漢文的用法が他にも見えるのである。

天漢水陰草の秋風に靡かふ見れば時來之。

秋風に急之吹來萩が花散らまく惜しみ競ひ立つ見む。

前例の之字は漢文に於ける語末助詞として、後例は副詞屬く助詞として用ゐられてゐる。萬葉集の他の卷には見えないやうな、かゝる之字の用法が十卷に見えることと、同じ卷に「春之在者」の如き例が見えることとを考へ合せると之字が主語の下に屬く助詞であることがわかる。であるから、わたくしには「しあり」をあらはすためにまたは「しあり」の約語「さり」をあらはすために「之在」と書したといふ從來の舊說は、諾はれない。

五

第五の用法は、前の第三、第四の場合に於いて主語が體言であつたのに代へて、主語が節から成つてゐる場合、所謂主語節の場合である。

この用法は、書紀中に於いては頗る少なく、僅かに十四例に過ぎない。

汝鳴之若此者歟。(卷三)

某獨生之、有何益哉。(卷二十二)

我生之誰恃矣。(卷二十三)

其仲皇子在之獨猶爲我病(卷十二)

是軍起之既違前期。(卷二十二)

我等父子並自蘇我出之天下所知(卷二十三)

蓋此專由扶翼公卿臣連伴造國造等。各盡丹誠奉遵制度之所致也(卷二十五)

天皇臥病以痛之甚矣(卷二十八)

はじめの例は古訓に「イマシガカクナク」とあつて、國訓ではかくも訓むべきかと思はれる。「某獨生之」「我生之」は主語であるが、「生之」はいづれも「イケリトモ」と訓むべきである。

卷十二のはじめの「仲皇子在之」は「ナカツミコノマシマスコトハ」とでも訓むべきであらう。「起之」「出之」は「オコスコトハ」「イデシコトハ」と訓むか。次例はこの種の例の中最も複雜を極めた文の構成であるが、主語たる長い體言節の下に之字が添はつたものである。最後の例の「痛之」は「アツキコト」とも訓むべきであらう。要するに、主語が節または句から成つてゐる場合に、その下に之字がつく例の少ないことは、漢文でもかゝる場合には他の助詞が屬くのが普通で、之字のかゝる用法は二次的なものであるためであらう。

この種の用法は奈良朝の他の文獻にも用例が見えない。修飾句を有する主語の下に之字の來る例は少數ながら他の文獻中に見出されるが、主語節の下に之字を用ゐたのは、書紀のみに見出すことが出來るやうである。しかし、如何に訓むか疑はしい例があるので、再調査の上でなければ斷言は出來得ない。しかしながら、書紀の如く文飾絢爛たる、奈良朝第一の浩瀚なる漢文中から、わづかに十四例を見出すに過ぎないといふことは、たとへ、他の文獻中にこの用法が見出されるにして、如問に少ないものかといふことが推察せられる。古事記にもこの用法の之字は見出されないやうである。

六

第六の用法としては之字が指示代名詞として用ゐられる用法である。この用法に於いて書紀中には次の如き例が見出される。

(a)

次生月神其光彩亞日。可以配日而治。故亦送之于天。(卷一)

若有不受教者。乃擧兵伐之。(卷五)

汝國爲吾國所破非久矣。一本云。汝國果成吾土非久矣 其典馬聞之陽患其腹退而在後。(卷十四)

天皇本以皇孫有順而器重之。(卷二十六)

(b)

天皇擧矛刺鼈。忽化爲白石。謂左右曰因此物而推之必有驗乎。(卷六)

時櫻花落于御盞。天皇異之。則召物部長眞膽連。詔之曰。(卷十二)

皇太子謂諸大夫曰。我有尊佛像。將誰得是像以恭拜。時秦造河勝進曰。臣

拜之。　便受佛像因以造蜂岡寺（卷二十二）

更設細馬隨召出之即自泊瀨還宮之日（卷二十九）

是時兄還弟弓矢而責己鈎。　弟患之。　乃以所帶横刀作鈎。（卷二）

(c)

然後母吾田鹿葦津姬。　自火燼中出來就而稱之曰。　妾所生兒及妾身自當火難無所少損。　天孫豈見之乎（卷二）

時麛坂王忍熊王聞天皇崩亦皇后西征幷皇子新生而密謀之曰。　亦皇后有子。……（卷九）

時倭漢坂上直樹柱勝之大高。　故時人號之曰大柱直也。（卷二十二）

皇太子始知大臣心猶貞淨。　追生悔恥。　哀歎難休。　即拜日向臣於筑紫太宰帥。世人相謂之曰。　是隱流乎。（卷二十五）

(d)

然後諸神歸罪過於素盞嗚尊而科之以千座置戸遂促徵矣。（卷一）

於是二人各堅執而爭之。　是非難決。　天皇勅之。　令請神祇探湯。（卷十）

彼嶋之人言非人也。　亦言鬼魅不敢近之。（卷十九）

其布施以當國官物充之。（卷三十）

大體、右に掲げたやうな用法である。しかも、右の例の中に於いても、用言の終止形につく語末助詞とも見られるものがあり、または接續助詞の如く用ゐられてゐるものもあるやうで、書紀の自訓はおろか、古訓にも之字は動詞の中止形、終止形を表はすために之字が用ひられてゐる如くに訓まれてゐる。例を神代卷、上卷に採ると、自註では「逐之此云波羅賦」古訓として私記の訓を出せば、「畫滄海而引擧之（安乎宇奈波良乎志保己乎呂己乎呂爾加岐奈志氐）」である。勿論書紀の編纂者は「波羅賦」といふ國語を漢語で記載すれば、「逐之」と記すべきもので、この場合の之字を代名詞と意識して用ゐてゐることはいふまでもない。この用法は第一の之字の用法に次いで夥しい數に上つてゐる。これは他の奈良朝の文獻に於いても見られる傾向である。

前に掲げた用例を説明すれば、(a)のはじめの例の「故亦泝之于天」の之字は「月神」、次の「擧兵伐之」の之字は「不受敎者」、「其典馬聞之」の之字は「汝國爲吾國所破非久矣」、「重之」の之字は「皇孫有順」をそれぞれうけてゐるものと見られる。

(b)の例のはじめの「推之」の之字は「天皇擧予刺龜。忽化爲白石」、「天皇異之」の之字は「櫻花落于御盞」、「臣挿之」の之字は「是像」「尊佛像」、「隨召出之」の之字は「細馬」、「弟患之」の之字は「責己鈎」をそれぞれうけてゐるものと見られる。

(c)の「稱之曰」、「密謀之曰」、「相謂之曰」の之字は對話者を指してゐるものと思はれる。また「時人號之日」の之字は「時漢坂上直樹杜勝之大高」をうけてゐるものと思はれる。

(d)の「科之」の之字は「素盞嗚尊」を指してゐる。「不敢近之」、「以當國官物充之」の之字はうけるものが幾分弱くなつて來てゐるが、それぞれ「彼嶋之人」、「其布施」をうけてゐるものと思はれる。「天皇勅之」の之字は、助詞とも見られるが、漠然と「二人」を指してゐるやうである。之字の用法には代名詞か、助詞か、いづれに屬すべきか、判別し難いものがある。よつて、その區別は人により異なる場合のあることはいふまでもない。ことに、漢文に習熟してゐないわたくしには、書紀中の用例に於いても、それをいづれの品詞に屬さすべきかに躊躇する用例があつたことをお斷りしておかねばならぬ。

ことに、動詞の下にある之字は、代名詞か、助詞であるか、定め難い場合は多い。そこで、わたくしは、便宜上次のやうな方法をとつた。自動詞的な動詞に於いて、代名詞か助詞か不明なる場合、その下にある之字が文全體の意味の上から、一度、前にあらはれて來てゐる語、句、節または文を承けてゐると解して、解釋上に不都合を來たさない場合、これを代名詞とし、然らざる場合は助詞とした。

是夜仲皇子忘手鈴於黑媛之家而歸焉。　明日之夜太子不知仲皇子自奸而到之。（卷十二）

故先欲都難波。　是以百寮者各往之請家地（卷二十九）

この二例の之字は、他の漢文に比して之字をかなり多く中國人、楊樹達氏のいふ句中助詞（わが國語に於ける接續助詞、接續詞に大略あたる）や語末助詞（大略、終助詞にあたる）として用ゐてゐる書紀の編者の用字意識からいへば、助詞か形式代名詞か不明であるが、それぞれ「黑媛之家」、「難波」を承けてゐるものと解して代名詞と見た。しかし、次の如き例に於ける之字は、前に代表されてゐるものが見えないから、これを助詞とした。

冬十月乙丑朔乙亥大唐學問僧清安學生高向漢人玄理傳新羅而至之。（卷二十三）

の如き例に於いては、之字が「於是」の意義で、ここでは間接に日本の帝都を指してゐるとも思はれるが、前に承けるものが見えないから助詞として取扱つた。なほ、「歸」「來」「還」「退」「發」「走」などに於ても、同じ基準で區別した。しかしながら、いふまでもなく

朕登高臺以遠望之。 烟氣不起於域中

の之字は前に承けるものがあらはれてゐないが、見の形式的客語と見て、代名詞として取扱つた。 以上の代名詞と助詞を區別するに際しては、松下大三郎氏の「標準漢文法」中國人楊樹達氏の「高等國文法」、「詞詮」、劉淇の「助字辨略」、王引之の「經傳釋詞」などを參照した。

右によつて、次にかかげるやうな之字の用法も、この種の用法、卽ち、代名詞としての之字の用例と見ることにする。

此焉有國。 請任意遊之(卷二)

彼地必當足以恢弘天業光宅天下。 蓋六合之中心乎。 厥飛降者謂是饒速日歟。

何不就而都之乎(卷三)

進登那羅山而軍之。(卷五)

爰定神田而佃之。(卷九)

天皇亦還于野上而居之。(卷二十八)

しかし、書紀の編者達は、かゝる類の之字をも、用字意識の上では、語末助詞として用ゐてゐたかも知れないが、ひとまづ、代名詞の用法の用例として數へることにする。

(b)の「推之」、「天皇異之」、「臣拜之」、「出之」、「弟患之」などの之字に就いては便宜上、第七の用法を說く場合に述べる。

(c)については、すでに一應は解說を試みたが、「稱之曰」、「謀之曰」、「相謂之曰」の之字を代名詞に見たことについて述べておきたい。

書紀に於いて「謂之曰」、「勅之曰」、「語之曰」、「問之曰」、「告之曰」、「奏之曰」、「詔之曰」、「啓之曰」、「請之曰」などの之字は、わたくしは對話者を指す形式代名詞として一應取扱つておくことにしたい。といふのは、書紀に於いて、右と全く構成を同じくする句に於いて、之字の代りとして介入して來るものは、事物ではなくて人である。

時事代主神謂使者曰(卷二)

及年四十五歲謂諸兄及子等曰(卷二)

然於吾而不便則請天皇曰(卷七)

津守連之祖田裳見宿禰啓于皇后曰(卷九)

是曰大舍人驟言於天皇曰(卷十四)

天皇詔大伴大連金村、物部大連麁鹿火、許勢大臣男人等曰。(卷十七)

馬子宿禰詐於群臣曰。（巻二十二）

大臣令阿倍臣語群臣曰。（巻二十三）

時難自決不知所為乃問諸臣曰（巻二十七）

丙午。詔四方國曰。（巻二十九）

最後の例が「四方國」となつてゐるが、これは勿論「四方國の官吏または百姓」を指してゐること明らかで問題とはならない。右は少數の例に過ぎないが、他例に於いても、人以外の事物が介在することはない。

孟懿子問孝子曰無違樊遲御、子告之曰孟孫問孝於我我對曰無違。（論語）

の「之」と全く同じものと見るのである。勿論、「驚之曰」「喜之曰」「恨之曰」「聞之曰」などの之字とは同じく代名詞ではあるが、いささか趣を異にしてゐる。對話者を漠然と指してゐるものと見るべきである。書紀に於いては、支那の漢文に於けるより之字が助詞として用ゐられる傾向が多いとはいへ、「謂」「請」「啓」「言」「詔」「勅」「問」「語」などの字義から考へても之字を客語と見た方がよいと思はれる。

さて、應の方の「對之曰」、「答歌之曰」、「報答之曰」、「報之曰」「答之曰」などの詞も對話者を指してゐるものと思はれる。かく、之字の上の動詞が應答をあらはす動詞の場合には、之字は對話者をお互ひに指してゐるものと思はれる。であるから、勅、詔、啓、奏、告、請、語、言、問、などの語の下に「之＋曰」がある場合は、これを對話體の文章に適するやうに訓むべきではあるまいか。「ノリタマヒツラク」、「マヲシタマヒツラク」、「イヒケラク」、「カタリツラク」または「ノリタマハク」、「マヲサク」などの如く、字面と時處に應じて、體言に訓むべきものと思はれる。なほ、右の如き例に於いて、之字の省略されてゐる例も非常に多い。この事と卷二十三の「是時、大夫等且誨『摩理勢臣』之曰」の如く之字が中止形に添へる助詞として用ゐられてゐる用例から考へると、單なる助詞として用ゐられてゐるのではないかとも考へられるが、さうではない。省略せられたのは、之字が助詞であるためではなく、對話や文の前後の關係から、對話者を代表してゐる之字を省略してもその對話者が明瞭であるからである。さらに修辭的に避けられる傾向のある、三字句が二字句となることも、一つの理由とも見られる。また、「勅之」「詔之」「宣之」「言之」「問之」の之字も代名詞と見るべきである。古事記の「詔之」「問賜之」「白之」「告之」「答白之」「問之」などに就いては後に述べたいことである。

「歌之曰」「爲歌之曰」「爲御謠之曰」などの之字は、「語之曰」「奏之曰」「話之曰」「遠望之」などの之字と同じく上の動詞の客語であるか、または「竊之曰」、「誨『摩理勢臣』之曰」の之字の如く中止形に屬く助詞として用ゐられてゐるかといふことは決定するは難しい。書紀に「歌之曰」とあつて直ちにその次に歌詞が來てゐる例は三十四で、古事記中にはかゝる例は一つも見えない。その代り「歌曰」が六十二例、記には見える。紀には「歌曰」は三十七例見える。「歌之曰」の例に就いていふと、之字が上句のことを代表して、そのことに就いて歌ふといふ意に解せられる場合が多く、また之字は「歌」の形式的客語とも見られるし、雄略紀には「烏」於讃蜻蛉歌賦之」とあり、また「歌曰」は之字を省略したものとも解されるが、「故聊爲御謠以慰將卒之心焉」「乃爲御謠之曰謠此云宇多預瀰」とあつて「爲」字は動詞に訓むべきもののやうであり、また「歌曰」は必ずしも客語の之字を省略したとも思へない例があるから、假に書紀に多い中止形に屬く之字と解して第七との用法の中に算入する。

次に書紀の中で之字の代名詞としての用法中注意すべきものに就いて述べる。

廼以天瓊矛指下而探之瓊玉也此云努是獲滄溟（卷一）

この之は句中の助詞ではなくて、探の客語と見て代名詞と見るべきである。しかし、訓む場合は「カキサクリ（シカバ）」などと訓んでよい。なほ卷十三に「殆有是蝮腹乎。亦入探之」とあることから見ても之字は「探」の客語といへる。

則逆剝斑駒投入之於殿内（卷一・一書）

丹鶴本に於字があるが、於字を補はなければ文を成さないといふことはない。むしろ、このままもよい。

故裂尾而看之卽別有一劍焉（卷一、一書）

この之字がない本があるが、これと同じことを描寫してゐる本文に「故割裂其尾視之中有一劍」他の一書に「卽擘而視之尾中有一神劍」、「割而視之則劍在尾中」とあるから、ある方の本にしたがつておく。

或所謂泉津平坂者。不復別有處所。但臨死氣絶之際是之謂歟（卷一、一書）

之字はない本があるが、あるとすれば、指示代名詞である。なほ、兒島献吉郎博士は、その著「支那文學考」に於いて、伊藤東涯の「用字格」や「朱子語類」が「之謂」、「謂之」の之字をいづれも代名詞としてゐるのを排し、「之謂」の之字は後置詞として、「的」字に解されてゐる。「謂之」の之字は代名詞であることといふまでもない。

遂將盪滌身之所汚乃興言曰、上瀨是太疾。下瀨是太弱便濯之中瀨也（卷一、一書）

之字が丹鶴本に「於」字となつてゐるが、上之中に「盪滌身之所汚」とあるから、之字を除いてまで於字に改める理由はない。また、前に言及した「投入之於殿内」などの之字と考へ合せると、「於」字と同一用法で、前置詞ともいふべき助詞ではないかとも思はれるが、かゝる類のものはこの他に殆ど見られないから、一應代名詞として取扱つて置く。なほ、訓み方は「ススグ」よりも「ススギタマヒキ」と訓むべきところである。

心之疑矣（卷二）

嘉禎本には「心疑之矣」とある。いづれに從ふも代名詞として用ゐられてゐる。なほ毛詩卷十五の「苕之蕐其黃矣。心之憂矣。維其傷矣」などから得たものか。

是時兄還弟弓矢而責己鉤。弟患之。乃以所帶横刀作鉤。（卷二、一書）

この之字は「責己鉤」を指示してゐるのである。「患之」を古訓のやうに「ウレヘテ」と訓んでもよいが、之字は助字ではない。

今者天之神之孫辱臨吾處中心欣慶何日忘之。乃以思則潮溢之瓊思則潮涸之瓊副其鉤（卷二、一書）

天孫心恠其言竊覘之。則化爲八尋大鰐（卷二、一書）

皇孫因而幸之。即一夜而有娠（卷二、本文）

故汝先往平之。乃賜天鹿兒弓及天眞鹿兒矢遣之。（卷二、一書）

取天神所賜天鹿兒弓天眞鹿兒矢便射之。則矢達雉胸（卷二、一書）

の之字は同じく代名詞である。なほ、卷二では「之＋（乃、則、便、卽）」などの例にして之字が客語と思はれる例、すべてで十五例ある。

なほ、これらの例と次の例の如きものとを對照するのは興味あることである。

於是取矢還投下之。其矢落下則中天稚彥之胸上。（本文）

二人相謂曰、試欲易幸。遂相易之。各不得其利（本文）

乃使雉往候之。其雉飛下（一書）

同じやうな狀態を描寫してゐるのに、これは則、乃、卽、便などの字を用ゐてゐない。之字はいふまでもなく客語である。なほ、卷二には「汝爲之何故耶」「吾欲以汝爲妻如之何」の如きこの種の之字の用法が見える。

「對曰導之矣」（卷三）

助詞と見るより代名詞と見るべきであらう。

顧知此詐善爲之備。（卷三）

之は直譯訓みにすれば「コレニ」と訓まるべきところであらう。なほ「爲之奈何」の如き純漢文の用法が見える。卷四にはこの種の之字の用法は六箇を數ふるのみである。

今此行之葬奈之爲何（卷六）

これは書紀中にも面白い例である。

猶有レ不レ服之擧レ兵撃。仍重再拜レ之。（卷七）

集解には撃の下に之字があるが、かゝる命令形では客語を省略し得るから、なくともよい。なほ「再拜」の下の之字は集解にないが、「拜」字が客語を有する例が他に見えるからあつた方がよい。この卷七に於いて「誅之」「通之」「聽之」「撃之」「殺之」「滅之」「遇之」「進之」などと語尾が終つてゐるのから考へても、之字があつた方がよい。

于時也、適當二皇后之開胎一。皇后則取レ石挿レ腰而祈レ之曰。（卷九）

「之曰」が濫觴にい言字の一字に作つてゐるが、もとのままがよい。他の例も「祈之曰」と書してゐるやうである。

夫君二天下一以治二萬民一者盖之如天、容之如地。（卷十一）

「盖之」「容之」をそれぞれ古訓の如く、「ウタキオホフコト」、「ウケイルルコト」となど訓むべきであるが、之字は主語の下につく助詞ではなく、代名詞であると思はれる。

朕以二私悵一不レ欲レ失二親忍一之也。（卷十一）

「不欲矢親忍之也」は「ハラカラヲウシナハズ（ハラカラヲウシナハマホシミ）シノビテナリ」となど古訓にあるが、「ハラカラウシナフヲホリセズシノベルナリ」などと訓まれる。　之は指示代名詞と思はれる。

時玖賀媛曰、妾之寡婦以終年。何能爲君之妻乎。於是天皇聞之。欲遂速待之志。以玖賀媛副速待送遣於桑田。

前田家本などに「聞之」の二字がない。なくとも前後の意味は通ずるが、なほあつた方がよい。この場合、之字は指示代名詞と見るべきである。

時新羅使者啓之曰。無犯采女唯愛京傍之兩山而言耳。則知虚言皆原之。（卷十三）

之字は北野本にある。しかし、「原」字は他の例では常に之字が下に添はつて終止してゐることから考へると、之字はなほあつた方がよい。

時皇后結之意裏乘馬者辭无禮。卽謂之曰。首也。余之忘矣。（卷十三）

之字が北野本、熱田本などにある。この對話中にすでに「問曰」、「對曰」と之字が省略してあるから、ない方がよいとも思はれるが、一概にさうばかりも考へられない。

一本云。追至浦掛遣人盡殺之（卷十四）

之字は前田家本にある。他の例ではかかる場合に之字がある。

皇太子億計・取天皇之璽置之天皇之坐再拜從諸臣之位曰。（卷十五）

先代舊辭本紀に之字を於に作つてゐる。舊辭本紀に於となつてゐるのが惡いといふのではない。いづれでもよいから、書紀のすべての寫本に之とある以上、それに據るべきである。すでに述べた

則逆剝斑駒投入之於殿內。（卷二）

下瀨是太弱便濯之中瀨也（卷一、一書）

の之字と全く同じ事情から生じた問題である。

別貢五經博士漢高安茂。請代博士段楊爾。依請代之。（卷十七）

この之字前田家本にある。かかる場合、代字の下に之字を添へるが、また添へてゐるのが普通であるから、之字はある方の本によるべきである。例へば、卷十九に皆依請代之とある。

十七八間分角子。今亦爲之。（卷二十一、註）

「爲」字が寛文行本には「然」となつてゐる。しかる場合は語末助詞であるが「爲」にしたがへば、之字は動詞「爲」の客語となる。なほ圖書寮本には「今之爲之」とある。

次に奈良朝時代の他の文獻のこの種の用法を一瞥しよう。

古事記に於けるこの種の用法は頗る少い。

雖ㇾ負ㇾ帒汝命獲ㇾ之。(神代記)

此者久延毗古必知ㇾ之。卽召二久延毗古一問時(神代記)

是乞二其鈎一故雖ㇾ償二多鈎一不ㇾ受。云三猶欲ㇾ得二其本鈎一。故泣患ㇾ之。(神代記)

此謂二之神語一也(神代記)

これらの之字を宣長は助辭として、「ナガミコトゾエタマハム」、「クエビコゾカナラズシリタラム」「カレナキウレフ」「コレヲカミゴトトイフ」といふやうに訓んで代名詞として訓んでゐない。そして、宣長のやうに、かく之字を訓む取扱ひ方は、古事記編纂者の意に添ふであらうが、これらの之字を代名詞としての考へを全然意識しないで、ひたすらに、用言または活用連語の終止形をあらはすためにのみ之字を書き添へたものではあるまい。さういふ意識も編者の意に存在してゐたことは事實であらうが、この場合の編者の用字意識は、之字を「獲」「知」「患」「謂」の客語としてそれぞれ立たせることが、むしろ強いものであると思はれる。卽ち、この場合の作者は國語を書き記すといふよりも、漢文を綴るといふ意識に強く支配されてゐたと思はれる。これに比し、「恐之仕奉」「獻歌之其歌曰」「悉寤起之」などの之字の方は、漢文の用字意識が潛在してゐたとしても、國語の用言または活用連語の終止形をあらはすことが、編者の企圖であると思はれる。それで、漢文的な用字意識によつて綴られてゐると思はれる前にあげた如き例に於いて、大略、宣長の訓み方はその當を得たものと思はれるが、これを國語に訓む場合、漢文の直譯をして訓むことは國語の語法に不自然であるから、之字の意を現はさないで、訓んだものである。

萬葉集の詞書及び左註などにはこの種の用法の之字の用例が百五十ばかりある。その代表的な用例を示すと、

因今檢注行幸年月以載之焉(卷六、十二ウ)

右或有人問之。曰、新田部親王……。(卷十六、十九オ)

右歌一首爲蟹述痛作之也(卷十六、三十一ウ)

掛稻穗而養之。乃作歌云云。(卷一、九オ)

受之於命不可請益者壽也。(卷五、三十五オ)

於是饌食盛之皆用荷葉。(卷十六、二十オ)

毛能波氐爾乎六箇辭闕之。(卷十九、十七ウ)

などの類で、格別變つたものはない。

風土記類に於いても注目すべき用例はない。いづれも普通のこの種の用法で

ある。代表的な用例、及び幾分異なつてゐると思はれるものを示すと、

謂之雄神（常陸、四オ）

玆宵于玆樂莫之樂。（常陸、二十一オ）

金弓箭流出來即待取之坐而。（出雲、六十三頁）

以為異劍獻之朝庭（播磨、五十九頁）

印南別孃聞而驚畏之即遁度於南毗都麻嶋（播磨、二頁）

註、かゝる「之即」の例播磨風土記中になほ他に二つあり。

高亦如之。（播磨、九頁）

勅神大野宿禰遣看之往到此郡（肥前、十四ウ）

自非威靈何得然之（肥前、一ウ）

海中有嶋。　煙氣多覆。　勅遣陪從阿曇連百足令察之。（肥前、十ウ）

朕將滅此賊當蹶玆石譬如柏葉而即蹶之騰如柏葉。（豐後、七オ）

常陸、出雲、播磨、肥前には、その作者を異にするにつれて、この種の用法に於いても、それぞれの作者の傾向がみられて面白い。　豐後風土記はこの用例わづかに四箇を有するのみである。

宣命、祝詞は、之字が代名詞に用ゐられてゐる例がない。それは、萬葉集の詞書や左註を除いた歌だけに於いては、之字の代名詞としての用法が見られないのと同じ理由に基づくであらう。即ち、漢文の句法の影響を部分的にはうけてゐるにせよ、その文の構成は漢字を假用して、國語で綴られた國文脈の文であることと、今一つは之字が代名詞とはいへ、一方には形式名詞であつて、代名詞ではないといふやうに考へる人もあるやうに、「此」「是」「斯」などに比すると、名詞性が稀薄なことに因ると思はれる。古事記などに於いても、先にのべたやうな終助辭の職能をも備へてゐると思はれる場合を除いては、之字が代名詞に用ゐられた例が見えないのも、これと同じ理由に由ることといへよう。國語の「ココ」、「コレ」などをあらはすのに、古事記、萬葉集などで、「此」、「是」、「斯」などが用ゐられてゐて、之字の例が見えないのは、當代人は、これらの文字の用法上のそれぞれの差異をほぼ認識してゐたことを物語つてゐると考ふべきである。

さて、「シ」をあらはす假字として用ゐられてゐるとはいへ、次のやうな用法がある。

然先仁之我奏之事方(二十八詔)

之我願心足ひに……。(萬葉、卷十八、二十一オ)

秋の花之我色色に見し明らむる今日の貴さ。（萬葉、卷十九、三十九ウ）

之字で假字書にされたこれらの「し」は主として人を指し、物を指すこともあるのは、いふまでもないが、やはり、國語の「し」が漢語の之字と音を同じうし、しかもその義までが略類似してゐるといふ音義兩方面から、國語の「し」の假字として用ゐたものであらうと思はれる。このことは「斯」字がまたこの「し」をあらはすのに用ゐられてゐる事情を考へ合せると一層理會されるやうである。

推古朝の遺文には

悕因圖像欲觀大王往生之狀。天皇聞之悽然告曰。（天壽國曼荼羅繡帳銘）

などあるが、また一面助辭とも見られる。

齊跡示之於泉南大石上。（佛足石記）

臨之以德澤扇之以仁風。（威奈眞人大村墓志）

以之誦之不虛應矣。（大安寺碑文）

他にも少しくあるが、用法上注意すべきものはない。しかし、金石文にはその用法簡單ながら金石文らしい句法のあるのを感ずる。

懷風藻の中にもこの用法十許り見える。その用法は何等特殊なものはない。

復古以來、未之有也（序文）

帝嘉之拜僧正。

の類である。

正倉院古文書に見られるこの種の用法も亦頗る單純で、次の用例はその一般をうかがはしむるに足る。

阤先日請所酢醬者、部領使橘守金弓漏墮之、殘所各五升耳。（卷十五、一四〇頁）

件米迄今未進上、何故然有之、宜察狀。（卷五、二四八頁）

何悅加之。（卷六、八四頁）

毎日常食短籍載之告（卷十、八三頁）

自今以後如之類者必勘將返（卷十五、二二三頁）

以上を通覽するに、この種の用法に於いても、書紀に於いて、資料最も多く、したがつて最も多種多様な用例が見られ、書紀のこの種の之字の用法は、やがて他の當代文獻中に見える用例のさまざまを代表してゐる感があるのである。

七

第七の用法は、主語に立たない場合の體言、動詞、形容詞、副詞、活用連語の下に添つてゐる之字が體言に連なつてゐないもの、または文末の助辭として用ゐられてゐるもので、わが國語の接續助詞、終助詞、感動助詞に類する職能をする場合である。

次に、この種の用例をあげ、便宜的に區別して見ると左の如きものとなる。

(A)

武埴安彥之妻吾田媛。密來之取倭香山土。（卷五）

(a)
既産之。完生腕上其形如鞆。（卷十）
不如此盟者身命亡之。子孫絕之。（卷二十九）
然遙視王船。豫怖其威勢而心裏知之不可勝悉捨弓矢。（卷七）

(b)
未及之死。川上梟帥叩頭曰。（卷七）
既而天皇悔之不治神祟而亡皇妃。更求其咎。（卷十二）
汝不述道。速詣之。遇先皇而仕歟。（卷六、一六）

(c)
其邈七日行之不及。（卷九）
淸彥田生道間守之。（卷六）
新羅軍潰之。（卷十一）

乃起行之。（巻二十一）

(d) 三月乙酉朔丙戌。日蝕之。（巻二十三）

塞上恒作惡之。（巻二十四）

乙卯雩之。（巻二十九）

(e) 然後復命。具言其事。時大神怒甚之曰。汝是惡神。（巻一）

爰日本武尊不知主神化蛇之謂。是大蛇必荒神之使也。（巻七）

(B)

大王辭而不即位。空之既經年月。（巻十三）

吾心清清之（巻一）

卜使物部連祖伊香色雄爲神班物者吉之（巻五）

(C)

久之天津彥彥火瓊瓊杵尊崩。（巻二）

始之於諸國置國史記言事達四方志。（巻十二）

兵衆少之。（巻九）

(D)

是物者則顯見蒼生可食而活之也。（卷一）

(E)

今我也弟之。（卷十二）

因給復郡內百姓以一年之。（卷二十九）

君則天之。臣則地之。（卷二十二）

仰覩君容秀於人倫。若神之乎（卷七）

(F)

昨夜夢之有一貴人。（卷五）

村之無長。（卷七）

一日之無不顧。（卷七）

右の用例を解說しよう。

(A)の(a)は動詞の下に之字が屬いたもので、副詞節または副詞句ともいふべきものの下にある例で、この之字は助動詞「つ」の連用形「て」に訓むべき場合の例である。「來之」は「キタリテ」、「亡之」は「ホロビテ」、または「ウシナヒテ」などと訓むべきである。「產之」を古訓に「アレマセルトキ」と訓んでゐる。これでもよいが、なほ「アレマシテ」と

訓むべきところである

(A)の(b)の用法は漢文にはあまり見られない用法であるが、わが上代に於いては、古事記、萬葉集、風土記などの中に、用例の數は多い方ではないが、全般的に見出される用法である。しかし、これらの例の之字と「爲先鋒之破瀬田營」の之字との間に如何なる用法上の區別があるか未だ考へ得ない。或は「未及之死」や萬葉その他に見える例から推すと「於」字に通用されるものではないかと思はれるが、「勅許之。乃昇詣之於天也」（書紀卷一）などの之字の用例から見ると、一概にさうも考へられない。いづれにしても助辭的用法であらうが理會に苦しむ。訓み方は(a)の場合と同じく、「知之」は「シリテ」、「未及之死」は「マダシナズニ」と古訓にあるが、また「イマダシナズテ」「シニセズシテ」「悔之」は「クイタマヒテ」などとも訓むべきである。

(c)のはじめ例の「詣之」は「マキラバ」などと訓むべきである。次の「行之」はそれぞれ「イクトモ」など訓むべきである。

(d)の例は、「生」田道間守「之」の「生之」は「ウミキ」または「ウメリ」とも訓んでよいところである。しかし、之字が文の末辭となつた場合に「キ」などと訓まれる根據はどこにあるであらうか。

經傳釋詞に

之猶兮也昭二十五年左傳曰鸜之鵒之公出辱之三之字竝與兮同義

とある。楊樹達氏の「詞詮」には「經傳釋詞」の例を引用し、更に他例を加へて

語末助詞、無義。▲鸜之鵒之、公出辱之左傳昭二十五年▲七八月之間旱、則苗稿矣。

天油然作雲、沛然下雨、則苗沛然與之矣。孟子梁惠王上

とある。按ずるに、之字はこの他「也」「者」「哉」「矣」「焉」などと同じく用ゐられる場合があるやうである。であるから、(a)の「潰之」「行之」「蝕之」「作惡之」「雲之」の之は、いづれも語末を强調するために用ゐられたもので、必ずしも「キ」と訓むことを要しない。だから文の前後の敍述の關係を考慮した上で、「潰之」「行之」「蝕之」、「作惡之」「雩」は「ニゲアカレヌ」「イク」「ハエタリ」「ナス」「アマゴヒス」などと訓んでよい。

(e)の例は、古訓に「甚之曰」「不知……之謂」の之字と「曰」、「謂」とをつづけて「ハナハダシウシテノタマハク」「シラズシテノタマハク」と訓まれてゐるが、原文の句法や、前後の文の句法から考へると之字でいづれも終止してゐると見るべきである。が、訓讀する場合は、古訓の如くつづけて訓むべきところである。

(B)は形容詞に之字がついた例で、「空之」、「清清之」、「古之」は「ムナシクシテ」「スガスガ

シ」、「ヨケム」などと訓むべきであらう。 古訓には「空之」を「ムナシキコト」と訓んでゐる。 排すべきものでもない。

(C)は副詞の例で、「久之」は「クサシクシテ」、「始之」は「ハジメテ」、「少之」は「スクナシ」など と訓むべきものである。

(D)は助動詞に屬いた例で、助辭「者」と通ずる之字である。「イクベシ」と語末は訓まれるものであらう。

(E)は體言に屬いた語末助詞の場合で助辭「也」「者」に類する用法である。「弟之」は「オトウトナリ」、「一年之」は「ヒトトセナリ」など訓むべきである。「君則天之。臣則地之」を古訓に「キミヲハスナハチアメトス、ヤツコラハスナハチツチトス」と訓んでゐるやうであるが、これは憲法十七箇條の第三條に見える。管子に

令行禁止、主之分也、奉法聽從、臣之分也、故君臣相與高下之處也、如天之與地也。

とあるのを書紀の編者は換骨脫胎したものと思はれる。 憲法十七箇條が如何に文辭やその思想に於いて支那の古典やその思想の燒直しであるかは、岡田正之博士の「近江奈良朝の漢文學」中に明確に指摘されてある。 博士によれば左氏傳に「君天也」の語があるのをみると、編者は改變する際に「也」字を之字に變へたものとも

思はれる。また聖德太子傳曆には、「天之」「地之」のいづれの之字も「也」に作つてゐるのである。であるから、この二つの之字は書紀の編者は代名詞として用ゐたのではあるまいと思はれる。「アメトス」「ツチトス」と之字を代名詞と見て訓んでゐる古訓は、書紀の原作者の思想の如くに、は訓まなかつたのである。古訓の點者が誤つた訓をつけたといふのではない。之字を客語として古訓の點者が訓んだのは、彼の思想、彼の生きてゐる時代の思想に影響されたものである。であるから、古訓の如くに訓んでもあながちに惡くはないが、なほ、之字を「也」の如き用法として、「ヲミハスナハチアメナリ、ヤツコラハスナハチツチナリ」と訓んだ方がよい。

「若神之乎」の之字は「者」「也」などに通ふ助辭として用ゐられてゐると思はれる。

(F)は副詞、客語となつてゐる體言に之字が屬いた例である。

なほ、動詞、形容詞、副詞などの下に屬いて、助動詞「つ」の連用形「て」、接續助詞「ば」、「とも」、「ども」と訓ぜられる理由と場合とに就いて略述しよう。

王引之の經傳釋詞に、

之猶則也僖九年左傳曰東略之不知西則否矣晉語曰華則榮矣實之不知之亦則也互文耳

とあつて、之字が「則」の義に用ゐられる場合である。また之字は「而」「者」或は「的」などと音通の故に通用された場合があることは、すでに専門家により説かれてゐる。「而」「者」は漢文では語末または條件句の終りに添へられてゐる。之字もほぼ同様である。わが國でも古事記、萬葉集中には之字と「而」「者」の兩字が通用されてゐて、古事記では、「而」「者」と全く同様に條件句の終りに添へられた例がある。この場合、之字が添はることによつて、用言句が體言句化せられることのあることは、三矢博士の述べられたところで、なほ漢文に於いてもかかる句法のあることは、兒島献吉郎博士が説かれてゐる。（同博士著「支那文學考」第一編、二八八－九頁）なほ、わが國の萬葉假字に類する朝鮮の吏讀中の之字の用法は、小倉進平博士の研究によれば、用言や活用連語の中止形及び終止形に添へられたものであることは、上代の記錄が朝鮮の歸化人の手によつて主として掌られてゐたことを思ふと、一應は考慮さるべき問題である。（京城帝國大學法文學部記要第一、「鄕歌及び吏讀の研究」四四三頁）記紀に於いて、用言や副詞の中止形に之字が添へられてゐることは、兩者の關係を思はせるものがある。いふまでもなく、句または節の末尾に屬いて、それらを體言化した之字が逆態または順態の接續助詞に訓まれるのは、文全體の表現の意味から、しか訓まれるので、この場合の之字は第四、五の用法であつて、この第七の用法とは趣を異にする。とはいへ、この兩者の區別のつき兼ねる場合がある。次に書紀に於いて、古訓に順態、逆態の條件句に訓まれてゐる例に就いて述べる。今、その例と國史大系本の書紀に見えるその古訓とを列べて列る。

（イ）

遂相易之各不得其利。カヘマスニ。（卷二）

終日劉之不誤傷刄。キレドモ。（卷十四）

後擊之不晩也。ウツトモ（卷二十二）

（ロ）

故割裂其尾視之中有一劔。ミソナハスレバ。（卷一）

群臣等因以開其棺櫬而視之。明衣空留而屍骨無之。ミレバ。（卷七）

若百姓知之有懈怠乎。シラバ。（卷八）

移行未遠得皇女屍。割而觀之腹中有物如水。ミレバ。（卷十四）

吾父先王雖是天皇之子遭遇迍邅不登天位。以此觀之尊惟別。ミレバ。（卷十五）

到於墓所而視之。到封埋勿動。ミレバ。（卷二十二）

以此觀之。紀麻利耆拕臣……汝等三人所忘拙也。　ミレバ。（卷二十五）

猶有不服之擧兵擊。　マツロハザルコトアラバ。（卷七）

以上、接續助詞「ば」に訓まれてゐるもの。

吾心推之未必爲信。　オシハカリミルニ。（卷三）

乃開墓視之實也。　ミルニ。（卷九）

然後開寶府而視之。小刀自失。　ミルニ。（卷六）

朕登高臺以遠望之烟不起於域中。　ノゾミミルニ。（卷十一）

天皇居臺上而遠望之。烟氣多起。　ノソミタマフニ。（卷十一）

臣伏計之。大王子民治國最宜稱。　ハカルニ。（卷十七）

以上、接續助詞「に」に訓まれてゐる例。

願密避之參赴于朝。　サケテ。（卷十）

便主覺之走出。　サトリテ。（卷十八）

以上、「て」に訓まれたる例

其大國客等聞之亦不良。　キクコト。（卷二十二）

以上、「コト」と訓まれて、主語節となつてゐる例。（が、これは「キカバ」と訓んだ方が前後の關係からして却つて、相應しい訓み方である。）

（ハ）

何死之無同穴乎。　シシテモ。（卷九）

其邈七日行之不及。　ユクトモ。（卷九）

思欲朝之。豈復得耶。　オモフトモ。（卷十九）

其獨生之有何益哉。　イケリトモ。（卷二十二）

我生之誰恃矣。　イケリトモ。（卷二十三）

（ニ）

何日逮于太平矣。臣雖勞之。頓平其亂。　イタハシトイヘドモ。（卷七）

唯妾雖死之。敢勿忘天皇之恩。　マカルトイヘドモ。（卷六）

其雖古風之。非良何從。　イニシヘノフリトイヘドモ（卷六）

臣雖生之。亦何益矣。　イクトイヘドモ。（卷六）

夫使人雖死之。不失旨。　シストイヘドモ。（卷二十二）

以上は、書紀中のかかる用法のすべての例をあげたわけのものではない。

さて、攷ふるに、（ハ）の用例だけを見ると、之字の上の動詞が普通客語をとらないのであるから、之字は「トモ」などの如く逆態法につく接續助詞の如き機能があるやうに思はれる。しかし、さうではない。「其邈七日行之不及」の之字は「而」字と同じく用ゐられ「行之不及」は「行きてまだ到達しない」の意である。(ハ)の他例はいづれも「的」と同じ用法で、分類上、第四、五の用法中に入れて考ふべきものであつて、訓ずる場合に逆態的意味をとるのである。(ニ)の例に於いては「雖」字がある以上、之字は全く無意義に用ゐられてゐるといつてもよい。恐らく之字を添へたことは、文の前後の造句の上の修辭手法に因るものであらう。それにしても(ニ)の第三の例の如く、名詞に之字のかかる用法で添へられるのは異例で、同じく垂仁紀の八十七年に「故諺曰」神之神庫隨樹梯之」此其緣也」とあるのは、この卷の特徵として考慮すべきである。

次に、(イ)の用例を考へて見る。この用例では之字の上の動詞は他動詞である。之字は恐らく客語と思はれる。であるから、この(イ)に於ける之字にはいづれも接續助詞の如き機能はないものと見るべきである。また、神代紀などで、本文に「於是取」矢還投下之。其矢落下。」とある記事が、一書には「因還投之。卽其矢落下」と書かれ、本文の方に「天稚彥乃取」高皇産靈尊所賜天鹿兒弓天羽羽矢」射雉斃之。其矢洞」達雉胸」而」とあるのが、前と同じ一書には、「天稚彥乃取」天神所賜天鹿兒弓天眞鹿兒矢」便射之。　則矢達二雉胸一とあるのを對照すれば、なほ、「則」、「卽」の兩字がなくとも、「卽」「則」のある場合と殆ど同じい狀態を表現することが出來るものと思はれる。　それは、この場合は他動詞の下に添へられた之字にさういふ機能が備はつてゐるのではなくて、文全體の表現が然らしめてゐるのである。　書紀の古訓には「卽」「則」の有無にかかはらず、この場合は之字のところで終止して訓まれてあるが、これらの文と同樣な構成の文に於いては、「バ」で下につづけられてゐる場合も少くないやうである。

(ロ)の場合の之字の上の動詞は、(イ)の場合の動詞のやうに、意志的な他動詞ではなく、自然に客語をとる動詞である。　それで、一見すると、之字は接續助詞の如き作用をなしてゐるやうに思はれるが、第六の用法の(b)の用例である。　之字の下に「便」、「卽」「則」「乃」などのついた用例から考へると、やはり(ロ)の之字は客語と見るべきもののやうである。　卽ち、書紀に於いては、(ハ)の用例の如き純然たる自動詞に添はつた之字と體言、形容詞、副詞に添はつた之字の類が、わが國語の格助詞、接續助詞などに似た用ゐられ方をしてゐるのである。

以上の用例以外で書紀中、この種の用法上、または訓み方や誤字誤寫について注意すべきものに就いて解說する。

仍强之奪白鳥而將去。（卷八）

北野本にないのであるが、卷八の之字の用法や同例の數から攷へて、ある本に從ひたい。

仰視君容秀於人倫。　若神之乎。（卷七）

水戸本は之字を「人」の誤りと疑つてゐるが、この卷七には、この種の用法の多種多樣の用例があるから、これもこの卷の編者の博識を弄する之字の用法の一例と見るべきであらう。

若天運盡之國爲海乎。（卷九）

北野本、玉屋本にあるが、かかる場合、卽ち上の節と下の節とを接續させる場合に、必ずしも、之字を要しないが、あつて然るべき句法である。

忍熊王復引軍之到菟道而軍之。（卷九）

この之字は北野本にあるも、敢へて補はなくてもよいが、またあつても差し支へないところである。

然後數日之。　出於菟道河。（卷九）

集解は「然後數日之」を「然數日之後」と作つてゐるが、このままでよい。「數日之」は「ヒヲヘテ」とよむべきである。

兵衆少之。（卷九）

通釋「乏」に之字を改む。之字はこの際、副詞「少」についた語末助詞である。なほ「也」「兮」と同じ用法である。改むる理由なし。

今百姓貧之則朕貧也。百姓富之朕富也。未之有百姓富之君貧矣。（卷十二）

これらの之字はいづれも第五の用法に屬するものと思はれるが、この第七の用法と比較考察する便宜上ここに出したのである。中の「富之」は「トミナバ」と訓んではよくない。上の「貧之」の訓の如く「トメルハ」と主語に訓むべきである。

田圃少乏。（卷十二）

前田家本に「乏」を之字に作つてゐる。前例の「兵衆少之」により、いづれでもよい。

是以其百姓每豐年之。（卷十二）

この之字前田家本にないが、むしろ、ある方がよい。この用法は正倉院古文書には夥しく見える。しかし、有無いづれにてもよい。

卷二十二には文の終りにある之字が卷二十九に次いで多い。三十ばかり見える。

百濟僧惠聰來之。　桃李實之。　大雨雷電之。　天下大飢之。　其凝累十丈之。

右の例はその一般的のものである。

以後之綏之行。（卷二十八）

この之字のない本がある。あつても差し支へない。

卷二十九には文の末尾につく之字が五十六ばかりある。さすがに天武紀であるから、天文、暦法、天災地變の記事を詳記してゐるので、さう場合に、この種の之字が文の末尾に用ゐられてゐる例が多い。なほ、「出之曰」「鳴之曰」「還之曰」「醒之曰」などの之字は「歌之曰」の之字と同じく助詞として用ゐられてゐることといふまでもない。

次に奈良朝文獻中に見えるこの種の用法を見ると、古事記には、この種の用法では用言または活用連語の下に之字が添はつて、文が終止してゐる場合に用ゐられてゐる例が大多數である。なほ古事記の「詔之」「白之」「告之」「答白之」及びこれに類する場合の之字は、書紀のそれとは、いささか用ゐさまを異にしてゐるが、やはり上の動詞の實質を强調する助詞で、「桃李實之」などの之字と類を同じうするものと思はれる。古事記の之字の用法に就いては、安藤正次先生の「古事記行文の一研究」中に詳說されてゐるから、重なることについて少しく述べるに止どめる。

亦使何神之吉（古事記・上卷）

卽入其山之亦遇生尾人（古事記・中卷）

の之字「亦遣曷神者吉」とあるのと「亦使何神之吉」とあるのとを對照しても、之か者と同様に用ゐられてゐることは納得される。であるから、安藤正次先生の如く、これらを「誨其膳夫等曰聞歌之者一時共斬」と同じ類のものと見て、前の二例はそれぞれ「ツカハサバ」「イリタマヘバ」などと訓むべきであらう。

さて、古事記の「詔之」やこれに類する書法及び訓み方に就いては、三矢重松博士の研究があるので、贅言は省くが、

內告者、因吾隱坐而、

詔者、或天若日子……天若日子於此矢麻賀禮云而、

詔者、此之鏡者……取持前事爲政。

を「者」となつてゐるために、「ノリタマヘルハ」「ノリタマヘラクハ」と訓むは、理由ないとである。前に述べた如く、古事記に於いては、之字と「者」字は通用されてゐるから、この場合も「告之」「詔之」と同じく「ノリタマハク」、などと訓むべきである。

なほ常に問題になつてゐる、

因汚垢而所成神之者也

言趣和其國之荒振神等之者也

此者在美濃國蓋見河之河上喪山之者也

などの「之者也」に就いて、三矢博士は最初の例に於いて、「成レル神ソノ者」の意とされてゐるのは諾はれるが、文末の助詞「之者」などに更に助詞「也」を丁寧に添へたものとも思はれる。

次に萬葉集のこの種の用法と思はれるものに就いて説くことにする。

わが背子が使を待つと笠も着ず出乍曾見之雨の零らくに(巻十二)

この「出乍曾見之」を從來の訓の如く「イデツツゾミシ」と訓んでも誤ではないが、之字を文末の助詞と見て、「イデツツゾミル」と訓んだ方が、一首の歌意が一層躍動してくるやうである。

妹と來し敏馬(みぬめ)の埼を還るさに獨而見者涕ぐましも(巻三)

四句目の「而」字は類聚古集にのみ之字になつてゐるが、之字と「而」字は音通であり、訓の上でも集中に通用されてゐるから、このままで「ヒトリシミレバ」と訓んでよいものだらう。なほ、字音假字の上で、「之」と「而」を通用した形跡が集中にないでもない。
　しなが鳥ゐな山とよみ行く水の名のみ依さゆる内妻(こもりづま)はも(卷十一)
　　一云名耳之所緣而戀ひいつゐらむ
の之字は嘉曆傳承本にのみないのであるが、これは後になつて削除したものであらう。之字は虚字で單に輕く添へたものと見れば、必ずしも訓まないでもよいものである。
であるから、このままで「ナノミヨサエテ」と訓むか「ナノミシヨサエテ」と訓むか、いづれかであるが、わたくしは前者の訓みに從ひたいものである。
　天漢水陰草の秋風に靡かふ見れば時來之(萬葉、卷十)
之字が元曆校本、神田本、類聚古集等に「々」とあるが、之字を「兮」「也」「矣」と同様に用ゐたもの、または書紀に夥しい用例が見えた語末助詞と見て、このままで「キニケリ」と訓んでよい。また卷十六に見える左註、
　右二首河原寺之佛堂裡在倭琴面之(卷十六、二十三オ)
の之字も同斷で、誤字とは見られない。
　わが國の靈神に言ひて降らしめし雪之摧之其處に散りけむ(萬葉、卷二)

「雪之摧之」を神田本には「ユキノクダケテ」と訓み、他の古寫本は多く「ユキノクダケシ」とよんでゐるのと二樣あり、この頃のものはすべて後者に從つてゐるが、これも、書紀に頗る瀕般に見られる助動詞「つ」の連用形「て」に用ゐられた之字の用法と類を同じくするものと見て、「クダケテ」と訓まれるものであらう。

秋風は急之吹來萩が花散らまく惜しみ競ひ立つ見む。（卷十）

「急之」の之字は、元暦校本、神田本、溫古堂本、大矢本等に「ゝ」とあり、略解は「久」の誤りとしてゐるが、この之字も、この第七の用法の例として（C）のところにあげた、副詞に之字の添はつたものと見ることが出來よう。してみると、このままで「急之」を「ハヤク」と訓み、なほ、上句は「アキカゼハハヤクフキケリ」と訓みたいものである。かく訓んでこそ、歌調も整ひ、一首の歌の意も一層判然と通ずるやうになるのである。

また、卷二の「高市皇子尊城上殯宮之時柿本朝臣人麿作歌」の長歌の中に、

麻裳よし城上の宮を常宮と高之奉而神ながら鎭りましぬ。

の之字に就いても同樣なことがいへると思ふ。童蒙抄は之字を「久」の誤りとし、略解これに和し、萬葉考は「高知座而」の誤りといたく改め、玉の小琴には「高之」を定の一字に改め、攷證はさすが改めずに、之字を「シリ」とよんで、「奉」を「タテ」と訓んでゐる。

この頃の註釋書多く、宣長說に從ひ「サダメマツリテ」と訓んでゐる。しかるに、神田本には「タカクマツリテ」とある。わたくしは、この之字を今書紀に見える副詞の下に之字を添へる用法、それは單なる助辭で、いささか上の副詞を强調する以外に意味がなく、訓むときに訓まなくてもよい之字の用法と同じものに見たいと思ふ。そして、このままで、神田本にしたがひ、「高之奉而」は「タカクマツリテ」と訓みたい。前例の「雪之摧之」の訓と合はせ考へるに、神田本の訓點は萬葉集の之字の用法を理會した訓み方といへる。また萬葉集卷三に見える詠「不盡山」歌の中に見える

こちごちの國のみ中ゆ出之有不盡の高嶺は天雲もいゆきはばかり

の之字を古葉略類聚抄に「立」とあるのにしたがつて今の註釋は「出之有」を「イデタテル」と訓んでゐるが、この之字は「而」字と同じく用ゐられたと思はれ、書紀に

答曰。幡荻穗出吾也。於「尾田吾田節之淡郡」所居之有也。問亦有耶。答曰。於「天事代。於「虛事代。玉籤入彥嚴之事代神有之也。（卷九、神功紀）

などと對照して見ると、必ずしも之を一途に排すべきものでもないやうである。また「居」の下に「神」の字のある本がある。それは却つて後人がさかしらに補つたものとも考へられる。「出之有」「所居之有」の之字は吏讀の之字の如く中止形に輕く添

へられたもので、「出之有」は「イデテアル」など訓むべきであらう。なほ、萬葉集の左註には(A)の(b)の如き例が、卷一に一、卷四に一、卷十二に一、卷十三に二、卷十六に一、卷十八に二、卷十九に五見える。例をあげると

藤原麿大夫嫂之郎女焉(卷四、十九ウ)

于時期之明日將遊覽布勢水海(卷十八、六ウ)

の如きもので、家持とその卷の成立に就いて關係のあるといはれてゐる卷に多いのは興味深い。

風土記類にはこの用法は、出雲、播磨などにあらはれてゐるが、文の末尾に之字が用ゐられてゐるものは風土記全體に見られる。格別異なつた用法は見られない。

正倉院古文書には、この種の用法は多種多樣に見られる。代表的なものを次にあげて、その用法の一般を窺知することにする。

依勅相替入之者宜承知。(卷三、四七七頁)

運夫陸十染人 五十九人山之 八人足庭之(卷五、二二六頁)

右先後使勘定已訖、然之田不治開(卷五、五五二)

爲此之、七日齊食。(卷六、一一六頁)

充筆丈部濱足之(卷十三、三九八頁)

以₌明日₋早速進上之(卷十五、一六〇頁)

黃紙及表綺帶紫檀軸坤宮一切經內之(卷十六、四三八頁)

推古朝遺文の中にも

唯獨難₌養育比㖨斯奉之₋云。(上宮記逸文)

使副尙書祠部主事遍光高等、來奉之。(元興寺丈六光背銘)

是以天皇幷₌大臣₋聞食之宣₌善哉₋。(元興寺露盤銘)

などが見え、古京遺文の中にも

日並御宇東宮敬造伽檻之。(粟原寺鑪盤銘)

齋跡示之於泉南大石上(佛足石記)

の如きが見えるが用法は簡素である。

八

第八の用法は之字が動詞として用ゐられてゐることである。

この用法は奈良朝文獻の中にも一部のものに限られてゐる。書紀の中に於いてもこの用法は十一例に過ぎなく、神代紀は勿論、人皇も雄略紀に降つて、この用法が見えるのである。今その全例を示す。

田狹既之任所、闇天皇之幸其婦。（卷十四）

天皇尙不識使主所之。（卷十五）

果之所期立歌場衆。（卷十六）

小兒忽亡不知所之。（卷十九）

羽島既之百濟。（卷二十）

遂之任那。（卷二十）

將之大連所時。（卷二十一）

宜之厥任愼爾所治。（卷二十四）

汝等之任。（卷二十五）

國司之任。（卷二十五）

東宮見天皇請之吉野修行佛道。（三十七）

この動詞に用ゐられた用例は、わたくしが參考した奈良朝文獻では、常陸風土記に漸く二字、しかも對句の中に用ゐられてゐるのを見るのである。

皎皎桂月照處。唳鶴之西洲。颯颯松颸吟處。度雁之東路

以上はいづれも少數なる用例のものがあるにせよ、いづれも書紀に見られたる用法である。しかるに、次の用法は書紀には見えない。しかし、他の奈良朝文獻の中でも、風土記と正倉院古文書の中にわづかに見えるもので、わが國語では指示代名詞であるが、漢文では指示形容詞なるものである。

之時天皇勅追聚於此村皆斬死。（播磨風土記）

之中海八十歩通秋鹿郡堺佐太橋。（出雲風土記）

雖非正造之月因有崩壞事。（正倉院古文書、卷四、二一〇頁）

一借貸稻貳伯束給云々之利百束御書無不勘。（同書、卷四、三五九頁）

以上の他に一字一音の「シ」の萬葉假字が書紀中に見えてゐることはいふまでもない。この稿は書紀に見える、之字の漢文の句法上の用法を一通り考説するのにあるので、今は假字の方面は省略して觸れないことにする。

九

ここに一通り書紀に於ける之字の用法を通觀することが出來た。しかし、わた

くしの用法上の相違に基づいた分類は、確實な漢文法の理會を缺いでゐるから、幾多の矛盾撞着と破綻とを含んでゐることと思はれる。その點自分ながら氣づいてゐる點もないのではない。しかしながら、本稿の目的は日本書紀にあらはれた之字の一般的用法を考へて、これを、萬葉集や古事記などにあらはれた之字の用法とを比較することと、書紀の各卷に於ける之字の用法やその使用度數は等しいのか、異なるのか、卽ち之字の用法を通しての各卷の相違はいかなるものか、進んではその相違はどうして生じたものか、さらに進んでは之字を通して書紀の編纂の態度、成立の事情なりを出來得可くば明らかにしたいことである。それで、たとへわたくしの用法上の之字の分類の基準が間違つてゐても、この基準に從つて、各卷の相違といふものを見ることは、あながちに不可能ではないと思ふ。書紀の各卷に用ゐられた用法の種類、その用例數、及び各卷に於ける全用法を通じての全例數、その全例數と各卷の長さとの比率を一目瞭然たらしめるために、左の表を示さう。各卷の長さは、「經濟雜誌社」大正四年發行の國史大系本、六國史中の日本書紀に於ける各卷の頁數を以て概算した。比率はその頁數を以て、各卷に於ける之字の全用例數を除したものである。ただし、この場合は字音假字に用ゐられたものも加へた。第九の用法はそれである。

卷／用法數	第一	第二	第三	第四	第五	第六	第七	第八	第九	計	頁數	比率
卷一	一、四四	六八	一一	二		九七	九		五	三三六	四六	七、三五
卷二	一、四六	五二	五	一		一二九	一九		一	三五三	四一	八、五八
卷三	五二	一五	一〇	三	一	七〇	一六		八	一七五	二一	八、三三
卷四	二〇	一		一		六				二八	一一	二、五五
卷五	二七	一四	四			二三	二〇		二	九〇	一四	六、四三
卷六	四八	一五	六	一		五三	二六			一四九	一八	八、二七
卷七	九二	二〇	五	四		五五	五三		五	二三四	二七	四、九六
卷八	一八	四	六	二		一三	一四		一	五八	七	八、〇〇
卷九	五一	一七	二	五		四六	四一		五	一六七	二二	七、五九
卷十	四四	一三	三	一	一	三一	三三		九	一三五	一四	九、六四
卷十一	七三	一一	二	九	三	六八	五一		九	二二六	二四	九、四一
卷十二	二四	三	一	二	二	三三	一四			七九	一〇	七、九〇
卷十三	四四	六	五	三	一	四四	三五		二	一四〇	一六	八、七五
卷十四	四三	一二	五			四三	二	一	三	一〇九	三一	三、五〇

巻十五	四八	一一	四	一		一六	一	一	二	八四	二〇	四、二〇
巻十六	一一	五				四	一六	一	七	四四	六	七、三三
巻十七	三二	一二	三			一一				五八	二〇	二、九〇
巻十八	一七	四	三			一				二五	九	二、七八
巻十九	九八	三五	二三	一		三八	一二	一		二〇七	四五	四、六〇
巻二十	二九	五	一			一二		二		四九	一四	三、〇七
巻二十一	二〇	八	二	一		一〇	一	一		四三	一三	三、〇〇
巻二十二	六一	一九	三	一	二	六六	四三		三	一九八	二九	六、八三
巻二十三	二七	一〇			二	二七	二九		一	九六	一三	七、三一
巻二十四	二九	二三	一			七	四	一	五	七〇	二〇	三、五〇
巻二十五	一、一九	五四	一〇		一	四三	三	二	四	二三六	三八	六、二一
巻二十六	二七	一六	三	二		九	一		一三	七一	一六	四、四四
巻二十七	四二	一二	四			五		一	五	六九	二〇	三、四五
巻二十八	二七	一一	一		一	五六	三四			一三〇	一八	七、二二
巻二十九	七三	二〇	三	五		六八	七三		一	二四三	五〇	四、五六
巻三十	一二	一二				八	八			四〇	三三	一、二一
計	一、四九八	五〇八	一二五	四五	一四	一〇九二	五五八	一一	九一	三九四二		

	第一	第二	第三	第四	第五	第六	第七	第八	第九	第十
古事記	○	○	○	○		○	○			○
萬葉集	○	○	○	○		○	○			○
出雲風土記	○	○	○	○		○	○		○	○
常陸風土記	○	○	○			○	○	○		○
播磨風土記	○	○	○			○	○		○	
肥前風土記	○	○	○	○		○	○			
豐後風土記	○		○			○	○			
宣命	○	○	○							○
祝詞	○	○	○							○
推古朝遺文	○	○		○		○	○			
古京遺文	○	○	○			○	○			
正倉院文書	○	○	○	○		○	○		○	○
懷風藻	○	○	○	○		○				

○印は用法の例のあることを示す

右の表を通覧するに、各巻に見られ、各巻を通じ最も多い用法は、第一の用法である。これは他の奈良朝文献に於いてもまた認められる現象である。書紀の之字の全用例數、三千八百四十二例中千四百九十八例を領してゐる。次に多いのは代名詞、または形式名詞として用ゐられてゐる第六の用法である。この用法も各卷に見られるのである。しかるに、第二の用法であつて、これも各卷を通じて見られるものである。次は、第二の用法は他の奈良朝文獻にははやないものがある。豐後風土記に第二の用法、祝詞、宣命に第六の用法を缺いでゐる。第六の用法が祝詞、宣命に缺けてゐるといふことは、兩者が國語で書かれたものであり、推古朝遺文や古京遺文などに見える文獻よりも、やはり國語的であるといふことを物語つてゐる。しかしながら、第七の用法は、書紀中に於いても、これを缺ぐ卷が五卷ばかりある。或は助辭と代名詞との用法の區別の標準は各人によつて異なり、またその標準によつて、區別しようとしても決し兼ねる場合が多いのであるから、精密な統計は出し得ない。ただ、わたくしがその點を慮つて、前に示した用例の說明によつて、この第七の用法中にいかなるものを數へてゐるかを、御承知願つて表を見られたい。第三、第四、第五の用法は、文の成分の上から區別すれば、あるいはこれを同一用法として取扱ふべきものかとも思はれるが、かく三つに區別したのは便宜的なものであつて、そこに少異を見て、各卷の相違を考察しようとしたのである。第三の用法は、體言が主語で、述語が連體形で終はつて、主語となる體言の下に之・字の屬く場合であるが、この用法は第七の用法に比すると、その用例數はずつと少いのであるが、これを缺いでゐる卷は三卷に過ぎない。第四の用法は第三のそれと同じものであるが、その述語の用言または活用連語の語尾が連體形以外の形をとる場合である。この例は第三の用法に比するに少い。第五の場合は主語が節、卽ち、主語節の下に之・字が來る場合で、かかる種類のものは頗る少い。書紀以外には見られない文の構成である。第三のやうな用例は、他の文獻に於いても、推古朝遺文以外には見られるところであるが、第四の用法は推古朝遺文に却つて見られ、常陸、播磨、豐後、などの風土記類や宣命、祝詞にはこれを缺いでゐるのである。第八の用法の動詞としての用例は頗る少く、それも允恭紀までは見られず、雄略紀になつて、はじめてあらはれ、その後、この用法の見られる卷と、ない卷とは殆ど相半してゐるが、多くても同じ卷で三例を有する卷はない。他の奈良朝文獻の中でも、この用法はわづかに常陸風土記の中に見られるだけである。

次に各卷に於ける用字の比率を見るに甚だしい相違を見るのである。應神紀には、一頁に付、九・六四で殆ど十字の之・字が用ゐられてゐるのに、持統紀はわづかに一・二一で一字餘りしか用ゐられてゐないのである。これは何故であらうか。參照した資料文獻からの影響であらうか、記事そのものの内容に左右せられてゐるものであらうか。はたまた、編者の相違に基づくものであらうか。またはこれらの事實の共存から生じたものであらうか。が、とに角、かういふ事實は編纂態度に統一がなかつたことを物語つてゐるといへよう。用語、用字に一定の方針をも樹てず、多くは事實、編纂に從事した人の好みに任せてあつたもので、その出來上つた記事を總攬して、用字、用語を大體に於いて統一するといふやうなことはなかつたと思はれる。されば、漢文に習熟し、漢籍に通曉してゐる編纂者は、自己の長を發揮して絢爛たる文を物したであらうし、そのために事實を不當に脚色した編纂者もあつたであらうし、これに反し、それほどまでに漢文の素養のないものや、事實を誤り傳へることを恐れる他の編纂者は、事實を記載する上に於いて、あまり漢文の美辭麗句を引用しなかつたであらう。また、これらの編纂者の中には百濟やその他の朝鮮人の歸化人と古來より日本に住んでゐる人とが混淆してゐたであらう。古來修史、記錄などのことには朝鮮よりの歸化人が主として携つてゐたやうであるが、さういふ歸化人の手になつた卷と、推古朝以後、隋や唐との交通が開拓され、直接唐の文化、漢文に接した人の手になつた卷との間にはおのづから用字や句法に差異があるであらう。ことに、朝鮮の漢文には不必要に之字を用ゐる傾向のあることは、その道の先人のいつてゐるところである。しかして人の文章の相違は、助詞、助動詞に最もよく見られるものである。朝鮮の漢文で綴る朝鮮の歸化人と、朝鮮の漢文を學ばずして、直接漢文を學んだ日本人の編纂者との間には、之字の如き主として語助辭として用ゐられる用字の用法に於いて著しき差異が現はれるものと思はれる。ことに面白いことは、大體、允恭紀と雄略紀を境として、それより以前は之字が汎般に用ゐられ、雄略記以後持統紀に到るまでは之字を用ふることが少いのである。もう少し、これらの事實を考究して行くと、書紀の資料や、編纂者の態度に就いて面白い推定が可能ではないかと思ふが、ここでは觸れないでおく。さらにまた各卷の用例を用法の種類の上から考察すると、非常に特徴ある卷があるのである。譬へば、九卷や十二卷、二十二卷などには、之字の各種の用法が見られ、ことに、第七の助詞の用法に於いては、いづれも多樣な用法を見せ、九卷に最も著しく、また、わが國語の條件法の場合の接續助詞の如き機能を有する之字の用法は、右の三卷に於いて最もその例が多いのである。また、天武紀ことに卷二十九及び推古紀などには文の末尾に用ゐられる助詞としての之字が、他の巻に比して非常に多い。このことは、それぞれの用法を述べた折に參考までに用例を示したから、參照せられたい。そこには編纂に携はつた人々の用字法、用字意識といふものが覗はれ、他の方面の研究と相俟つて、各巻の編者を推定するに到達する一助となり得るであらう。

以上の他、まだ考察を考ふべきことが多々殘つてゐるのであるが、それは一先づ他日を期して省略することにする。

以上述べたことは單なる材料の羅列に過ぎなく、その材料に對して、部分的に考察を下しただけに終つたのであるから、これに整理を加へて、少くとも、今少し體系化することが必要であることを切に感ずるのである。何分倉皇として書いたものので、全く草案そのままであるが、この小稿に於いて述べたこと、述べたいと思つてゐたことを、この結語として云ひたい。

結

ここに再び本稿の目的に就いて考へたい。はじめは書紀中に用ゐられてゐる之字を蒐集して、それを用法の上から適宜にこれをいくつかに分類して、他の奈良朝文獻の中にあらはれた之字の用法を通觀して、書紀に於ける之字の用法は、他の當代の文獻に見える之字の用法と如何なる關係にあるかを考察することを目的の一つとした。しかし、それには幾分資料の不足も感じないではない。が、そこにある提案を得た。即ち、今まで訓み方や用字法が疑問にされてゐたものが、書紀にあらはれた用字法の考察によつて、その疑問に解決の曙光を認めることが出來たことである。たとへば、萬葉集に於いて、之字の用法が不明で、今まで訓めなかつたもの、誤字、衍字とされてゐたものの中、いくつかは、書紀に見える之字の用法から説明せられ、誤字、衍字説によらないで訓む可能性が得られたことである。しかし、書紀に於いて得た之字の用法を以つて直ちにこれを萬葉集に及ぼすことの危險を説いて、木によつて魚を求めると笑止される人があるかも知れない。しかし、わたくしは懷ふ。日本書紀は萬葉人が漢字と漢文の句法を借りて我が國のことを記したもの、萬葉集は漢字を借りて國語を記したもの、その根本的差異は主として文の構成にあるのである。であるから、部分的には漢文の表現を以て國語を寫すことのあることは當然である。萬葉で「音之淸也」などはこの例である。さらにわたくしは夢想する。日本書紀の編纂に從事して疲勞し切つた編纂者が、その疲勞を癒すために、萬葉人として、いみじくも戀人の許に相聞の一首を贈つた。萬葉人の漢文は日本人の漢文である。萬葉集の歌を記す場合用ゐた漢文的用法は、それはやはり日本人の漢文で表現されてゐるのである。日本書紀に得られた用字法を、漢文的用法を用ゐてゐる萬葉集の訓讀に及ぼすことは危險ではあるまい。むしろ純漢文に見られないやうな用字法は、當時の日本人の記した獨特の漢文の用字法である。「雪之摧之」の之字を「テ」と訓む如きは日本書紀に常に現はれて來る用法である。かういふ用字法が、日本書紀人であり、同時に萬葉歌人の歌集である萬葉集中に取入れられないと考へるのが、むしろ不思議である。

次に前にもいつた如く、奈良朝の他の文獻中、誤寫、衍字または一本に據つて改めてゐたものを、誤寫、衍字でなく、また一本の方必ずしも勝れてゐないで、そのままで訓めることがわかつた。卽ち、異本の間に於いて、之字がないものと、あるものとある場合、それを決定するには、書紀及び他の文獻を參照することによつて把握し得た當時の用字法に適ふか否かによつて或程度まで決定することが出來る。

次にまた之字の誤脱問題をも或程度まで解決することが可能である。一本にあるを以つて、ある方の異本や、ある方の場合が多い理由を以つて、直ちに他を誤寫とすることは出來ない。即ち、之字の省略の問題である。

第一用法、木花(之)開耶姬(紀)　潮溢(之)瓊、(紀)

第二用法、上幸之時(記、下)、　還上坐時(記、中)、

第三用法、辛淨足(之)奉寫花嚴料者(正倉院古文書、卷三、六〇五頁)

第四用法、右自田山作所、令作玉作子綿等(之)進上、(正倉院古文書、卷十五、二八五頁)

第七用法、黃紙及表綺帶紫檀軸先坤宮一切經內(之)(正倉院古文書)

これらの場合は添加、省略いづれでもよいことは、用例によつて明らかである。(之)とあるのは全く同じい二つの文章に於いて、甲の場合では省き、乙の場合では添へられてゐることを示すのである。)　また第六の用法の場合は勿論、第五の場合にも省かれることがあつたことは、これを純漢文の例に徵してもいふまでもない。しかし、省略しても可なる場合か、省略し得ざる場合か、それには一定の用字上の慣習があつたと思はれる。　これらの問題も考究されねばならぬことである。

また、我々が不用意に訓んで、意味が大體通ずるところから、看過してゐたものに、精確な訓を與へることが出來た。　例へば、第七の用法に於いて、條件法の場合につ

く之字と、これが條件法につく理由を知つて今までの訓の不充分なところを改め得たことである。

また、書紀自身についてのみいへば、以上の如きものの他に、之字の誤寫、誤脱、衍字、異本に於ける相違の問題に就いて或程度の解決を得たことである。

さらに、書紀の各卷の用法の相違、用字例の多少を統計的に考察して、書紀の編纂態度、成立などに就いて、貧弱ながら、假說を提し得たことである。

そして、最後に、之字の考察から得た右の如き事項は、また、他の用字についても、一般論として提言し得られるかと思ふのである。

そして、この他の助詞「而」「者」「也」「焉」などの研究は勿論、「有」「在」「爲」その他の字の書紀に於ける用法を聯關的に考察して行けば、古文獻の訓み方の上の疑問を或程度まで解決し得るであらう。であるから、わたくしが、上代文獻中に於ける以上の如き之字とある場合類似の職能を有する「而」「者」「也」「矣」「焉」「諸」などの用字法や用字意識を一應概觀しないで、之字のみを採り出して孤立的にその用法や用字意識を探らうとしたことは、研究の安全感が減ずることはいふまでもない。しかしながら、かかることはかなりの勞力と多少の歳月を要することであるから、將來を期するより他はない。また、用字法の分類項目も幾分便宜に出でた點もあつて、參差齟齬して、多少妥當を缺ぐ點もあるから、品詞論の上から嚴密に分類する必要がある。卽ち、代名詞、指示代名詞、動詞、指示形容詞、助辭と分類し、更に助辭を介詞、連詞、助詞などに分類すべきであらう。

その他いふべきことも多々あるが、わたくしの小さな願が許さることがあるとすれば、それは、たとへこの拙稿が幾多の矛盾撞着と破綻とを包藏してゐるにせよ、拙文中引用した用例が大方の博雅の材料となり、瓦礫變じてささやかな眞珠の玉一つとも化り得たならば、この上ないよろこびである。

（昭和九年一月中旬）